LA ÚLTIMA CRUZADA

LA ÚLTIMA CRUZADA

JOEL C. ROSENBERG

Título original: The Last Jihad
Traducción: Nuria Artigas Bellsolell

Primera edición: Febrero 2006

ISBN: 84-934679-1-X
Depósito Legal: B-2513-06

Impreso en España / Printed in Spain

Impresión: Novoprint

Fotocomposición: gama, sl

Editorial ViaMagna
Avenida Diagonal 640, 6ª planta
Barcelona 08017
www.editorialviamagna.com
email: editorial@editorialviamagna.com

AGRADECIMIENTOS

Cásate con una chica que te quiera tanto como para arriesgarlo todo, que crea en ti y que esté dispuesta a montarse contigo a la montaña rusa que es la vida. Yo así lo hice y soy por eso mejor hombre.

Lynn: doy gracias a Dios cada día por haberte puesto en mi vida y porque de algún modo no dejó que fuera tan tonto como para dejarte escapar. Tiemblo al pensar qué sería de mí si no me hubiera casado contigo; tiemblo al pensar la gran cantidad de puestos de trabajo de los que me habrían echado si no hubieras leído y corregido atentamente todo lo que escribía, antes de entregárselo a los editores. Me asombra que seas una escritora y una correctora tan sensata y con tan buen criterio, del mismo modo que me maravilla que seas una excelente esposa, madre, hija, hermana, nuera y amiga. No habría podido escribir este libro, ni todos los demás, sin ti. Tampoco habría querido. Gracias. Te quiero.

Caleb, Jacob y Jonah: sois como el circo de los tres hermanos, maravilloso y salvaje, pero no hay nada que me haga más feliz que ser vuestro padre. Gracias por el cariño, las oraciones y las ganas de correr aventuras juntos.

Papá y mamá: no puedo ni describir lo afortunado que he sido por ser vuestro hijo. Quiero agradeceros con todo corazón que hayáis leído infinidad de veces este manuscrito y que al final no me bautizarais con el nombre de Lincoln. Em, Jim, Katie y Luke: habéis sufrido mis proyectos durante todos estos años. ¡No me lo merezco! Gracias por ayudarme a sentar la cabeza. Familia Meyers —mamá, Soonan, Muncle, Tia, el pequeño Michael, Fael, papá, Carol y «Great Gram»— gracias por dejarme entrar en vuestra familia.

A nuestras almas gemelas de Syracuse, los Koshy, Akka, Dave y Barb Olsson, Richie y Colleen Costello, Vince y Junko Salisbury y Nick y Debbi DeCola: muchas gracias por ayudarnos a empezar y a continuar.

A nuestras almas gemelas de McLean y Frontline, Dan y Elise Sutherland, «John Black John Black», Edward y Kailea Hunt, Daryl Gross, Amy Knapp, Lori Medanich, Julie Christou, Wendy Howard, John y Kelly Park, Jim y Sharon Supp, Kerri Boyer, Alan y Bethany Blomdahl, Tim y Carolyn Lugbill, Dave y Twee Ramos, Bob y Janice Lee, Brian y Christa Geno, Frank y Cindi Cofer, Ron y Gennene Johnson y Lon Solomon y su equipo: ha sido toda una experiencia participar en esta carrera con vosotros. ¡Gracias por la fiesta, la fe y la imaginación!

A nuestras almas gemelas del mundo político, Rush, Steve y Sabina Forbes, Sean y Jill Hannity, David Limbaugh, Bill Dal Col, Diana Schneider, James «Bo Snerdley» Golden, Kit «H.R.» Carson, Grace-Marie Turner, Marvin Olasky, Nick Eicher, Allen Roth, John McLaughlin, Nancy Merritt, Bill y Elaine Bennett, Pete Wehner, Burt Pines, Joe Loconte, Adam Meyerson, Ed Feulner y Peggy Noonan: muchísimas gracias por los ánimos que me habéis dado a lo largo de este y otros proyectos.

A mi agente, Scott Miller, de Trident Media Group. Nunca sabré por qué respondisteis a mi llamada, pero os lo agradezco muchísimo. Habéis hecho un trabajo fabuloso, incesante, infatigable y brillante y quedo eternamente agradecido. Muchas gracias por haber trabajado tan duro, por los sabios consejos, la serenidad ante la presión y vuestra amistad. ¡Sois unos fieras! Esperemos que esto sea tan sólo el principio.

Finalmente, quiero dar las gracias a Tom Doherty, Bob Gleason, Brian Callaghan, Jennifer Marcus y a todo el equipo de

Tor/Forge Books: vosotros lanzasteis el dado y os arriesgasteis por un primerizo. Entonces hicisteis todo lo que estuvo en vuestra mano cuando estalló la crisis con Iraq para que este libro estuviera acabado y listo para lanzar al mercado antes de que empezara la guerra. Ya creía en los milagros antes de conoceros, pero ahora he visto uno con mis propios ojos y no puedo describiros cuánto os lo agradezco. Gracias, gracias y mil veces gracias.

«Y pagaré a Babilonia y a todos los moradores de Caldea todo el mal que ellos hicieron en Sión delante de vuestros ojos, dijo el Señor. Y será Babilonia montones de ruinas, morada de dragones, espanto y burla, sin morador.»

Jeremías 51:24, 37

«La verdadera prueba a la que tiene que enfrentarse un hombre no se da cuando lleva a cabo el papel que él quiere, sino cuando lleva a cabo el papel que el destino quiere.»

Václav Havel

CAPÍTULO UNO

Una caravana presidencial es siempre una imagen fascinante, especialmente por la noche y, sobre todo, desde el aire.

Incluso a treinta y dos kilómetros de distancia y a tres mil metros de altura, cuando estaban realizando la maniobra de aproximación al Aeropuerto Internacional de Denver por la pista 17R, los dos pilotos del *Gulfstream IV* veían claramente las luces parpadeantes rojas y azules del séquito que había en tierra hacia la una de la madrugada, que empezaba a desfilar hacia el oeste, en dirección a Pena Boulevard.

El viento de finales del mes de noviembre era frío y el cielo estaba despejado. La luz de la luna llena bañaba las vastas llanuras y las Montañas Rocosas que se alzaban a la derecha, con un tinte azulado que las hacía imponentes.

Una falange de dos docenas de motocicletas de la Policía abría el camino hacia el centro de Denver, en forma de uve, con el capitán del grupo de motociclistas en el vértice. Detrás, una docena de coches patrulla del estado de Colorado, colocados en cuatro filas de tres unidades, ocupaban los tres carriles de la autopista en sentido oeste con más luces y más sirenas. Dos Lincoln Town Car de color negro azabache les iban a la zaga, con el equipo de vanguardia de la Casa Blanca. Los seguían dos todoterrenos Chevrolet Suburban en los que iban montados equipos de agentes de paisano del Servicio Secreto de Estados Unidos.

A continuación, una tras otra, avanzaban dos limusinas blindadas Cadillac idénticas, ambas negras y construidas según las especificaciones del Servicio Secreto. El nombre en clave de la primera era «Balón Prisionero»; el de la segunda, «Diligencia». Para el ojo no avezado, era imposible discernir alguna diferencia ni saber en cuál de las dos iba montado el presidente.

Las limusinas iban seguidas de cerca por seis todoterrenos Suburban propiedad del Gobierno, la mayoría cargados con los equipos de asalto del Servicio Secreto armados hasta los dientes. Detrás, el vehículo de telecomunicaciones, con dos ambulancias, media docena de camionetas blancas con miembros de la plantilla y dos autocares con la prensa nacional y local, el equipaje y el equipo profesional. Cerraban la comitiva media docena de camiones de red de televisión por satélite, más coches patrulla y otra falange de motocicletas de la Policía.

Sobrevolando el espacio, dos helicópteros de la Policía Metropolitana de Denver flanqueaban la caravana, uno por la derecha y otro por la izquierda casi medio kilómetro por delante. De esta manera, la procesión iluminaba el cielo nocturno y provocaba un enorme estruendo; la imagen era absolutamente impresionante e intimidatoria para cualquiera que se atreviera a mirarla.

Un periodista local de la Fox calculaba que más de tres mil personas del estado de Colorado se habían congregado en los hangares y el asfalto del Aeropuerto Internacional de Denver para ver a su ex gobernador, ahora convertido en presidente de Estados Unidos, de visita de Acción de Gracias, en la última parada de una gira victoriosa que le había llevado por diferentes estados después de unas elecciones mediada la legislatura. Algunos habían aguantado la espera a la intemperie durante más de seis horas con sus banderitas estadounidenses y sus símbolos pintados a mano, calentándose con sorbos del chocolate a la taza que mantenía su calor en termos. Habían esperado con paciencia pasar las medidas de seguridad increíblemente rigurosas y hacerse con un buen sitio para poder ver al presidente descender del avión presidencial, el *Air Force One*, esbozar una sonrisa cálida y prefabricada y emitir un sonido breve y simple a lo Reagan que dijera: «Todavía no habéis visto nada».

El gentío estalló en gritos de aprobación. Habían escuchado el discurso a la Nación televisado de la semana de Acción de Gracias desde el despacho oval. Sabían que el presidente se enfrentaba a una tarea difícil, puesto que había llegado después de Bush. Y sabían lo que costaría.

La economía estadounidense estaba más fuerte que nunca: el mercado inmobiliario registraba récords, los pequeños negocios crecían a buen ritmo, el paro disminuía con rapidez y los índices Dow Jones y Nasdaq marcaban nuevos límites. En cuanto a la seguridad del país, ésta se había restablecido con éxito: se había luchado implacablemente contra el terrorismo y tanto Al-Qaeda como el régimen talibán habían sido destruidos. Finalmente, habían encontrado a Osama bin Laden muerto, y no vivo.

Los comandos del Delta Force de Estados Unidos y del SAS del Reino Unido habían devastado 43 campos de entrenamiento de terroristas de Oriente Próximo y el Norte de África. No se había producido ningún secuestro aéreo en territorio estadounidense en los últimos años, al menos desde que un general de división de Estados Unidos disparara tres balas al corazón de un hombre sudanés que intentaba, con su única mano, hacerse con el control de un avión del puente aéreo entre el aeropuerto Dulles de Washington y Nueva York. También se había actuado sobre centenares de miembros y colaboradores de las células de varios grupos y facciones terroristas, que habían sido detenidos, condenados y encarcelados en Estados Unidos, Canadá y México.

Sin embargo, en el exterior las noticias no eran tan buenas. La economía continuaba en crisis. Los coches bomba y los asesinatos seguían produciéndose esporádicamente por toda Europa y Asia, puesto que las redes terroristas que quedaban en pie, incapaces de penetrar en Estados Unidos, intentaban encontrar alternativas para azotar a los aliados del «gran Satán». Un editorial de un periódico decía que parecía que Estados Unidos estuviera jugando a una especie de escondite terrorista: golpear las cabezas de algunas células en su país sólo provocaba que aparecieran otras en diferentes partes del mundo. Y así era. Muchos estadounidenses todavía no se sentían seguros al viajar al extranjero y el comercio internacional, aunque mejoraba, continuaba un poco estancado. Al menos, dentro del territorio estadounidense, se había restaurado el sentimiento de optimismo económico y seguridad nacional. Internamente, como mínimo, las recesiones eran cosa del pasado y el terrorismo parecía haber sido aplastado. Las promesas presidenciales se habían cumplido y la sensación de alivio era palpable.

Como resultado, las encuestas sobre el trabajo del presidente se mantenían en un notorio 71 por ciento; con esas cifras, sería reelegido por mayoría aplastante y con toda probabilidad conquistaría siete asientos más de la Cámara de Representantes y obtendría una mayoría sólida en el Senado.

El reto sería subir otro peldaño y reforzar la economía estadounidense e internacional con una reducción radical de los impuestos y un plan de estabilización. ¿Podría conseguir realmente que el Congreso aprobara un único impuesto del 17 por ciento? Eso estaba por ver. Pero seguramente podría conseguir que el país volviera a bajar los impuestos tal vez entre un 10 y un 20 por ciento. Y eso sería suficiente, especialmente si aboliera el impuesto sobre las plusvalías y permitiera las cancelaciones automáticas de las deudas para que se invirtiera en nuevas fábricas, edificios, equipamientos y hardware y software de última generación para los ordenadores, en vez de arrastrar durante años los jurásicos y rocambolescos programas de depreciación.

Pero estas cuestiones eran preocupaciones que debía posponer, puesto que ahora era necesario que el presidente se dirigiera al hotel Brown Palace, en el centro de Denver, para descansar un poco. El miércoles por la noche acudiría a una fiesta de la vigilia de Acción de Gracias y recaudaría 4,2 millones de dólares para el Comité Nacional Republicano; acto seguido, se reuniría con los suyos, ya en su enorme mansión, ubicada en una ladera de las Montañas Rocosas en Beaver Creek, para pasar un fin de semana familiar y agradable esquiando, comiendo pavo y jugando al ajedrez. Ya podía oler el fuego del hogar y saborear los boniatos y los dulces esponjosos.

* * *

La caravana presidencial abandonó el recinto del aeropuerto a las 00.14 de la noche del miércoles.

El agente especial Charlie McKittrick del Servicio Secreto de Estados Unidos bajó los binoculares de visión nocturna de gran potencia y miró hacia el norte, rastreando el cielo nocturno desde el punto más elevado de la torre de control del Aeropuerto Internacional de Denver. En la distancia, veía las luces del *Gulfstream IV*, un *jet* privado que algunos ejecutivos de una empresa petrolera habían alquilado y que, en esos instantes, era el primer avión que había entrado en patrón de espera para aterrizar. Siempre que un presidente, un vicepresidente o cualquier otro líder mundial vuela a un aeropuerto, se prohíbe aterrizar o despegar a todos los demás aviones y el organismo encargado de la seguridad envía a un agente a la torre de control para regular el espacio aéreo que rodea a la persona a la que deben proteger. En ese caso, hasta que «Gambito», el nombre en clave que le habían asignado al presidente, estuviera seguro en el Brown Palace, McKittrick mantendría la guardia en la torre y trabajaría codo con codo con los controladores aéreos del aeropuerto.

El tiempo del patrón de espera para aterrizar ya se acercaba a las cinco horas y McKittrick había oído que los pilotos del G4 habían repetido cuatro veces que se estaban quedando sin combustible. No quería que hubiera ninguna metedura de pata. Aunque no tenía la culpa de que no hubieran llenado hasta los topes los depósitos en Chicago en vez de volar directamente desde Toronto; seguro que si sucediera algo, le achacarían el error a él. Echó una mirada a la pantalla del radar que tenía al lado y vio otros trece vuelos detrás del *Gulfstream*: formaban un popurrí de vuelos privados y comerciales, a cuyos pilotos sin duda les traía sin cuidado la gira victoriosa de la Casa Blanca o el Servicio Secreto. Sólo querrían obtener las instrucciones para poder aterrizar e irse a descansar.

—Muy bien, abrid la 17R —dijo McKittrick al jefe de los controladores aéreos con una voz que sugería una combinación poco saludable de cansancio y fatalismo—. Que aterrice el G4 y que sigan los demás.

Se crujió los dedos, se masajeó el cuello y dio el último sorbo al enésimo café que se tomaba.

—Tracon, aquí Torre, cambio —el controlador jefe se puso a gritar inmediatamente por los auriculares. Estaba exhausto y tan sólo quería que todos esos aviones aterrizaran, poder irse a casa y llamar al día siguiente diciendo que se encontraba mal. Necesitaba unas vacaciones desesperadamente y las necesitaba ya.

Mediante el enlace de última generación de fibra óptica con el centro de control radar de aproximaciones de la terminal, de la Administración de Aviación Federal, que se encontraba a unos cinco kilómetros al sur del aeropuerto, la respuesta se produjo de manera inmediata.

—Torre, aquí Tracon, cambio.

—Tracon, vamos a dar permiso al *Gulfstream* para la 17R. Pon a los demás aviones al corriente. Ahora ya no tardarán mucho. Cambio.

—Recibido y nos alegramos, Torre. Cambio.

Acto seguido, el controlador jefe cambió a la frecuencia 133.30 y empezó a dar la orden de aterrizaje inmediato al *Gulfstream*. Tras dar la orden, se hizo con el último trozo de pizza fría de salchichón y salchicha de la caja que había detrás de McKittrick y se metió la mitad en la boca.

—Torre, aquí Foxtrot Delta Lima, 949, aproximándonos a la pista 17R —dijo el *Gulfstream*—. Vamos a acelerar y a aterrizar tan rápido como podamos. ¿Recibido?

Con la boca llena, el controlador jefe señaló con el dedo a un controlador subalterno que estaba al lado de la ventana y que rápidamente entró en acción. Acostumbrado a tener que acabar las frases de su superior, el joven cogió los auriculares y se conectó:

—Recibido, Foxtrot. Tienen permiso para aterrizar. Descended.

El agente especial McKittrick no quería quedarse más tiempo del que esos tipos de la torre de control consideraran necesario, pero todos tendrían que acostumbrarse a estas situaciones. Si Gambito ganaba la campaña de reelección, él también tendría que acostumbrarse a dormir allí.

* * *

A bordo del *Gulfstream*, el piloto se concentró en las intermitentes y lentas luces blancas que lo guiaban y en los focos verdes enterrados a ambos lados de la pista de aterrizaje.

No tenía que preocuparse por los demás aviones que pudiera tener cerca, puesto que no había ninguno. Tampoco tenía que preocuparse por los que estuvieran rodando en tierra por la pista, puesto que todavía no habían entrado en el patrón de espera del Servicio Secreto. Aumentó la velocidad, bajó el tren de aterrizaje y el morro de la aeronave, de modo que descendió desde tres mil metros hasta unos pocos centenares en cuestión de segundos.

Unos minutos más y ya se habría acabado esa larga noche.

* * *

Marcus Jackson se entretenía masticando cacahuetes cubiertos de chocolate y escribía sigilosamente en el ordenador portátil Sony Vaio mientras la caravana presidencial se desplazaba con diligencia a casi ciento veinte kilómetros por hora.

Como corresponsal del *New York Times* en la Casa Blanca, Jackson tenía asignado permanentemente el asiento número 1 del primer autocar de prensa, de manera que se encontraba justo encima del hombro derecho del conductor y podía verlo y oírlo todo. Sin embargo, teniendo en cuenta que se había levantado a las cinco menos cuarto de la mañana para declarar el equipaje en Miami y que, en los últimos cuatro días, había visitado doce estados siguiendo la gira de Acción de Gracias del presidente, a Jackson le importaba un comino lo que pudiera ver u oír desde su codiciado asiento: sólo quería llegar al hotel y encerrarse en la habitación a dormir.

Detrás de Jackson se sentaban dos docenas de periodistas veteranos que trabajaban para diarios y revistas, corresponsales de televisión, productores de telediarios y columnistas de primera línea: expertos reconocidos que no se limitaban a escribir sus análisis políticos para el *New York Times*, el *Washington Post* o el *Wall Street Journal*, sino que también solían participar encantados en programas como *Hannity and Colmes*, *Hardball*, *O'Reilly and King*, *Crossfire* o *Capital Gang*. Todos ellos habían querido seguir de primera mano la vuelta victoriosa del presidente, pero todos querían que se terminara para poder regresar a sus hogares para celebrar el día de Acción de Gracias.

Algunos echaban una cabezadita, otros actualizaban sus agendas electrónicas; había quien hablaba por el móvil con su redactor jefe o con su mujer. Un joven periodista en prácticas ofrecía bocadillos, tentempiés y café recién hecho de Starbucks. Componían un grupo privilegiado de profesionales tanto de ABC News y Associated Press como del *Washington Post* o el *Washington Times*. Lo que todos esos periodistas que se encontraban en el autocar escribían o decían lo podían leer, podría ser visto u oído por un total de cincuenta millones de estadounidenses a las nueve de la mañana del día siguiente. Así pues, el servicio de prensa de la Casa Blanca les dispensaba los cuidados necesarios para asegurarse de que el grupo de privilegiados no agudizara su consabida hostilidad hacia los republicanos conservadores por haber pasado hambre, frío o sufrido cualquier otra incomodidad. Los periodistas políticos nacionales habían aprendido a sobrevivir sin dormir, pero todavía no sabían prescindir del café de Starbucks.

Jackson había sido corresponsal del *Army Times* durante la guerra del Golfo y más tarde volvió a su ciudad natal para trabajar en el *Denver Post*. Se incorporó al *New York Times* apenas diez días antes de que Gambito anunciara su campaña para la presidencia por el Partido Republicano. Desde entonces, había vivido como en una montaña rusa y ya empezaba a cansarse. Tal vez necesitara cambiar de destino. ¿Había oficinas del *Times* en las Bermudas? Quizá pudiera abrir unas. «Aguanta hoy —pensaba para sí mismo—. Pronto tendrás tiempo para descansar.» Levantó la mirada para preguntar algo acerca de la agenda del presidente para el fin de semana.

Al otro lado del pasillo, apoyado contra la ventana, se sentaba Chuck Murray, el responsable de prensa de la Casa Blanca. Jackson se percató de que, por primera vez desde que le conoció, doce años atrás, el «hombre respuesta» parecía tranquilo de verdad. Se había quitado la corbata, tenía los ojos cerrados y las manos cuidadosamente cruzadas sobre el pecho, sosteniendo el transmisor-receptor con un diminuto cable negro que terminaba en un pequeño auricular que tenía puesto en el oído derecho. De esta manera se mantenía a la escucha de cualquier comunicación interna importante sin que pudieran oírlo los periodistas del autocar. En el asiento libre al lado de Murray había una libreta amarilla: ya no tenía ninguna lista de asuntos pendientes, ni llamadas que devolver. Nada. Esa pequeña campaña de relaciones públicas estaba a punto de tocar a su fin. La suerte estaba echada y Murray y su equipo de prensa no podían hacer nada más para que los niveles de popularidad del presidente mejoraran más, y lo sabía, de modo que se había relajado. Jackson se grabó un apunte mental: «Es un buen tipo. Dejémosle descansar».

* * *

El agente especial McKittrick estaba fatigado.

Se acercó a la máquina de café que estaba al lado de las ventanas que daban al oeste de la torre de control, apartada de todo el mundo, con ganas de irse a casa. Abrió un diminuto envase de leche y lo vertió en el último café. Después añadió dos sobres de azúcar, un palillo rojo para agitar y *voilà*, ya era un hombre nuevo. O casi. Tomó un sorbo —vaya, demasiado caliente— y se dio la vuelta hacia el resto del grupo.

Por un instante, el cerebro de McKittrick no registró lo que sus ojos estaban viendo. El *Gulfstream* volaba demasiado deprisa y demasiado alto. Era consciente de que tenía prisa por tomar tierra. Pero ¡por el amor de Dios, tenía que aterrizar bien! McKittrick sabía que cada pista del aeropuerto de Denver tenía una longitud de casi cuatro kilómetros. Como cuando era joven había sido piloto de la Marina, calculó que al G4 le bastaría sólo un kilómetro para llevar a cabo un aterrizaje seguro. Pero a la velocidad a la que iban, los muy idiotas estaban a punto de saltarse la pista o de chocar. No, no era eso. El tren de aterrizaje volvía hacia dentro y, de hecho, el avión estaba acelerando y volviendo a subir.

—¿Qué coño pasa aquí, Foxtrot? —gritó el jefe de los controladores en los auriculares.

Cuando McKittrick vio que el *Gulfstream* viraba en dirección a las montañas, supo lo que estaba ocurriendo.

—¡Avalancha, avalancha! —chilló en el teléfono móvil digital de seguridad.

* * *

Marcus Jackson vio cómo el conductor hacía un movimiento de alerta con la cabeza.

Un segundo después, Chuck Murray se incorporó bruscamente en el asiento con una expresión lívida.

—¿Qué pasa? —preguntó Jackson.

Murray no contestó, parecía que estaba paralizado momentáneamente. Jackson se dio la vuelta hacia el parabrisas delantero y vio que dos ambulancias y las furgonetas de comunicaciones móviles se apartaban a un lado de la calzada; el autocar en el que iban empezó a disminuir la marcha y a girar hacia el lado derecho mientras la parte delantera de la caravana presidencial aceleraba y se alejaba del resto. Aunque no veía las limusinas, sí que alcanzaba a ver como los Suburban del Servicio Secreto corrían a una velocidad que calculó que podía ser de ciento sesenta kilómetros por hora, o tal vez más.

Los instintos de combate de Jackson afloraron: cogió rápidamente la mochila de cuero que tenía en el suelo, rebuscó con impaciencia dentro y sacó unos anteojos que le habían resultado muy útiles durante la campaña cuando la zona de prensa se ubicaba lejos del candidato. Siguió la pista de los Suburban y emitió un grito ahogado: las ventanas ahumadas de la parte trasera de los cuatro vehículos especialmente diseñados estaban abiertas y en la parte posterior de cada uno de los primeros cuatro vehículos había tiradores de primera ataviados con máscaras negras, cascos negros, monos plateados y gruesos chalecos antibalas de Kevlar. Lo que más impresionó a Jackson no fueron ni los uniformes ni los rifles de gran potencia: fueron los dos agentes que iban en los dos últimos vehículos que sujetaban las lanzadoras de misiles Stinger tierra-aire.

* * *

—¡Háblame, McKittrick!

El agente especial al cargo, John Moore, jefe del destacamento de seguridad del presidente, gritó a través del teléfono móvil de seguridad mientras se sentaba en el asiento delantero de la limusina de Gambito, al mismo tiempo que estiraba la cabeza para ver lo que pasaba detrás de él.

Al oír a McKittrick gritar «avalancha», el código del Servicio Secreto para un posible ataque aéreo, había activado una serie de reacciones programadas, tan bien ensayadas que se ejecutaban de manera instintiva por todo el equipo de Moore. En este punto, necesitaba información cierta y la necesitaba deprisa.

—Tenéis a un posible coco que os sigue la pista —dijo McKittrick desde la torre de control con los anteojos dirigidos hacia el *Gulfstream*—. No responde a la radio, aunque sabemos que funciona correctamente.

—¿Determinación?

—¿Qué es eso? —preguntó McKittrick, confuso a causa de una pequeña interferencia.

—¿Determinación? ¿Qué intenciones tiene? ¿Es hostil? —gritó Moore.

—No lo sé, John. Le estamos avisando una y otra vez y no hay manera de que conteste.

Gambito estaba tendido en el suelo, cubierto por dos agentes. Éstos no tenían ni idea del peligro al que se enfrentaban, pero les habían entrenado para reaccionar primero y preguntar después. Moore pasó como pudo por encima de los tres hombres para poder ver mejor a través de la pequeña ventana trasera. Por un instante pudo ver las luces del *Gulfstream* que se les echaba encima. De repente, los focos del aeroplano se apagaron y Moore perdió el contacto visual.

Mirando a la derecha, vio como Balón Prisionero, la limusina de señuelo, se ponía a su lado justo cuando Pena Boulevard acababa y la caravana presidencial entraba en la I-70 oeste. Ambos coches iban a casi doscientos kilómetros por hora.

La pregunta que se planteaban los dos conductores era si serían capaces de salir del tramo de la autopista al aire libre, que les dejaba expuestos, y conseguirían ponerse al amparo de un entramado de puentes y pasos elevados de hormigón que quedaba por delante en la encrucijada de la I-70 con la I-25. De ese modo se dificultaría el ataque aéreo, aunque no lo imposibilitaría. Entonces el problema estribaría en conducir lo suficientemente deprisa como para llegar a ese punto y parar a tiempo o bien parar y volver lo suficientemente rápido marcha atrás como para poder quedarse bajo los puentes y fuera de una potencial línea de fuego.

Sin embargo, cabía plantearse qué pasaría si hubieran colocado explosivos en esos puentes. ¿Qué pasaría si se ponía en entredicho a la Policía Metropolitana de Denver y a los efectivos del estado de Colorado que habían revisado los puentes? Se preguntaba si huían del enemigo o si iban a meterse en la boca del lobo.

Moore volvió a ver el *Gulfstream* a través de los prismáticos de visión nocturna de alta resolución. Avanzaba rápidamente.

—Ave Nocturna Cuatro, Ave Nocturna Cinco, aquí Diligencia: ¿dónde estáis? —gritó Moore en el micrófono que llevaba atado a la muñeca.

—Diligencia. Aquí Ave Nocturna Cinco: estaremos en el aire en un momento —dijo la respuesta.

—Ave Nocturna Cuatro. Igualmente, Diligencia.

Moore maldijo su suerte. El par de helicópteros Apaches AH-64 con tecnología de combate de última generación podían volar a una velocidad máxima de trescientos kilómetros por hora y ambos llevaban 16 misiles guiados por láser Hellfire y ametralladoras de 30 milímetros en la parte delantera. Sin embargo, al final resultaría que ambos helicópteros, que les habían prestado en Fort Hood de Texas, no le iban a servir de ninguna ayuda.

Después de los atentados de los aviones suicidas contra las Torres Gemelas y el Pentágono, el Servicio Secreto había decidido que las caravanas presidenciales serían custodiadas por helicópteros Apache. «Por si acaso» era, después de todo, el lema oficioso del servicio. Pero era diferente tener helicópteros militares sobrevolando en formación de combate sobre las calles de una ciudad y la población civil año tras año. Así que se llegó a un acuerdo: los Apaches estarían preparados y en estado de alerta en cada aeropuerto hacia el que el presidente o el vicepresidente volara, pero no sobrevolarían las caravanas presidenciales. Parecía una solución razonable, pero no en ese momento. Aun así, ya no importaba. La mente de Moore se debatía para encontrar alguna solución.

—Nikon Uno. Nikon Dos. Aquí Diligencia. Daos la vuelta y poneos delante de ese tío.

—Nikon Uno. Entendido.

—Nikon Dos. De acuerdo.

Los dos helicópteros de la Policía Metropolitana de Denver no eran helicópteros de ataque, y menos Apaches. Básicamente, eran aparatos de reconocimiento que podían utilizar un equipo de vídeo de visión nocturna para buscar signos de alarma en tierra, no en el aire. Pero se salieron de la formación inmediatamente y se lanzaron a toda prisa para situarse detrás de la limusina de Gambito. La incógnita era si podrían realizar la maniobra lo suficientemente deprisa y qué pasaría después.

* * *

El piloto del *Gulfstream* se arrancó los auriculares y los lanzó detrás de él.

La torre de control le gritaba en vano para que modificara inmediatamente el rumbo, ya que corría el riesgo de que le dispararan. ¿Por qué distraerse?

Veía como los helicópteros de la policía empezaban a acercársele por el lado derecho e izquierdo, respectivamente, así que aceleró, bajó la parte delantera del aeroplano y empezó a descender hacia las dos limusinas, que en esos instantes iban una al lado de otra.

* * *

—Tommy, ¿hay alguna salida cercana? —gritó Moore al conductor.

—Sí, hay una, jefe. Ya está aquí mismo, a la derecha: la 270 oeste.

—Bien. Diligencia a Balón Prisionero.

—Aquí Balón Prisionero. Tú dirás.

—Toma la delantera y sal por la salida 270 oeste. La 270 oeste. Corre, corre.

El agente Tomás Rodríguez aflojó el pie del freno de un modo casi imperceptible, lo justo para dejar que la limusina de señuelo se adelantara y se pusiera delante de él y, acto seguido, girara a la derecha hacia la rampa de salida.

* * *

Por primera vez, el piloto del *Gulfstream* soltó una sarta de insultos.

Con una limusina escapándose por la derecha y dos todoterrenos Chevrolet Suburban detrás de ella, de repente dudó acerca de la información que le habían proporcionado. ¿A qué limusina debía seguir? ¿En cuál iba el presidente? Le parecía estar bastante seguro de que no sería la que había salido de la autopista, pero ahora dudaba.

El corazón le latía con fuerza y tenía las palmas de las manos sudorosas; respiraba con rapidez y tenía miedo. Sí, estaba dispuesto a morir por la causa, pero debía llevarse a alguien por delante junto a él y, a ser posible, a la persona correcta.

* * *

—Tommy, ¿cuánto falta para el cruce? —preguntó Moore.

—No lo sé, señor. Diez o doce kilómetros, tal vez.

Parecía que iban a la velocidad de la luz, pero a Moore no le gustaba el cariz que estaba tomando la situación, porque, al fin y al cabo, se acercaban rápidamente a las afueras de Denver y ya podía ver claramente la ciudad perfilada en el horizonte y el brillante logotipo de color azul de Qwest, coronando el edificio más alto de la urbe. A su alrededor, las fábricas y los restaurantes, los hoteles y los centros comerciales pasaban desdibujados a ambos lados de la autopista. En esa carrera por escapar, estaban arrastrando el G4 hacia el centro de la ciudad y, así, poniendo en peligro la vida de miles de civiles inocentes.

—Cupido, Gabriel, aquí Diligencia. ¿Me recibís? —Moore esperaba que así fuera.

—Diligencia, aquí Cupido. Le recibo alto y claro, señor.

—Recibido, Diligencia. Aquí Gabriel. Le recibo perfectamente.

—¿Podéis verlo?

—Sí, señor —contestó Cupido—. Está a unos dieciséis kilómetros y a unos ochocientos metros de altura.

Tanto Cupido como Gabriel tenían una vista perfecta de 20/20 y los anteojos de visión nocturna que llevaban les permitían no perder al G4 en plena noche. Ambas voces sonaban firmes y tranquilas. Cupido, un ex agente de operaciones especiales de la CIA, era un hombre extremadamente capacitado y había vivido en Afganistán durante años enseñando a los mujahidines a utilizar misiles Stinger termodirigidos portátiles montados en el hombro durante la guerra contra los soviéticos que tuvo lugar en la década de los ochenta del siglo XX. Gabriel era casi tan bueno y había sido el suplente de Cupido durante los últimos seis años.

Moore se agarró fuertemente al asiento trasero de la limusina. No tenía tiempo de consultar a Washington; de hecho, no tenía casi tiempo ni de dar la orden de disparar. ¿Qué pasaría si se equivocaba? ¿Y si estaba interpretando mal la situación? Si el Servicio Secreto de Estados Unidos abatía a un grupo de hombres de negocios a sangre fría...

* * *

—Señor, Base de Meta por la línea uno —gritó el agente Rodríguez desde el asiento del conductor.

Moore cogió el teléfono digital que se encontraba al lado de su asiento.

—Diligencia a Base de Meta, confirme.

—Confirmado. John, soy Bud. ¿Qué tramas?

Bud Norris era el director canoso, bajo, rollizo y tirando a calvo del Servicio Secreto de Estados Unidos, todo un veterano del servicio, puesto que llevaba allí veintinueve años y había estado en Vietnam como chófer de los generales del ejército estadounidense y las personalidades en Saigón, hasta que la ciudad cayó. En 1981 era conductor de la limusina del presidente Reagan y estaba al volante el día en que John Hinckely Jr. trató de asesinar al presidente en un intento fallido de impresionar a la actriz Jodie Foster. De hecho, dentro del servicio, se creía que Norris había ayudado a salvar la vida de Reagan ese día. En un primer momento, los agentes del presidente no se percataron de que le habían disparado hasta que empezó a expulsar sangre al toser de vuelta hacia la Casa Blanca. Al ordenarle que se desviara inmediatamente hacia el hospital George Washington, Norris pisó el freno a fondo, dio un giro de ciento ochenta grados, empezó a conducir en contra dirección por la avenida Pennsylvania y consiguió llegar al hospital un instante antes de que Reagan se derrumbara y se quedara inconsciente a causa de un derrame interno. Norris era un gran profesional y sus agentes lo sabían. Además, el haber subido de rango, promoción a promoción, hasta llegar a lo más alto hacía tan sólo tres años, le hacía ser muy respetado por su equipo.

—Señor, tenemos un G4 que se nos echa encima. Se salió del patrón en el aeropuerto, subió el tren de aterrizaje y apagó las luces. Estamos corriendo para ponernos a cubierto, pero ahora mismo nos encontramos a campo abierto. Balón Prisionero giró a la derecha pero tenemos al G4 pegado a nosotros —informó Moore a su jefe, sorprendido por la relativa calma de su voz.

—¿A qué distancia se encuentra?

—Está a unos ochocientos metros de altura y a unos dieciséis kilómetros, pero se acerca a toda velocidad.

—¿Hay posibilidad de comunicarse con él?

—Ya no. La torre ha estado hablando con él toda la noche, pero ahora McKittrick le está ordenando a gritos que cambie el rumbo y no obtiene respuesta.

—¿Quién hay a bordo?

—No lo sé. Es un chárter de Toronto. Se suponía que eran ejecutivos del petróleo, pero no lo sé seguro.

—¿Qué te dice la intuición, John?

Moore dudó un instante. Todo el peso de la responsabilidad de proteger al presidente de Estados Unidos provocó que se estremeciera por completo. De repente sintió un sudor frío por todo el cuerpo y el traje arrugado quedó empapado. Fuera lo que fuese lo que dijera a continuación sellaría el destino del G4, y el suyo también.

—No lo sé, señor.

—Mójate, John.

Moore respiró hondo; de hecho, era la primera vez en los últimos minutos que era consciente de estar respirando.

—Me parece que tenemos a otro kamikaze, señor, y que persigue a Gambito.

—Bórralo del mapa —ordenó Norris al instante.

—Pero no estamos completamente seguros de quién va a bordo, señor —recordó Moore a su jefe, para que quedara registrado en las cintas que grababan la conversación en el edificio del Departamento del Tesoro de Washington.

—Bórralo del mapa.

—Sí, señor.

Moore soltó el teléfono rápidamente y se puso a hablar por el micrófono de pulsera.

—Nikon Uno, Nikon Dos, aquí Diligencia. Suspended la misión. Abandonadla. Ahora mismo.

—Recibido, Diligencia.

Los dos helicópteros policiales giraron bruscamente a la derecha y a la izquierda respectivamente y corrieron a ponerse a cubierto.

—Cupido, Gabriel, aquí Diligencia. ¿Me recibís bien?

El viento de noviembre, acelerado por los doscientos treinta kilómetros por hora, creaba la sensación de estar por debajo de los cero grados en la parte trasera de los todoterrenos negros. También hacía casi imposible que cualquier persona normal pudiera oír algo. Sin embargo, los agentes con el nombre en clave de Cupido y Gabriel llevaban máscaras negras de esquí y guantes para protegerse la cara y las manos de esas temperaturas árticas, así como unos auriculares de la misma marca y modelo que los que llevaba Jeff Gordon en la carrera de Daytona 500 de la fórmula Nascar. Así pues, oían la voz de Moore con total claridad.

—Esperamos instrucciones, Diligencia —dijo Cupido con tranquilidad.

El G4 se encontraba a tan sólo once kilómetros de la limusina de Gambito y se acercaba velozmente.

En primer lugar, Cupido «interrogó» al *Gulfstream*, pulsando el interruptor de amigo / enemigo del lanzador de misiles Stinger, mandando una señal inmediata al transpondedor del avión preguntándole si se trataba de un aparato hostil o no. A esas alturas, la respuesta ya no tenía ninguna importancia, pero el procedimiento sí.

Bip, bip, bip, bip, bip, bip.

El fuego graneado de pitidos indicaba que la respuesta era «desconocido». Cupido suspiró asqueado, quitó el seguro y pulsó el botón hacia delante y hacia abajo. Así se precalentaba la unidad de refrigeración de la batería, que estaba pegada al cinturón de Cupido y permitía que el arma «despertara». Aunque tardó tan sólo cinco segundos, ese tiempo se le hizo una eternidad.

Acto seguido, Cupido activó una señal infrarroja hacia el G4 para determinar el alcance y obtener información acerca del calor que emanaba de los motores de reacción del avión. Al instante, oyó una señal aguda, fuerte y clara, y rápidamente pulsó con el pulgar derecho el interruptor para sacar el arma del armazón, lo mantuvo apretado y la señal se intensificó. En esos instantes tenía controlado al G4, que se encontraba a unos cinco kilómetros de distancia y a tan sólo trescientos metros de altura.

—Tengo la señal y tengo el objetivo controlado —gritó Cupido contra el viento que azotaba fuerte y en el micrófono que acompañaba a los auriculares. El G4 estaba ahora tres kilómetros detrás de ellos.

—Yo también, señor —le hizo eco Gabriel.

Moore no era un hombre demasiado religioso, pero ese día lo fue más.

—Dios mío, ten piedad —suplicó en un susurro y, acto seguido, se santiguó por primera vez desde que se graduó en el instituto católico de Saint Jude.

—Fuego, fuego, fuego —gritó Moore.

—Recibido. Aguantad la respiración, aguantad la respiración —gritó Cupido.

Moore y todos sus agentes respondieron inmediatamente, tragando tanto oxígeno como pudieron, pero Cupido no se había dirigido a ellos. Como había aprendido durante su formación intensiva, estaba advirtiéndose a sí mismo y al conductor que estaban a punto de verse atrapados en un silo de misil móvil y no iba a resultar nada agradable. El conductor de Cupido bajó todas las ventanillas del vehículo rápidamente y le dio a otro interruptor que activaba una pequeña bomba de aire portátil. Ahora el G4 se encontraba a un kilómetro y medio de distancia.

—Tres, dos, uno... ¡fuego!

Cupido apretó el gatillo.

No pasó nada.

Moore esperó, con el corazón latiendo aceleradamente y los ojos escudriñando el cielo.

—Cupido, ¿qué coño pasa?

—No lo sé, señor. Algo no funciona correctamente. Espere.

—Dios mío. No puedo esperar. Gabriel, háblame.

—Ya lo tengo, señor. No se preocupe. Aguantad la respiración, aguantad la respiración. Tres, dos, uno...

El Stinger salió disparado del tubo de fibra de vidrio y surcó el cielo oscuro. El Suburban se llenó de una llamarada de fuego y de gases calientes, tóxicos y mortales. Por un momento, el conductor perdió el control del vehículo: Moore vio como se tambaleaba y daba giros bruscos, pero en cuestión de segundos, el humo y los gases salieron del habitáculo hacia la atmósfera. El conductor volvía a ver y Gabriel podía volver a respirar si quería, pero no lo hizo. No hasta que no estuviera a salvo.

* * *

McKittrick sabía de primera mano lo que era un combate.

Había luchado en la guerra del Golfo y, por lo tanto, ya había visto antes a soldados disparar y morir. Sin embargo, nunca había visto nada parecido, ni volvería a verlo jamás. Mientras contemplaba la acción a través de los anteojos de alta resolución desde la torre de control, vio como el misil Stinger partía por la mitad al G4, que se convirtió en una enorme bola ardiendo. McKittrick se cayó al suelo gritando de dolor, puesto que los anteojos de visión nocturna habían aumentado hasta tal punto la explosión, que se le habían quemado las retinas, cegándolo para siempre.

* * *

Moore estaba horrorizado.

A pesar de su instrucción, de repente descubrió que no estaba de ningún modo preparado para lo que estaba sucediendo. No se trataba de un avión chárter normal y corriente que se caía del cielo: se trataba de una máquina mortífera repleta de explosivos para maximizar el impacto. El rugido de la explosión era ensordecedor y se oyó hasta en Castle Rock. En ese instante, el cielo ardía, la noche se había convertido en día y el calor era insoportable. Caían trozos de metal fundido encima de la caravana presidencial.

El Chevrolet Suburban de Cupido maniobró bruscamente y consiguió escapar por poco a los trozos del G4 que pretendían aterrizar encima de él. Gabriel no tuvo tanta suerte: Moore vio como uno de los motores del aeroplano daba contra el vehículo del joven agente y explotaba, formando otra bola de fuego deslumbrante. Pero lo que Moore contempló a continuación le aterrorizó incluso más, puesto que el fuselaje del G4, en esos instantes, se dirigía a toda velocidad hacia él, como un meteorito en llamas, impulsado por la fuerza de la explosión.

—¡Tommy! —gritó Moore.

El agente Rodríguez giró bruscamente hacia la derecha y se dirigió hacia una rampa de salida, mientras rezaba desesperadamente para que el coche no volcara. Pero fue demasiado tarde: el fuselaje ardiente del G4 chocó contra el pavimento justo detrás del vehículo y se estampó contra la parte trasera de la limusina, haciendo que Diligencia saliera disparado a toda velocidad y chocara contra la mediana de hormigón que había en el centro de la autopista y diera una serie de vueltas de campana. El coche no paraba de girar sobre sí mismo una y otra vez, envuelto en una amalgama de chispas, llamas y humo y terminó deteniéndose del revés debajo del paso elevado hacia el que Rodríguez se dirigía. Dentro del vehículo Diligencia, desde el primer impacto, habían saltado los airbags del volante y el salpicadero, de todas las puertas e incluso del techo, un mecanismo diseñado exclusivamente para los vehículos del Servicio Secreto, pues allí nadie llevaba nunca puestos los cinturones de seguridad.

* * *

La autopista I-70 estaba en llamas.

Los escombros del G4 y lo que fuera que llevara dentro estaban esparcidos por todas partes, en llamas y totalmente candentes. Los Suburban que quedaron en pie pararon en seco con un chirrido. Los equipos de asalto del Servicio de Seguridad bajaron inmediatamente de los vehículos, armados con rifles M-16 y el equipo necesario para apagar el fuego. Cupido se repuso y empezó rápidamente a investigar por qué había fallado el arma. Personalmente, había fracasado en su misión; no tenía ni idea de qué más podía pasar y no estaba dispuesto a correr ningún riesgo.

Balón Prisionero y el contingente de seguridad dieron la vuelta y a toda prisa volvieron hacia donde se encontraba Diligencia. Conduciendo con sumo cuidado por entre los restos, los vehículos de apoyo llegaron hasta donde se encontraban los equipos de asalto, que tomaban posiciones a lo largo del perímetro que rodeaba el vehículo de Gambito. Dos equipos de asalto más se unieron con rapidez a sus compañeros mientras tres agentes sacaban con cierta dificultad una gran caja de metal de la parte trasera de uno de los Suburban y se apresuraban a llevarla al lado del vehículo Diligencia. Con presteza sacaron un kit de «garras de la vida» con un diseño especial e intentaron desesperadamente sacar a Gambito de entre los restos del vehículo accidentado.

Los coches patrulla del estado de Colorado y los camiones de bomberos, junto con las unidades de motocicletas, corrieron hasta el escenario. Por encima de sus cabezas, dos helicópteros policiales se mantenían inmóviles en el aire con mucho ruido y cada uno dirigía un foco de búsqueda de gran potencia hacia el suelo para ayudar a los equipos de salvación a llevar a cabo su trabajo.

* * *

—¡John! ¡John! Aquí Bud. ¿Cuál es la situación?

Bud Norris oyó la explosión y el griterío a través del teléfono móvil digital de John Moore que se encontraba en el asiento trasero del coche de Gambito. Sin embargo, la línea se limitaba a chisporrotear y temía lo peor. Norris buscó el número del teléfono digital de seguridad en el listado de teléfonos que tenía delante y marcó a toda prisa el del piloto del Apache en cabeza.

—Ave Nocturna Cuatro, aquí Base de Meta. ¿Me recibís? —gritó nervioso Norris.

—Base de Meta, aquí Ave Nocturna Cuatro. Tenemos un código rojo. Por favor, informen. Repito, por favor, informen.

—Ave Nocturna, tenéis vídeo a bordo, ¿no es así?

—Afirmativo, Base de Meta. Poseemos tres sistemas. ¿Qué necesita? —respondió el piloto al mando.

—¿Qué tenéis? —preguntó Norris, forzando su memoria para acordarse de los detalles que necesitaba.

—Señor, tenemos el sistema TADS FLIR, que es de visión térmica. Pero, señor, hay dos helicópteros policiales que alumbran todo el sector con focos. Esto de aquí abajo se ha convertido en un plató de televisión, ¡maldita sea! Si quiere, podemos utilizar el sistema de televisión diurno con visión en blanco y negro o el sistema DVO en color y con aumento. Decídase, señor.

—¿Me lo puedes hacer llegar vía satélite?

—Podemos enviarlo al Pentágono, señor. Supongo que se lo podrán enviar a usted, señor, pero no les diga que se lo he dicho. Debería hablar con Operaciones para estar seguro.

—Ahora mismo lo hago. Empezad a transmitir. Me encargaré del resto.

En ese instante, Norris cogió otro teléfono y marcó el número del otro Apache.

—Ave Nocturna Cinco, aquí Base de Meta. ¿Estáis ahí? Cambio.

—Ave Nocturna Cinco, preparados, señor.

—Estableced un perímetro alrededor del lugar del accidente y advertid a los helicópteros de prensa que aterricen inmediatamente. Tengo un escuadrón de cazas F-15 despegando para que se unan a vosotros en los próximos minutos y quiero que se cierre el tráfico aéreo en el estado de Colorado. ¿Entendido?

—Entendido, Base de Meta.

A continuación Norris emitió un código rojo a todas las frecuencias del Servicio Secreto y habló con el vicepresidente, el presidente de la Cámara de Representantes del Congreso y los miembros del Gabinete, que se encontraban cada uno en un lugar diferente del país durante las fiestas, para que fueran evacuados inmediatamente a instalaciones subterráneas. Momentos más tarde, Norris hablaba por teléfono con el secretario de Defensa y con el comandante de vigilancia del Pentágono. Las Fuerzas Aéreas movilizaron su flota para mantener la seguridad en la zona aérea de Denver.

En ese instante las imágenes en directo, en color y digitales, emitidas desde el Ave Nocturna Cuatro que sobrevolaba la zona empezaron a llegar al Centro de Mando Militar Nacional, la estancia a prueba de misiles nucleares enterrada debajo del Pentágono. En esos instantes estaba interconectada de modo seguro a través de líneas de fibra óptica con el centro de mando del Servicio Secreto, ubicado en los sótanos a prueba de bomba del Departamento del Tesoro de Washington, la Sala de Situación de la Casa Blanca, el Centro de Operaciones del FBI y el Centro de Operaciones Globales de la CIA, en Langley. Norris pudo al fin contemplar la escena dantesca que se mostraba en uno de los cinco televisores de gran formato. El personal más competente trabajaba colgado del teléfono a su alrededor e intentaba reunir información en el terreno, alertar acerca de otros detalles de la seguridad y abrir una línea directa con el director del FBI, Scott Harris.

—¡Dios mío! — exclamó Norris en voz baja.

Los terroristas habían golpeado de nuevo.

CAPÍTULO DOS

Jon Bennett se tomaba con cierto nerviosismo un café turco.

Vio como fuera el sol naciente calentaba las piedras doradas de la vieja Jerusalén. Sin embargo, aunque en esos momentos estuviera sentado en un restaurante del hotel Rey David —el que antaño alojó los cuarteles generales del Ejército británico, donde una vez cenó Winston Churchill, donde los Rothschild pactaron inversiones, donde el difunto primer ministro de Israel, Isaac Rabin, y el difunto rey de Jordania, Hussein, una vez firmaron un tratado de paz—, Bennett no prestaba mucha atención a la historia del hotel.

No tenía demasiado interés en la restauración de veinticinco millones de dólares ni en los suelos de mármol exquisitamente pulidos, así como tampoco apreciaba el lujoso tapizado marroquí. No le importaban ni los descomunales jarrones con rosas israelíes recién cortadas ni las enormes cestas de crujientes panecillos franceses que había en las mesas que tenía detrás. Tampoco se fijó en la anciana pareja de cascarrabias franceses que se sentaron a su lado, tan secos como la corteza de los panecillos, encorvados sobre las guías de viaje y que se quejaban ya en el primer día de ruta.

El primer viaje de Bennett a Israel no era por placer. Había llegado a las cuatro de la tarde del día anterior y se iría en menos de tres horas. No necesitaba ninguna guía de viaje, puesto que no iría a visitar nada. Había ido allí con un único objetivo: obtener una firma, rápido, y salir de allí.

El ruso cincuentón que empezaba a perder cabello, vestido con un traje que no le sentaba nada bien y con unas gruesas gafas de alambre, se sentaba inclinado sobre la mesa al otro lado de Bennett, fumando un cigarrillo tras otro mientras leía con detenimiento los documentos que tenía delante. Tan sólo se habían introducido unos cambios menores desde la noche anterior; las modificaciones precisas que el ruso había insistido en cambiar y a las que Bennett había accedido, y por culpa de las que éste se había levantado antes del alba para escribir en el ordenador portátil, imprimir y traérselos a la breve y última reunión de esa mañana. Sin embargo, el ruso, o cualquier otra persona de ese mundo, era desconfiado por naturaleza, así que estaba revisando todas las comas y los puntos mientras los minutos pasaban.

«Firma ya, acaba y hazte rico», pensaba Bennett. Cuanto más nervioso se ponía, más parecía que tardaba su querido amigo ruso y le daba la sensación de que releía el mismo párrafo una y otra vez.

* * *

A los cuarenta años, Bennett era uno de los estrategas de inversiones más jóvenes y con más éxito de Wall Street.

Soltero, de metro ochenta de estatura y corredor compulsivo, Bennett tenía el pelo negro y ondulado, los ojos de un tono verdoso y buen aspecto, algo desenfadado. Era inteligente y agudo, su cualidad más decisiva, y también rico, en parte gracias a su sigilo.

A diferencia de sus compañeros de trabajo diez o veinte años mayores que él —los directores de estrategias de inversiones que trabajaban para empresas tan poderosas como Merrill Lynch, Goldman Sachs o UBS Paine Webber, Bennett no aparecía en la CNBC, no era contertuliano del programa de María Bartiromo, no era ponente en las conferencias de Fortune 500 ni era objeto de reseñas biográficas en el *Wall Street Journal*. Si alguien buscara información acerca de él en cualquier base de datos, no obtendría ningún resultado. Era un desconocido para la gran mayoría; las pocas personas que le conocían fuera de su empresa lo infravaloraban y quienes lo infravaloraban lo consideraban poco importante. Precisamente eso le daba el elemento de sorpresa que necesitaba para estar siempre un paso por delante en ese mundo de competencia despiadada.

Bennett no era agente de bolsa, ni operador de bonos ni gestor de inversiones. De hecho, no trabajaba con dinero, sino con información.

«El conocimiento previo no puede obtenerse de fantasmas o espíritus —escribió Sun Tse, el estratega de guerra chino—. No puede obtenerse por analogía con hechos anteriores, ni puede descubrirse mediante cálculos astrológicos. Hay que obtenerlo a través de las personas que conocen la situación del enemigo.»

Ése era su *leitmotiv*. Más allá de Wall Street, parecía conocer a todo el mundo, aunque daba la sensación de que pocos lo conocían. Se pasaba casi todo el día hablando por teléfono con empleados subalternos, porteros, secretarias, chóferes, personal de compañías aéreas, cajeros de los bancos y trabajadores temporales, desde Silicon Valley hasta el Valle del Jordán, desde Hong Kong hasta fabricantes poco conocidos de máquinas de perforación de petróleo de Waco, en Texas.

Buscaba con ahínco comentarios que en apariencia carecían de importancia. Con un análisis adecuado, creía que dichas observaciones podrían desvelar verdades importantes y esas verdades tenían la capacidad de predecir tendencias emergentes. Dichas tendencias, sabía por experiencia propia, podían engendrar tesoros indescriptibles. Obtener los hechos, obtenerlos bien y el primero, no se cansaba de repetir Bennett a su equipo de investigadores de élite. Sí, se trata de sacar el máximo partido de las tablas, los gráficos y el análisis estadístico, pero no hay que detenerse ahí: es necesario establecer una red de relaciones personales con personas que no se dan cuenta de que conocen los secretos más importantes del mundo. De este modo se consigue entrar en el mundo de otras personas cuyos secretos albergan esos contactos.

La moneda de cambio de Bennett, su especialidad, eran pequeñas pepitas de oro cargadas de información sobre el futuro de las empresas, de los países y de los líderes que los gobernaban. Sabía cómo cribar esas pepitas y cómo fundirlas para separar así lo valioso de lo superfluo. Sabía qué hacer con el oro que encontraba y cómo venderlo al mejor postor, en lugar de entregárselo a periodistas haraganes o, lo que era aún peor, ir a pregonarlo a los cuatro vientos a los traficantes de información del canal de información financiera de la CNN. Por esa razón se encontraba en Jerusalén ese día, mientras el resto de compañeros continuaban en Nueva York. Los grandes nombres de los estrategas convertidos en estrellas de Wall Street, y sus relaciones públicas, de habla acelerada y tan cotizados, se desplegaban para contar a la prensa del mundo entero las repercusiones en los mercados de la fructuosa guerra de Estados Unidos contra el terrorismo y el aumento de la confianza de los consumidores. Pero Bennett estaba allí porque sabía algo que sus compañeros de oficio ignoraban y era importante, sumamente importante.

* * *

Bennett bebió un poco más de café.

Miró la hora en su reloj de pulsera, dio unos golpecitos de manera compulsiva con los pies en el suelo y examinó la habitación con discreción. Todavía era bastante pronto y estaba casi vacía. Pero no tardaría mucho en llenarse. Volvió a mirar a su amigo ruso, aún le quedaban tres páginas por leer.

«¡Por el amor de Dios! Fírmalo ya —gritaba para sus adentros Bennett—. Firma antes de que alguien nos vea escondiéndonos a plena luz del día.»

* * *

Sin duda alguna, ése era el mayor negocio en el que Bennett había trabajado.

Cuando terminara ese año, o probablemente al finalizar ese mismo mes, sería nombrado nuevo presidente y consejero delegado de su empresa. Así pues, las recompensas financieras del ruso que se sentaba al otro lado de la mesa y que estamparía su firma en la línea de puntos en los siguientes cinco minutos sobrepasaban incluso la fantasía más jugosa de Bennett. En cinco años, o tal vez menos, podría llegar a formar parte del Club de los Nueve Ceros y pasar a ser un milmillonario de la lista de *Forbes 400*. Entonces podría quitarse la máscara y dejaría de ser un poder en la sombra. Sin embargo, eso ya no importaría, puesto que el mundo entero sabría que había descubierto un tesoro escondido y, antes de cumplir la cincuentena, conocería una riqueza antes inconcebible.

Encontrar algo de valor en un terreno aparentemente yermo era una especie de don que poseía Bennett y convencer a los clientes de que compraran ese campo «yermo» para, con el tiempo, hacerse a hurtadillas con las gemas que mantenía escondidas era todo un arte y, aunque raramente lo dejaba ver, disfrutaba de cada minuto del juego. No se trataba de la agitación primaria que producía, en medio de un safari en África, estar tumbado al acecho para capturar la gran presa, si bien a muchos de sus compañeros de oficio les encantaba esa metáfora. Más bien se trataba de la exaltación tranquila e interior que siente un entrenador ofensivo de un equipo cuando, después de haberse pasado horas enteras mirando las cintas de vídeo de los partidos del contrincante, de repente, sin esperarlo, ve algo que nadie más ha visto: el punto débil de su oponente. Se trata de una debilidad mínima, casi imperceptible, que, analizada como es debido, podría explotarse para sacarle el mayor partido. Para la cinta de vídeo, la rebobina y la vuelve a ver una y otra vez. Entonces, convencido de que tiene razón, se enfrenta al reto de persuadir al entrenador principal no sólo de que está en lo cierto sino también de que tiene una estrategia que deben aprovechar. La victoria estriba en los pequeños detalles, pensaba Bennett, y tenía en su haber un prodigioso historial que así lo demostraba.

* * *

A veces se asombraba de cómo había llegado hasta allí.

Se había graduado en el instituto a los diecisiete años y había cursado la carrera universitaria y un MBA en Harvard en tiempo récord. En verano, había trabajado como periodista en prácticas para el *Wall Street Journal* de Nueva York, encargado de cubrir el trepidante mundo de las rentas y los productos de seguro de vida a largo plazo. Aburrido hasta los tuétanos y cobrando una miseria, sabía que necesitaba un cambio de actitud, así como de «altitud».

Así que cambió Wall Street por Denver.

Le costó algunos meses, durante los cuales se mantuvo ocupado haciendo excursionismo y bicicleta de montaña, pero finalmente consiguió un trabajo como auxiliar de investigador para James MacPherson, una leyenda dentro del sector de los servicios financieros: sirvió como piloto de caza de la Marina, fue condecorado en Vietnam y volvió de la guerra preparado para ganar grandes cantidades de dinero y practicar el esquí. Se labró su propio camino en el más que difícil ambiente de Wall Street como corredor de bolsa a mediados de los años setenta, aunque luego dimitió en 1980 y se fue a Fidelity para ayudar a lanzar nuevos fondos de inversión mobiliaria, donde acabó gestionando él mismo uno de los más importantes. Convertido en todo un millonario en 1988, MacPherson decidió trasladarse de Wall Street a Denver, esta vez para lanzar su propio fondo global de crecimiento, la Joshua Fund, un producto extremadamente agresivo, y para estar más cerca de sus queridas Montañas Rocosas, las montañas de su juventud.

Al mismo tiempo, MacPherson fundó la Global Strategix Inc., conocida por los que trabajaban en ella como GSX, con una parte dedicada a la investigación estratégica y otra parte, a los fondos de capital de riesgo. Además, GSX también asesoraba a los gestores de fondos de mutualidades y fondos de pensiones multimillonarios, incluida la propia Joshua Fund de MacPherson, acerca de los puntos fuertes y los puntos débiles de las empresas, los sectores de mercado, la economía estadounidense y de otros países, las divisas, las bolsas de valores, los cambios de legislación, tributaria y política, así como cualquier otro factor que pudiera repercutir de alguna forma en los valores del activo del cliente. Ambas empresas funcionaron a la perfección y consiguieron un gran éxito, de manera que se creó la leyenda de que MacPherson había construido dos empresas de varios miles de millones de dólares a la vez. Sin embargo, Jon Bennett, el joven protegido de tal personaje, sabía que esa afirmación no era tan absoluta, puesto que una vez MacPherson le contó en un vuelo nocturno mientras regresaban a casa desde Río de Janeiro que nunca había estado completamente seguro de que la Joshua Fund tirara adelante tan segura, así que había creado GSX para respaldarla si hubiera sido necesario.

A lo largo de los años, GSX se forjó buena reputación entre los gestores de fondos de ser el AWACS de la industria, es decir, como el sistema aerotransportado de alerta y control, haciendo así referencia al primer avión de combate militar con mando y control de Estados Unidos que advierte a las propias fuerzas de algún problema antes de que surja. Parecía que GSX tenía la extraña habilidad de predecir los problemas financieros y trazar una ruta de una consistencia admirable hacia terrenos menos pantanosos y más seguros.

Asimismo, GSX también se ganó la reputación de encontrar «valores seguros», es decir, inversiones tempranas en compañías que acababan de arrancar y que hacían su agosto y repercutían en grandes ganancias, tanto en términos de beneficios como de precios de los valores. De hecho, siempre que MacPherson y su equipo encontraban uno de esos valores seguros, no sólo aconsejaban a sus clientes que invirtieran fuerte, sino que también ellos invertían grandes cantidades de dinero. Además, corría el rumor de que en realidad eran capaces de «olvidarse» de informar de un «valor seguro» incluso a sus mejores clientes y, eso sí, invertir sus propios fondos de capital de riesgo. Sin embargo, si algún periodista le preguntaba sobre esos chismes, MacPherson nunca se ponía en evidencia y, simplemente, esbozaba una sonrisa.

Al principio, MacPherson obtuvo la ayuda de uno de los sabios más clarividentes de la economía global, un hombre que era considerado un experto en ver más allá de escollos y horizontes, fueran de Oriente u Occidente. Contrató los servicios de un hombre llamado Stuart Iverson, un tipo franco, fumador de pipa, que vestía camisas con gemelos, eternamente soltero y que acababa de retirarse del cargo de embajador de Estados Unidos en Rusia para ser consejero delegado de la Global Strategix y vicepresidente de la Joshua Fund.

—Quiero que conviertas GSX en el equivalente financiero de la CIA —insistía MacPherson en el almuerzo que mantuvieron para cerrar el trato en el asador Ruth's Chris en el LoDo, el centro histórico de Denver.

—Deberías confiar en que lo haga bastante mejor que los de Langley[1] —se rió Iverson—. Porque ellos creían que la Unión Soviética era una superpotencia económica, hasta que se derrumbó.

En realidad fue Iverson, y no la CIA, quien había predicho con exactitud la inminente desaparición de la Unión Soviética durante la década de los ochenta y, como embajador, proporcionó previsiones sorprendentemente exactas sobre los trastornos económicos y políticos que irían apareciendo. Por desgracia, nadie de esa organización le prestó demasiada atención.

El instinto le decía que MacPherson y sus dos empresas estaban a punto de experimentar un crecimiento espectacular, así

1. Localidad en la que se ubica un centro de investigaciones de la NASA. *(N. de la T.)*

que el embajador Iverson aceptó el puesto. A su vez, Iverson contrató al joven Jon Bennett y le designó para trabajar para MacPherson. El padre de Bennett, Sol, había sido director de las oficinas del *New York Times* de Moscú durante la década de los setenta, cuando conoció a Iverson, que por aquel entonces era un agregado económico de la embajada de Estados Unidos en esa ciudad. Todo ello constituía una prueba más para Bennett de que Sun Tse tenía razón: el éxito depende tanto de las personas como de los datos que conoces.

A principios de 1992, Bennett se encontraba en una reunión privada con el consejero delegado a quien había llegado a admirar y que incluso le gustaba. Le habían congregado en el sanctasanctórum: el despacho privado de MacPherson. Era una sala que hacía esquina y dos de las paredes eran enormes ventanales del suelo al techo con unas vistas impresionantes sobre las Montañas Rocosas; había una mesa de despacho sin demasiadas cosas encima que lucía un ordenador portátil de último modelo, grandes sofás de piel y una fotografía granulada de MacPherson ataviado con el equipo de piloto de F-4 en la cubierta de un portaaviones, en algún lugar delante de la costa del sur de Vietnam. También había una vitrina de plexiglás con un enorme fragmento del Muro de Berlín al lado de una foto de MacPherson en la Casa Blanca, con el presidente Reagan a un lado y la primera ministra británica Margaret Thatcher en el otro.

En esa fantástica y deslumbrante mañana, MacPherson quería saber si debía realizar una inversión sustancial en la televisión interactiva de alta definición que, según los rumores, sería muy importante. Había encargado a Bennett la tarea de obtener alguna respuesta. La voracidad y energía de Bennett le impresionaron sobremanera. Se enfrascó en el proyecto: estudió las cifras a fondo y habló con todas las personas que pudo encontrar, entre quienes figuraban secretarias, chóferes y asociados de una gran cantidad de trabajadores de las principales empresas de capital de riesgo de alta tecnología. Con rapidez y ambición, también encargó a varios grupos que indagaran en doce institutos de secundaria de diferentes lugares del país para descubrir si la televisión interactiva tenía algún futuro. La conclusión a la que Bennett llegó fue que no tenía ningún futuro: costaría demasiado tiempo y dinero. Además, no gustaba a los jóvenes.

Sin embargo, durante ese tiempo Bennett tuvo un extraño presentimiento y empezó a seguir el hilo en otra dirección. Al establecer los grupos de investigación en todos esos institutos de secundaria, no sólo habló con los chicos, sino también con las madres que los iban a buscar después de clase. Vio repetidas veces como las madres traían consigo botellas de agua mineral y se las iban bebiendo a sorbos durante las reuniones del grupo de investigación. Con curiosidad, les preguntó por qué no bebían agua con gas. «Lleva demasiado azúcar, tiene demasiada cafeína, me relaja demasiado, engorda.» Etcétera. Si les preguntaba por el coste le decían: «Lo hago por mí, por mi salud, para perder peso, para limpiarme por dentro, porque es natural», oía una y otra vez. A Bennett le pareció increíble: esas amas de casa aburguesadas de clase media pagaban casi dos dólares por una botella de un litro de agua, ¡en época de recesión! Realizó algunos cálculos y casi se atraganta con la hamburguesa: el agua costaba siete veces más que la gasolina.

Trabajó fervientemente durante los siguientes días mientras el jefe daba una charla en una conferencia económica en Londres y llegó a la conclusión de que la generación madura, preocupada por el peso y la salud, en especial las mujeres, estaba empezando a cambiar el agua con gas por el agua mineral embotellada en Estados Unidos y Europa, hecho que confería a los dos líderes de la industria del agua embotellada, Perrier y Evian, un enorme potencial de crecimiento. Ambas eran empresas de capital francés, crecían a buen ritmo y estaban en un momento propicio para que las absorbieran empresas con unas redes de distribución mucho más amplias. Bennett concluyó que las dos empresas estadounidenses de refrescos más importantes, Coca-Cola y Pepsi, no tardarían en reaccionar ante este fenómeno y ambas comprarían esas marcas francesas o lanzarían sus propias marcas, hecho que aumentaría sustancialmente sus beneficios, incluso en un momento en el que las ventas de refrescos en Estados Unidos empezaban a estancarse.

El día en que MacPherson regresó de Londres, Bennett le expuso el caso: olvidarse de la televisión interactiva e invertir a lo grande en empresas de agua embotellada. Era necesario comprar en ese instante, antes de que alguien más se diera cuenta de que el agua se convertiría en oro.

Un poco más y MacPherson se atraganta con «su» hamburguesa. ¡Menudo imbécil había fichado Iverson! Le faltó tan poco para despedir a Bennett en ese mismo momento, como para realizar una gran inversión en la televisión interactiva. Le habría salido mal la jugada, puesto que ese tipo de televisión no llegó a ninguna parte. Sin embargo, unos meses más tarde, Nestlé dejó boquiabierto a todo el mercado al comprar Perrier y sus acciones se dispararon hacia la estratosfera.

El consejero delegado volvió a convocar a Bennett en su despacho y fue directo al grano.

—Puedo ser tonto, pero no soy imbécil. Compremos agua.

Así que inmediatamente compró grandes bloques de acciones del Grupo Danone, propietario de Evian, y también afianzó su posición en Coca-Cola y Pepsi-Cola. Acto seguido, la recuperación de la economía estadounidense y la rápida expansión de los mercados extranjeros incrementaron el valor de las acciones de esas tres compañías de manera espectacular. Lo más interesante ocurrió en diciembre de 1995, cuando Pepsi irrumpió en el mercado del agua embotellada con la marca Aquafina. Rápidamente se convirtió en la marca de agua embotellada más vendida en los pequeños supermercados y las estaciones de servicio de todo Estados Unidos. En 1996, Coca-Cola lanzó su propia marca de agua embotellada, Dasani, que también se comió buena parte del mercado. En 1999, cuando MacPherson finalmente se deshizo de la legión de participaciones que poseía para empezar a financiar sus ambiciones políticas, el valor de las acciones de Pepsi se había doblado, el valor de las de Evian también habían llegado casi al doble (se pagaban a 191 dólares cada una) y el de las de Coca-Cola casi se había triplicado.

Sin embargo, la carrera de Bennett no se basaba sólo en el agua embotellada, sino principalmente en la creciente seguridad de MacPherson de que su joven mocoso estaba formándose una verdadera visión estratégica, estaba estableciendo una buena red de fuentes informativas y tenía una gran intuición. La amistad de Bennett con un joven programador de la empresa Netscape propició que aconsejara a la Joshua Fund comprar acciones del navegador web de esa empresa a una oferta pública inicial de veinte dólares y las vendiera a ciento sesenta dólares cinco años más tarde. De un modo similar, Bennett aconsejó a la Joshua Fund que adquiriera acciones de Microsoft, a veinte dólares a principios de los años noventa, y las vendiera a cien dólares, después de que, en una comida en Willard, sus amigos del Departamento de Justicia de Clinton le convencieran de que la política antimonopolio sería letal para las empresas. No fue así, pero el consejo contribuyó a que la Joshua Fund vendiera a un precio alto y no se quemara durante la quiebra tecnológica que se produciría más adelante.

Durante el verano de 1997, un amigo de la universidad de Bennett llamó a cobro revertido desde Chiangmai, Tailandia, adonde había ido por un viaje de negocios de corta duración. La moneda local, el baht tailandés, empezaba a depreciarse y el ambiente estaba cargado de pánico. Bennett intuyó que podía tratarse de algo importante, de modo que se montó en el siguiente vuelo que salía de Denver en dirección a Bangkok y pudo confirmar el alcance de los problemas de esa moneda. Bennett llamó inmediatamente a Iverson, que se encontraba esquiando en los Alpes suizos, a través del teléfono vía satélite y le sugirió, a él y a MacPherson, que se deshicieran de todas las participaciones asiáticas de la Joshua Fund. Se trataba de una crisis monetaria de primera magnitud, insistió el joven analista, y la cosa iría a peor. Se extendería por toda Asia, como el equivalente económico del virus ébola. Iverson no se lo acababa de creer. ¿El baht tailandés? ¿Que quería que se deshicieran de todas las participaciones que tenían en Asia? Ese chico trabajaba demasiado, necesitaba tomarse unas vacaciones. A cuatro mil trescientos metros de altura, sudando el mono de esquí, Iverson se apartó el teléfono un instante, contempló el paisaje sobrecogedor de la cadena montañosa de los Alpes y tomó un sorbo de Evian, que tragó con cierta dificultad. De repente, le colgó el teléfono a Bennett, marcó el teléfono de su equipo de Denver y emitió una orden: que se deshicieran de todas las acciones asiáticas inmediatamente. En octubre, como era de esperar, los problemas monetarios de Tailandia estallaron y sumieron a Asia en una grave crisis económica cuyas repercusiones se dejaron notar por todo el planeta y que, durante un tiempo, puso en peligro a cierto número de empresas estadounidenses. El Dow Jones descendió más de quinientos puntos en un solo día, pero la Joshua Fund no perdió ni un céntimo.

El objetivo vital de Jonathan Meyers Bennett era leer los posos de té y, a continuación, avisar a James Michael MacPherson y a Stuart Morris Iverson en el momento propicio para comprar la compañía de té. Como resultado, MacPherson e Iverson se habían convertido en hombres exageradamente ricos y extremadamente felices.

A Bennett tampoco le iban nada mal las cosas. En esos momentos era vicepresidente general, el jefe de los estrategas de inversiones de la Global Strategix, y dirigía las oficinas que la empresa tenía en Nueva York desde el trigésimo octavo piso de un rascacielos que daba a Central Park. No era igual que las montañas de Colorado, pero por el momento no estaba nada mal. Seis meses antes, habían designado a Iverson para ocupar el puesto de secretario del Departamento del Tesoro de Estados Unidos y dicha propuesta había sido ratificada posteriormente por el Senado en una votación con 98 votos a favor y ninguno en contra, estando dos senadores ausentes. Iverson entonces se encontraba en Washington y Bennett pronto volvería a Denver para asumir el control de GSX. El maravilloso despacho con vistas a las magníficas Montañas Rocosas iba a ser suyo.

* * *

Los padres de Bennett estaban jubilados y vivían en las afueras de Orlando.

Sol y su mujer, Ruth, todavía no acababan de comprender qué era lo que hacía su hijo todos los días. Sol no había ganado nunca más de sesenta mil dólares anuales trabajando como periodista y, durante la mayor parte de su carrera, había cobrado bastante menos. Nunca habían pasado apuros económicos, pero tampoco se habían preocupado por hacerse ricos. Sol había preferido seguir la pista de la CIA a la de la CNBC, había preferido cubrir las noticias del IRA a abrirse un IRA[1] e informar acerca de la caída del Muro de Berlín a informar acerca de la subida de Wall Street.

Los Bennett estaban orgullosos de su hijo, pero también les preocupaba. Jon había perdido a bastantes amigos y socios en los atentados terroristas contra el World Trade Center. Sin embargo, no había querido hablar con ellos acerca del tema. Al día siguiente, había vuelto al trabajo y no había querido tomarse ni un día para cuestiones personales, a excepción del que tuvo que ausentarse para ir a los entierros. Había concedido a los trabajadores el tiempo que quisieran para superar el duelo y para recuperarse del sufrimiento, pero parecía que él no intentaba solucionar el suyo. De hecho, no estaban seguros ni de que sufriera. Les parecía que sí, pero Bennett se negaba a pronunciarse cuando el atentado salía a colación.

Su hijo era un hombre joven que vivía a toda prisa, pero se preguntaban si eso era lo que realmente quería: ir de un lado para otro a mil por hora mientras la vida le pasaba por delante

1. Siglas para Individual Retirement Account, cuyo equivalente en español sería una cuenta de ahorro para la jubilación. *(N. de la T.)*

como una gran y gris confusión. ¿Era eso lo que le habían enseñado a hacer y a ser? Daba la sensación de que algo no marchaba bien y a su madre le preocupaba que se mostrara tan vacío, tan distante e irascible.

Aun así, no era difícil entrever que su hijo había triunfado más allá de lo que nunca hubieran podido imaginar. Tenía un ático en el Village de la Universidad de Nueva York que había pagado a tocateja y al que sólo iba para dormir. Tenía un vestidor descomunal repleto de trajes de Zegna y de zapatos italianos caros hechos a mano. Tenía un salario generoso de seis cifras, una cartera de inversiones de siete cifras que crecía con rapidez e incluso una cartera de jubilación de más de siete dígitos. No estaba nada mal. Lo único que les faltaba era una nuera y unos cuantos nietos.

* * *

Bennett se acabó el café turco.

Echó un vistazo al Rolex, retorció de manera compulsiva la servilleta y miró detenidamente al otro lado de la mesa. Necesitaba esa firma en ese mismo instante, puesto que al cabo de doce minutos llegaría un coche para recogerlo y llevarlo al Aeropuerto Internacional Ben Gurión. A mediodía llegaría a Londres y estaría de vuelta en Nueva York por la tarde. Si tenía suerte, tal vez podría llegar a tiempo para ir solo a ver algún espectáculo y celebrar también solo ese increíble pacto.

Mientras Dimitri Galishnikov, el hombre cuya firma el estadounidense necesitaba con tanta urgencia, se inclinaba sobre la última página del contrato, Bennett se descubrió a sí mismo intrigado por el halo de misterio que envolvía la enigmática figura de aquel hombre. Galishnikov era un hombre metódico y extremadamente meticuloso y, para ser justos, reflexionó Bennett, no eran precisamente defectos del carácter sino rasgos que había desarrollado durante las persecuciones, que habían nacido del sufrimiento y se habían refinado en los gulags. Se trataba de un hombre que había sobrevivido tres años en Lefortovo, la prisión donde la KGB llevaba a cabo los interrogatorios en Moscú. Algún día, ya bien entrada la noche, bebiendo chai y comiendo pan negro y bistec Stroganov, le pediría a ese hombre tan sereno, metódico y meticuloso que le contara su historia con todo tipo de detalles, que le describiera el viaje que realizó como ingeniero de petróleo judío desde la Siberia estalinista, a través de noches largas, frías y solitarias, hasta llegar al alba rosada de Jerusalén que podía contemplarse desde el hotel Rey David. Seguro que Galishnikov tardaría más de una noche en contar la historia como se merecía, pero a Bennett no le importaba, podría tomarse el tiempo que quisiera.

* * *

El viaje de Bennett hasta encontrar esa especie tan extraña de ruso empezó con una historia que leyó en un periódico.

Durante un vuelo que pasó sin pegar ojo de la British Airways entre Londres y Nueva York hacía ya algunos meses, se sentía inquieto y no podía descansar. Como ya se había leído todos los periódicos del domingo que traía consigo, empezó a hojear la edición matutina del *New York Times* del viernes, que faltando a su costumbre no había leído en todo el fin de semana por falta de tiempo. Recordaba claramente la fecha de ese periódico, el 15 de septiembre de 2000, porque cambiaría su vida para siempre.

Bennett empezaba por el final del apartado de economía y trazaba círculos alrededor de las pequeñas historias que le llamaban la atención con un bolígrafo Montblanc de escritura de trazo grueso que le había regalado su padre por su cumpleaños. Siempre leía el apartado de economía empezando por detrás, desde la última página hasta la primera, porque creía que las noticias de verdad, las pequeñas pepitas de oro que cribaba, no solían ser útiles una vez habían llegado a las primeras páginas para que todo el mundo las viera.

Sin embargo, hasta que no acabó de leer el apartado de economía y las primeras páginas de noticias Bennett no dio con una historia de la portada que captara su atención. El titular rezaba así: «Los yacimientos de gas delante de Israel y Gaza: expectativas de alianzas empresariales». ¿Gas natural en el Mediterráneo? Bennett sintió cómo le subía la adrenalina y continuó leyendo.

«Realizando perforaciones a grandes profundidades en los mares de la costa israelí y de la franja de Gaza, las empresas energéticas extranjeras descubren reservas de gas que podrían alentar la economía palestina y propiciarían que Israel saboreara por primera vez la independencia energética —empezaba el periodista William A. Orme, Jr.—. Los expertos del sector, entre los que constan los de la plataforma gigante, afirman que tanto los palestinos como los israelíes podrán sacar provecho de esta situación si son capaces de trabajar conjuntamente en una sociedad de gran riesgo. Se necesitan mutuamente para explotar de manera eficiente las reservas que hay en alta mar, ya que ninguna de las dos partes por separado podría disponer de la inversión de mil millones de dólares necesaria para construir las infraestructuras que se calcula van a precisarse.»

El artículo continuaba narrando que un funcionario del Gobierno israelí calculaba que su país disponía de «unas reservas probadas de gas que oscilaban entre un trillón y un trillón y medio de metros cúbicos», unas cifras asombrosas que podrían abastecer toda la red eléctrica de Israel durante un cuarto de siglo.

«Y puede que haya más», añadía el funcionario.

Incluso entonces la frase continuaba repitiéndosele a Bennett. «Puede que haya más.» También recordaba la necesidad que había sentido de llamar a sus compañeros de GSX para tratar acerca del siguiente paso que deberían dar. Pero serían las cuatro de la mañana en Nueva York y las dos en Denver, de modo que todas las personas a las que conocía estarían durmiendo.

Bueno, no todas.

En Israel eran las once de la mañana mientras Bennett se encontraba en primera clase a nueve mil metros de altura y hojeaba el ejemplar del *Times*. GSX tenía una oficina en Israel, ubicada en Tel-Aviv-Jaffa. Nunca había estado allí y le resultaba imposible acordarse del nombre del director. Pero seguro que estaría despierto y sería un buen momento para conocerse.

—*Shalom* —dijo una joven secretaria con un marcado acento israelí y una notoria displicencia.

—*Shalom*. Sí, bueno... ¡Ejem! ¿Quién es el director? —preguntó Bennett con la mente revolucionada.

—¿Y usted es...?

—Ah, sí. Soy Jon Bennett, soy...

—¿De Nueva York? ¿Ese señor Bennett? —preguntó la joven, a la que de repente se le habían bajado los humos y se había puesto alerta.

—Sí. En estos momentos estoy en el avión y me dirijo hacia Nueva York. Me ha surgido una cuestión urgente que deberíais tratar desde vuestra oficina, pero debo pedirle disculpas porque no recuerdo el nombre de...

—Roni —interrumpió—. Roni Barshevsky. Ahora mismo le pongo con él, señor Bennett.

Quería darle las gracias pero el teléfono ya estaba sonando en el despacho de Barshevsky.

—¿Señor Bennett? —preguntó éste con un acusado acento ruso.

—Por favor, llámame Jon.

—Muy bien, Jon. Es un placer conocerte por fin. ¿En qué puedo ayudarte?

—Roni, necesito que me digas todo lo que sepas sobre las reservas de gas que hay en vuestra costa —soltó en lo que pareció un susurro.

—Uy, no sé nada. ¿Por qué?

—¿Nada?

—*Niet*. ¿De qué va la cosa?

—Es un tesoro escondido, Roni. Ve a por el ejemplar del *Times* del viernes.

—¿Qué *Times*?

—El *New York Times*, Roni. El *New York Times*. Coge el periódico y quédate con la portada. Luego vuelve a por el teléfono.

—Muy bien, jefe.

Bennett estaba cansado y notaba que podría llegar a reprender a ese tío, pero con el resto de los pasajeros del avión durmiendo como recién nacidos, no era muy buena idea ponerse a gritar.

Mientras esperaba colgado del teléfono, Bennett maldijo su suerte por no haber leído la noticia antes, por no haber tenido en sus manos esa información días o semanas antes y porque no hubiera nadie en la empresa con un mínimo de inteligencia como para haberle informado sobre este asunto. Se trataba de una cuestión candente y el director de Israel no tenía ni idea de lo que le estaba diciendo.

—Mmm. Es muy interesante —farfulló Barshevsky al volver al habla—. ¿Y qué hacemos con eso?

—¿Con quién debería hablar? ¿A quién puedo llamar para que nos informe de todo este asunto?

—Veamos... Mmm. Ah, sí. Conozco al hombre perfecto. Dimitri Galishnikov. Es ruso. Dirige una empresa enorme con el nombre de Medexco. Tuberías, perforaciones, bombas: tú ordenas y él ejecuta. Trabajan sobre todo en Asia central. Pero puede ser que trabaje con estos tíos. *Da*, llama a Dimitri.

—Necesito un número de teléfono, Roni, ahora mismo.

—Muy bien, jefe. Espera un segundo.

En realidad fueron unos cuantos más, pero a Bennett le parecieron horas.

—Eres un ángel, Roni. Mantente al corriente. Te llamaré pronto.

Bennett colgó, volvió a introducir la tarjeta de crédito en el teléfono del avión GTE y marcó el número de teléfono de Medexco. La línea estaba ocupada, así que volvió a intentarlo, con el mismo resultado. Bennett se enfadó, pero después lo pensó mejor: hablar sobre una operación de mil millones de dólares de capital de riesgo sin tener más información de la que tenía y, además, por una línea de teléfono que no era segura mientras cruzaba volando el océano Atlántico no era precisamente el modelo de sentido común astuto, sigiloso y estratégico del que se enorgullecía y que le había valido tantas promociones. Debería esperar a aterrizar en el aeropuerto Kennedy y poder dirigirse a toda prisa a las oficinas y... Y luego, ¿qué? ¿Qué esperaba obtener al telefonear al ruso? A saber cuántas llamadas habría recibido ya ese tal Galishnikov durante el fin de semana o durante los últimos meses antes de toda esa historia. Seguro que muchos ya estaban volando hacia Israel para entrevistarse con él y ya habían empezado las negociaciones. Mierda, seguro que incluso ya habían cerrado algún trato.

«Cálmate —se dijo Bennett—. Cálmate y céntrate.» Respiró hondo y pulsó el botón de llamada que tenía encima. Necesitaba un trago en ese mismo instante, aunque fueran las cuatro y media de la madrugada. Apareció una azafata en la puerta y le pidió una pequeña botella, de las que venden en los aviones, de Absolut y un café. Acto seguido, volvió a descolgar el teléfono, puso la tarjeta de crédito otra vez y volvió a llamar a Barshevsky.

—Haz que Galishnikov coja el avión —le ordenó Bennett, casi en un susurro—. Quiero que esté en mi despacho a la hora de cenar.

Efectivamente, Galishnikov mordió el anzuelo, llegó a la hora convenida y se sinceró: al parecer, había recibido ya algunas llamadas, pero por lo visto no había nadie interesado en realizar una apuesta de mil millones de dólares en el maldito Oriente Próximo. Los negocios del gas y del petróleo ya implicaban riesgo suficiente como para que, además, tuvieran que soportar a los de Hamas, Hezbollah y la Yihad Islámica haciéndoles volar las inversiones por los aires con una sonrisa en la cara como tributo a Alá. Preferían perforar en Siberia o en el círculo polar ártico. ¡Diablos! Preferían perforar en cualquier otra parte que no fuera en medio de israelíes y palestinos. Sin embargo, Bennett estaba dispuesto a arriesgarse y se lo dijo. Por su parte, Galishnikov aceptó volver a Israel y discutir ese asunto con su socio, un árabe moderado y con un habla sosegada llamado Ibrāhīm Sa'id —el director de una empresa nueva de capital privado llamada Palestinian Petroleum Group o PPG— para ver qué se podría hacer al respecto.

El 28 de septiembre, apareció otro titular en el *New York Times*: «Arafāt ve con buenos ojos el gas encontrado en la costa de la franja de Gaza». De hecho, el periodista del *Times* Bill Orme escribió que Arafāt estaba «entusiasmado con el descubrimiento de mil millones de dólares, un depósito de gas que los trabajadores del sector confirmaron que era muy importante» y que explicaba a todas las personas que proporcionaría «un sólido fundamento para el Estado palestino».

«Se trata de un regalo de nuestro Dios para nuestro pueblo —declaró Arafāt a Orme—, para los niños, las mujeres y todos los que viven tanto dentro como fuera de nuestra tierra, tanto para los refugiados como para los que viven aquí.»

De este modo se dio comienzo a una cadena interminable de reuniones entre las partes en Nueva York, Londres, Jerusalén y Ramala. Los trabajadores empezaron a volar regularmente, yendo y viniendo de Estados Unidos a Israel, Gaza y Cisjordania. A continuación empezó el torbellino de planes comerciales, las valoraciones coyunturales, los reconocimientos geológicos, los análisis coste-beneficio, las asesorías de seguros, las concesiones de los créditos y las negociaciones financieras. Parecía que no se acabaría nunca, pero todas las partes implicadas sabían que valdría la pena y les costaba trabajo contener su emoción.

Hasta el 11 de septiembre de 2001, el día en que los terroristas islamistas cometieron los atentados de Nueva York y Washington, el día en que las Torres Gemelas se derrumbaron y el Pentágono ardió, el día en que tres mil estadounidenses perdieron la vida, el día en que los palestinos empezaron a bailar en las calles, el día en que Osama bin Laden se convirtió en un hombre conocido por todos e hizo que el mundo musulmán le aclamara, el día en que el presidente Bush declaró la guerra contra el terrorismo y el día en que, por enésima vez, se aplazó cualquier previsión de paz y prosperidad entre árabes e israelíes.

Sin embargo, el tiempo lo cura todo y, casi una década después, Bennett creía que volvía a haber atisbos de esperanza. La guerra contra el terrorismo había sido un éxito rotundo, puesto que no se había destruido tan sólo a Al-Qaeda y a los talibanes, sino que los israelíes también habían hecho pedazos las redes terroristas palestinas clave, como Hamas, Hezbollah y la Yihad Islámica y las habían borrado del mapa, con el visto bueno tácito de Washington. Algunos países árabes moderados, como Jordania, Egipto y Marruecos habían tomado medidas drásticas contra las células terroristas de las fronteras o las que transitaban por su territorio. No era una situación perfecta, pero se estaban llevando a cabo progresos y, en general, se podía decir que los buenos ganaban la partida.

Entretanto, no sólo se habían descubierto las reservas de gas natural delante de las líneas de las costas israelíes y palestinas: los geólogos y los ingenieros de Medexco y PPG habían descubierto recientemente, sin hacer demasiado ruido y de manera inesperada, enormes extensiones con una cantidad descomunal de reservas de petróleo. Los israelíes y los palestinos vivían encima de una mina de oro y había llegado el momento de obrar con decisión. Todos los semáforos mostraban luz verde y todos los sistemas parecían funcionar. Más les valía, puesto que había mucho en juego.

* * *

Barshevsky asomó la cabeza por la puerta del restaurante.

Miró a Bennett. El coche estaba en marcha y era hora de irse. Bennett miró a Galishnikov.

—¿Está todo correcto?

El ruso se irguió, se quitó las gafas un instante y se frotó los ojos. Después, limpió los lentes con una servilleta blanca y volvió a ponérselas con sumo cuidado en esa cara seca y pálida.

—*Tov* —dijo con sosiego en un hebreo que acababa de aprender. Acto seguido tomó el Montblanc de Bennett y firmó con su nombre.

—Muy bien —dijo el estadounidense, mirando a Galishnikov directamente a los ojos—. Es un auténtico placer hacer negocios con usted.

—Lo mismo digo, amigo mío.

Bennett metió los documentos en su maletín, se fue rápidamente por la puerta y se subió al Mercedes negro que le esperaba. No tenía tiempo para celebraciones, y menos en público. Acababa de firmarse el acuerdo del siglo: un trato que lo cambiaría todo. Poco menos de una docena de personas estaban al corriente de ese trato y la misión de Bennett era que las cosas continuaran así un poco más de tiempo.

Galishnikov vio salir a su joven amigo; suspiró y luego contempló la bandeja con el desayuno frío que no había ni tocado. Se había levantado sin apetito, pero ahora tenía un hambre voraz.

* * *

Bennett se puso cómodo en el asiento de piel del Mercedes negro.

Bajó la ventanilla ahumada que tenía al lado para que entrara el aire fresco. El trayecto hasta Ben Gurión no sería demasiado largo. No obstante, sabía que los vuelos que le aguardaban le parecerían una eternidad. Se preguntaba por qué no había tomado el avión privado de la empresa. Cerró los ojos e intentó imaginarse las caras de MacPherson e Iverson cuando les comunicara la buena noticia. De repente, sonó el teléfono móvil.

—Aquí Bennett.

—Señor Bennett. Soy un telefonista de la Casa Blanca. Tengo al secretario del Departamento del Tesoro Iverson al habla. Le recuerdo que no es una línea segura. Espere un momento.

Se oyó un chisporroteo en la línea.

—Jon, soy Stu.

—Hola, Stu. Uy, perdón, señor secretario. Tengo buenas noticias.

—Pues yo no.

—¿Por qué? ¿Qué pasa?

—Puede que Mac haya muerto.

—¿Qué?

Bennett se incorporó de un salto.

—Han atentado contra la caravana presidencial hace un rato.

—¿Qué?

—No lo sé seguro. Un avión kamikaze. Algo. No lo sé.

—Dios mío...

—Todavía no sé nada seguro. El Servicio Secreto me acaba de despertar.

—¿Dónde estás?

—En el Brown Palace. Después... después tenemos una cena esta noche. Más tarde.

—¿Con quién estás?

—Con todo el mundo. Acaba de entrar Bob. Ha venido en un vuelo antes para charlar y agradecer las donaciones. Es una pesadilla, Jon. Todavía no sabemos ningún detalle. Todavía no.

—Dios mío, no me lo puedo creer.

—Lo sé, es como volver a vivir el 11-S. Mira, ¿dónde estás ahora mismo?

—Mmm... Bueno... Voy en coche al aeropuerto.

—¿De Nueva York?

—No, qué va. Al de Jerusalén.

—Bueno, pues, vuelve lo más rápido que puedas.

La línea se cortó.

Bennett se quedó aterido.

James «Mac» MacPherson, el veterano de Vietnam que se había convertido en un mago de Wall Street, en el gobernador de Colorado durante dos mandatos y en el presidente de Estados Unidos, que era candidato a «hombre del año» del *Times* y el principal artífice de la deslumbrante recuperación de la economía estadounidense, podría estar muerto.

CAPÍTULO TRES

El hedor acre del combustible del avión ardiendo y el humo negro y espeso le abrumaban.

Tres helicópteros que producían un ruido ensordecedor se mantenían estáticos en el aire e iluminaban con los focos la carnicería que había debajo. Había un cuarto aparato que podía verse sobrevolando un perímetro más amplio y, en ese instante, un escuadrón de F-15 cruzó el aire como un rayo en formación de combate. A pesar del viento frío de esa noche, sentía el intenso calor que desprendían las llamas. Si cerraba los ojos podía retroceder en el tiempo con facilidad y encontrarse nuevamente en el ejército, en la guerra del Golfo, en la autopista de la muerte de Iraq, intentando abrirse camino entre los cuerpos putrefactos y los escombros en llamas de tanques, camiones y otros restos calcinados de la Guardia Republicana de Saddām Hussein.

Hacía ya casi dos décadas que Marcus Jackson, que en esa etapa trabajaba para el *New York Times*, no cubría una guerra en directo. Hacía ya como mínimo seis o siete años que había dejado de despertarse a horas intempestivas de la noche, empapado en sudor por culpa de alguna pesadilla mientras su mujer lo sujetaba en la cama porque se estaba agitando. Como muchos hombres de su edad, se alistó en el ejército para realizar el servicio militar a principios de los años ochenta creyendo que realmente no irían nunca a combatir. Y por el amor de sus dos gemelas, que acababan de cumplir cinco años el fin de semana anterior y cuya fiesta de pijamas se había vuelto a perder, rezaba todas las noches para no tener que volver a presenciar los horrores de la guerra de nuevo. Seguir el ritmo de la Casa Blanca era más que suficiente para él, especialmente los últimos años. Sin embargo, de repente, todos esos recuerdos le asaltaron de nuevo.

Jackson se encontraba a algunos kilómetros de distancia del lugar del accidente de Diligencia con el G4. Le impidieron salir del autocar de prensa número 1. Veía una pared de agentes de policía que acordonaban el vehículo y otra hilera detrás que llevaban las armas en la mano. Sin embargo, situado en el asiento de primera fila, con los binoculares de alta potencia colgados del cuello y con dos teléfonos móviles digitales, uno en cada mano, en aquel instante era uno de los testigos más valiosos del mundo.

Con uno de los teléfonos, Jackson marcó repetidamente el número de su oficina en Nueva York. La línea estaba ocupada. Volvió a marcar y continuaba igual, no tenía suerte. Con el otro teléfono, marcó el número de la CNN de Atlanta, con la que pudo contactar de inmediato. Había una especie de fiesta montada en la sala de control y Jackson oía a los trabajadores de noche cantar la canción de feliz cumpleaños a alguien. Así que tuvo que gritar por el teléfono.

—Josh, soy Marcus. Dios mío. Está todo en llamas. Estoy con el presid...

—¿Qué? No te oigo bien. Espera un momento. ¡Callaos todos!

Jackson oyó como las celebraciones de la sala de control cesaron de golpe en el instante en el que Josh Simon, el productor nocturno de la CNN, dejó a todos atónitos con un arranque impropio en él.

—Muy bien, Marcus. ¿Qué sucede?

—Lo he visto todo, Josh: la cosa esa bajaba con un ruido atroz y se convirtió de pronto en una bola de fuego...

—¿Qué? Para el carro. ¿De qué me hablas?

—Una especie de kamikaze acaba de atentar contra la caravana de MacPherson.

—Dios...

—Todo es un caos.

—Otra vez no...

—La cosa pinta muy mal, Josh, muy mal.

—¿Dónde estás?

—Acabamos de salir del aeropuerto de Denver. Toda la carretera está en llamas.

—Es increíble. Eres el primero que llama. Los teletipos no dicen nada.

—Lo sé. Es que ha sido ahora mismo.

—¿Y qué ha pasado con MacPherson?

—No lo sé. No te lo puedo decir. Ahora mismo estoy viendo el coche con los binoculares. Hay polis por todas partes. Está boca arriba e intentan abrir las puertas. Hay llamas por todas partes.

—Marcus, tenemos que dar tu testimonio en directo. Espérate, ¿puedes, verdad?

—Sí, tranquilo.

Simon explicó con rapidez al equipo lo que estaban a punto de transmitir. Volvió a mirar, pero la noticia todavía no aparecía en los teletipos de Associated Press o Reuters.

Pronto lo harían. Jackson oía por encima de su hombro izquierdo al periodista de Associated Press, Tom Perkins, dictando un boletín urgente a un editor nocturno de Washington. Asimismo, le llegaban las exclamaciones de la sala de control de la CNN en Atlanta mientras Simon hablaba.

Con sólo veintinueve años, Josh Simon era joven pero perspicaz, apasionado y se estaba quedando calvo. Demasiado estrés, demasiados turnos de noche y demasiados cigarrillos. Sus jefes todavía no estaban demasiado convencidos de todo el potencial que encerraba. Pero para Jackson, que le conocía desde hacía años, Simon tenía un don, puesto que comprendía el poder de las noticias de última hora transmitidas en directo. Se había criado con ellas y había ido a la escuela para ellas; también por ellas había sacrificado su matrimonio. Comprendía a la perfección su estilo, ritmo y cadencia y sabía cómo contar visualmente una historia y, cuando no había imágenes disponibles, cómo atrapar al espectador con música y gráficos y con el tono de voz del presentador adecuado.

En ese instante, Jackson oía a su amigo al otro lado de la línea preparando al equipo para ser los primeros en dar la noticia a todo el mundo.

—Josh, ¿me oyes?

—Espera un momento, Marcus. Bill, cortamos. Tenemos una noticia de última hora. Te daré la entrada cuando toque. Es muy gordo, prepárate.

—Cámara dos, preparada. Vamos a dar una noticia de última hora. Necesito los gráficos preparados y la música de entrada. Dirk, consígueme un mapa de Colorado. Muy bien, atentos todos. Hagámoslo bien, que entramos en directo. Preparados: tres, dos, uno... ¡ya!

La voz de Simon sonaba tranquila, segura y muy profesional. Jackson oyó como de repente una música característica cortaba por la mitad una noticia del resumen de la jornada financiera. Entonces se escuchó: «Noticias de última hora de la CNN». Aunque era un periodista avezado en las batallas, curtido y cínico, esa melodía le provocó algunos escalofríos. Simon dictaba una introducción mientras el presentador Bill Blake repetía una tras otra todas las espeluznantes palabras.

—Marcus, aguanta un poco más.

Durante un instante se oyó un silbido provocado por la electricidad estática que parecía indicar que el teléfono se había apagado. Sin embargo, Jackson supo que, de hecho, le habían conectado y estaba en directo. Blake le estaba presentando.

—... en directo ahora desde la autopista I-70, justo a las afueras de Denver. Señor Jackson, ¿me escucha?

—Sí, Bill, te escucho.

—La CNN informa de que la caravana presidencial acaba de sufrir un atentado por parte de lo que parece ser un kamikaze en la carretera del Aeropuerto Internacional de Denver. Tengo entendido que lo ha presenciado todo. ¿Qué puede contarnos?

* * *

Bennett miraba por la ventana.

Roni Barshevsky conducía el Mercedes un tanto anticuado por el tráfico de la mañana y corría hacia el aeropuerto. Sin embargo, el pensamiento de Bennett se encontraba muy lejos de allí. Necesitaba información. ¿Qué sucedía? Se preguntaba si sería verdad y cómo había podido ocurrir algo así. De ningún modo el presidente MacPherson podía haber muerto. Era imposible que fuera verdad.

James MacPherson era prácticamente el padrino de Bennett. Para él, era el hombre que, aparte de su padre, había demostrado más interés personal por sus habilidades, su carrera y su vida; le había enseñado los trucos del comercio financiero y le había tratado como a un hijo y como a un protegido. A principios de los años noventa, cuando acababa de contratarle GSX y antes de que MacPherson fuera elegido gobernador, el joven Bennett se había sorprendido a menudo al ser invitado regularmente a la magnífica mansión del jefe, Cherry Creek, a veces para trabajar hasta tarde sobre una u otra propuesta, a veces para atracarse de galletas de chocolate que tan bien preparaba la señora MacPherson o a veces para echar unos tiros con las chicas en el patio o para ayudar al jefe a definir su futuro político.

Cuando MacPherson empezó a plantearse por primera vez presentarse para gobernador, Bennett era una de la docena de personas que se encontraba en la habitación, a pesar de que el gobernador le apodara su «huésped demócrata», tomando notas y ayudándole a redactar los documentos normativos y los discursos de la campaña. Cuando MacPherson ganó la campaña de reelección por mayoría aplastante, Bennett era uno de los seis hombres que había en la *suite* del hotel de Denver la noche de las elecciones planificando rutas desde Denver hasta Iowa y New Hampshire para la convención del Partido Republicano. Por alguna razón extraña e inexplicable, había sido invitado a formar parte del círculo íntimo, el sanctasanctórum: el «círculo de confianza», como lo llamaban socarronamente los MacPherson. En el proceso, se había convertido en parte de la familia y, además, en multimillonario.

Bennett cerró los ojos y se acurrucó en el cuero lujoso y grueso del asiento trasero del Mercedes. Se frotó los ojos; empezaba a dolerle un poco la cabeza y pensó que sería sinusitis. Se tomó un trago de agua y notó que la garganta iba a peor. Abrió más la ventanilla y el aire entró haciendo remolinos que le despeinaban el pelo marrón oscuro. La emoción del trato con Medexco se había desvanecido.

Se sentía cansado, dolorido, lánguido y había soportado demasiada carga mental. De repente vio como los pensamientos dieron un salto de unos cuantos años hacia atrás, concretamente hasta la vez en que le invitaron a esquiar con el gobernador, la familia e Iverson en la impresionante vivienda de los MacPherson, situada en lo alto de Beaver Creek, en la ladera de las Rocosas.

En vez de salir, resultó que tenía una inflamación de la garganta insoportable. La señora MacPherson, con la que nunca se había sentido cómodo llamándola Julie, tal como ella le insistía una y otra vez, lo envolvió con pilas de mantas de lana, le preparó un té muy caliente y lo dejó descansando en esa casa tan inmensa y tranquila, mirando a través del enorme ventanal que daba a una de las montañas más hermosas que jamás había visto.

Todavía se acordaba de los picos nevados de un color blanco impoluto, de los robustos y macizos árboles, de la brumosa puesta de sol anaranjada, de las sombras largas y oscuras que proyectaba sobre el valle y de las lucecitas blancas y centelleantes del árbol de Navidad de la familia MacPherson. Todavía oía aullar los vientos glaciales fuera, crepitar el fuego en el hogar y lo dulces que sonaban los villancicos que salían de pequeños altavoces que había distribuidos por toda la casa. Le dio la sensación de que, por primera vez desde que se había subido al tren bala de Wall Street, se sentía seguro.

El peso del mundo, el peso de tantos acuerdos y del anticiparse siempre a la siguiente crisis global económica o financiera se le fue resbalando poco a poco por los hombros y durmió como hacía tiempo que no dormía.

* * *

No se había construido para ser una fortaleza.

La elegante casa victoriana del siglo XIX de tres pisos y ladrillos blancos, situada en la esquina sudeste de la encrucijada formada por la calle 34 y la avenida de Massachusetts en Washington D. C., aunque había sido construida por los militares para su uso, no era inexpugnable.

Ubicada en un hermoso montículo, rodeada por árboles altísimos y dentro de los límites de un complejo residencial ajardinado y tranquilo rodeado por una valla, la estructura de estilo de la reina Ana se terminó de construir en abril de 1893 y empezó a utilizarse como residencia de algunos superintendentes del Observatorio Naval de Estados Unidos hasta 1928, año en el que se convirtió en residencia oficial del jefe de Operaciones Navales de Estados Unidos.

En 1974, el Congreso determinó que la casa se convertiría en la residencia oficial del vicepresidente de Estados Unidos. Nelson Rockefeller y su familia pasaban temporadas allí, pero hasta 1977 Walter Mondale y su familia no se convirtieron en la primera «segunda familia» que realmente habitara la mansión siempre. Ahora era la residencia del vicepresidente William Harvard Oaks y la tranquilidad de esos suelos históricos iba a echarse a perder.

El agente especial al mando, Steve Sinclair, estaba sentado detrás del primer control de seguridad, situado justo tras de las puertas principales de la residencia. Acababa de corregir el trabajo práctico de final de semestre del instituto de su hijo mayor sobre el discurso de Lincoln en Gettysburg y volvía a sentarse con un café caliente, una magdalena con arándanos y la primera edición de la sección de deportes del *Washington Post*, cuando los tres teléfonos de seguridad empezaron a sonar casi a la vez. Los seis agentes que estaban de guardia en el salón y el comedor se cuadraron. Sinclair respondió primero al teléfono rojo.

—Sinclair al habla.

—¡Código rojo! ¡Código rojo! —gritaba el comandante de guardia al lado de Bud Norris en la sede central del Servicio Secreto, en el Departamento del Tesoro—. Poned en marcha el helicóptero y sacad de allí a Jaque Mate.

—Recibido.

Sinclair se acercó el micrófono de pulsera y gritó:

—¡Código rojo! ¡Código rojo! ¡Evacuad el edificio! ¡Evacuad el edificio! ¡*Marine Two*: despegue con urgencia!

Los seis agentes en esos momentos sostenían las ametralladoras Uzi preparadas y cuatro de ellos pasaron corriendo por delante de Sinclair y subieron escaleras arriba. Uno tomó su posición detrás de la puerta principal mientras otro abría la puerta lateral de la cocina. Otros diez agentes irrumpieron en esa estancia, provenientes de una estación de vigilancia adyacente a la residencia: tomaron posición en las ventanas del primer piso. Mientras tanto, Sinclair pulsó dos botones: uno blanco y otro rojo, en el tablero de control que tenía detrás. Uno encendía al instante todos los focos del complejo, que alumbraban con una luz cegadora; el otro lanzaba una serie de bocinazos ensordecedores para declarar que la residencia se encontraba en estado de guerra.

Rápidamente, Sinclair oteó los doce televisores que tenía delante y no detectó ninguna amenaza. Vio a los dos pilotos del *Marine Two* correr desde la caseta de vigilancia hacia el helicóptero que se encontraba en el patio, saltar dentro y empezar a la velocidad del rayo con los procedimientos de emergencia para preparar el aparato para volar al cabo de pocos segundos.

—Base de Meta, ¿qué ha ocurrido? —gritó Sinclair a través de la línea segura del centro de operaciones del Servicio Secreto.

—Han atentado contra la caravana de Gambito. Repito: atentado contra la caravana. Ejecutad Ardilla Profunda. Repito: ejecutad Ardilla Profunda. El apoyo aéreo va de camino.

* * *

La base de las Fuerzas Aéreas de Bolling, en Washington D. C., de pronto se puso en marcha.

Las sirenas de emergencia y los bocinazos despertaron a todos de sopetón. En sólo un instante, la noche se convirtió en día, puesto que los enormes reflectores inundaron de luz la base de élite situada a orillas del río Potomac. Momentos después, los vehículos Humvee se ponían en marcha para bloquear todas las entradas. Los marines preparados para el combate se armaron con los M-16 mientras salían de los barracones y se distribuían por sus puestos. Por encima de sus cabezas, los mejores pilotos, que formaban parte del destacamento de vuelos ejecutivos, hacían despegar tres helicópteros Apache armados y dos helicópteros de transporte de color verde militar de la Marina en formación de rescate. Desaparecieron en un abrir y cerrar de ojos.

* * *

Tan sólo disponían de algunos segundos.

En la primera planta de la residencia del vicepresidente, los agentes doblaron la esquina, cruzaron corriendo el pasillo, pasando por el despacho del vicepresidente, la sala de estar y la habitación vacía de los niños a la izquierda hasta llegar al dormitorio principal, que quedaba al fondo a la derecha. Los agentes Chuck Kroll y Mike Martin irrumpieron sin llamar.

—Señor, tiene que venir con nosotros inmediatamente.

El vicepresidente, vestido con pijama de franela, estaba muy dormido todavía, pero eso no importaba. Los dos agentes lo sacaron de la cama y se lo llevaron de la habitación; su mujer, se quedó aterrorizada y desorientada. Un tercer agente cogió la maleta que el vicepresidente tenía preparada para las urgencias y corrió detrás de los otros dos agentes, escaleras abajo. El cuarto agente se quedó con la mujer para tranquilizarla y explicarle que un helicóptero estaba de camino y que la evacuaría a ella de un momento a otro.

En cuanto los dos agentes y el vicepresidente, cuyos pies casi no tocaban el suelo, aparecieron por una puerta lateral de la casa a unos treinta metros del potente helicóptero, el *Marine Two* estaba totalmente operativo. Había veinte agentes armados con las Uzi y marines con el equipo completo de combate, con M-16 cargados y con el seguro puesto, en formación de pasillo de seguridad a través del cual los agentes guiaron a su protegido y lo lanzaron, literalmente, a través de la puerta lateral del aparato. Kroll lo siguió y saltó dentro, también lo hizo Martin; acto seguido, cerró la puerta y dio unas palmaditas vigorosas a los pilotos en la espalda.

—¡Vámonos! ¡Vámonos! —gritó.

El *Marine Two* despegó y se incorporó a la formación con los otros tres helicópteros Apache armados que sobrevolaban la zona y, en un instante, se largaron de allí. Desde el momento en que el teléfono del agente Sinclair había sonado por primera vez con la orden del código rojo, habían pasado menos de tres minutos.

* * *

A esas alturas todo el mundo ya sabía tanto como él.

En el centro de mando del Servicio Secreto en Washington, el director Bud Norris vio que aparecía la conexión de la CNN en uno de los cinco monitores enormes que tenía delante y golpeó fuerte con el puño la consola que estaba a su lado.

Norris tenía dos auriculares en la cabeza: uno era de la línea segura del centro de operaciones del FBI, que a su vez estaba conectada al Chevrolet Tahoe a prueba de balas del director Scott Harris, que volvía a toda prisa a su despacho del edificio Robert F. Kennedy en la calle E, al noreste; el otro era un enlace vía satélite encriptado con la agente especial del Servicio Secreto Jackie Sánchez, que se encontraba en el lugar de los hechos, en Denver, por tanto al cargo de la operación de rescate e intentaba desesperadamente entrar en la maltrecha limusina, todavía bocabajo.

Mientras Norris le explicaba rápidamente la situación a Harris, tenía los ojos puestos en otra de las grandes pantallas de los monitores de vídeo: la que mostraba las imágenes que no tenía ni la CNN ni nadie, puesto que era la retransmisión en directo desde el helicóptero Apache que sobrevolaba la zona accidentada. Veía la imagen de las «garras de la vida» con un diseño especial agujereando la puerta a prueba de balas de Diligencia. También veía a los agentes armados hasta los dientes que rodeaban el vehículo, así como a los bomberos luchando contra el G4 en llamas y a Sánchez dirigiendo las acciones.

—¡Jackie! —la llamó Norris.

—Dígame, señor —respondió Sánchez al instante.

—¿Te queda mucho?

—Ya casi lo hemos conseguido, señor. Espere un momento.

* * *

El maletín de piel emitió un pitido.

Bennett lo cogió y sacó el BlackBerry. Tenía un mensaje de correo electrónico. Un aviso de noticia de última hora de Associated Press. Bajó la imagen rápidamente: «Un kamikaze atenta contra la caravana de MacPherson». Los detalles eran vagos.

Unos minutos después, otro pitido. Una actualización: el Servicio Secreto acababa de evacuar al vicepresidente del Observatorio Naval. El servicio de seguridad de Chicago acababa de despertar al presidente de la Cámara de Representantes del Congreso, lo había evacuado en un helicóptero de las Fuerzas Aéreas y, en ese preciso instante, lo trasladaban a una base militar cuyo nombre no habían revelado. Estaban llevando a los miembros del Gabinete a lugares seguros, lugares secretos como «medida de precaución ante posibles nuevos atentados», según un agente del Servicio Secreto de Estados Unidos no identificado.

Un nuevo pitido, otra actualización. La CNN informaba de que el Servicio Secreto estaba retirando algunos cuerpos de la limusina del presidente.

¿Algunos cuerpos? El dolor de la garganta iba en aumento y, de repente, sintió náuseas.

* * *

—Bob, esto de aquí es una locura.

El responsable de prensa, Chuck Murray, se apretó todavía más el auricular contra el oído y se apeó del autocar de prensa número 1 un instante, lejos de los carnívoros que tenía dentro, intentando desesperadamente conseguir alguna información fidedigna del jefe del Estado Mayor de la Casa Blanca, Bob Corsetti. Pero con el viento, los helicópteros y las sirenas de los vehículos de emergencia que desfilaban constantemente en todas direcciones, casi no podía oír nada.

—¿Qué pasa con el presidente? ¿Qué dices? Bob, no disponemos de un par de minutos. Tengo un autocar lleno de teléfonos móviles que están a punto de informar de que el presidente puede haber muerto. ¡Ya sé lo que dice! Estaba justo a su lado. ¿Qué? Bueno, yo estoy presenciando lo mismo... dos... ¿Qué? Sí, dos cuerpos por ahora. Ahora están sacando al tercero. ¿Quién? Muy bien, hablaré con él.

De repente, Murray se percató de que se había dejado el abrigo en el vehículo de prensa. Estaba empapado en sudor, de modo que era presa de unos temblores incontrolables.

—¿Dígame? ¿Con quién hablo? Agente Parker, soy Chuck

Murray. ¿Qué está sucediendo? Necesito saber ahora mismo si está vivo o muerto.

* * *

El BlackBerry de Bennett volvió a emitir un pitido: era un mensaje de correo electrónico de Londres.

«Jon, acabo de oír la noticia. Estoy viendo la CNN. ¿Qué sabes tú al respecto? Te he estado llamando al móvil pero no hay línea. Llámame, Erin.»

Erin McCoy era la directora de comunicaciones internacionales de la Global Strategix, con sede en Londres.

Con treinta y un años de edad, Erin había nacido y se había criado en Carolina del Norte y era nieta de un ex secretario de Estado de Estados Unidos, algo de lo que se enorgullecía y que le gustaba recordar a Bennett de vez en cuando. Tenía la carrera de economía por la Universidad de Carolina del Norte Chapel Hill y un MBA de finanzas en la Wharton School; era luchadora, muy guapa e, inexplicablemente, estaba soltera, algo que a Bennett le gustaba recordarle de vez en cuando.

No es que tuviera mucho tiempo para citas románticas, ni mucho menos para casarse. Durante esos últimos días había trabajado a contrarreloj para el acuerdo de la israelí Medexco y rápidamente se había convertido en uno de los miembros más valiosos del equipo de Bennett. Jon pulsó un botón del teléfono y Erin descolgó el suyo a la primera señal.

—McCoy al habla.

—Erin, soy Jon.

—¿Lo estás viendo?

—No, estoy con Roni de camino al aeropuerto. ¿Qué ves tú?

—No mucho. Tan sólo lo que sale por televisión. No podemos hablar con nadie de Denver y en Nueva York nadie sabe nada. ¿Has hablado con Stu?

—Tan sólo un instante.

—¿Y qué?

Bennett realizó una pausa. ¿Debería decírselo?

—Muy malas noticias: quizá el presidente haya muerto.

Temía lo peor y se había preparado para oírlo, pero las palabras de Bennett tuvieron un efecto enorme, como si le impidieran respirar. Se quedó en silencio. De repente, volvió a hablar.

—Espera un momento.

—¿Qué?

—En la Fox tienen algo. Espera.

Bennett había estado varias veces en las oficinas de McCoy situadas en un ático al que había apodado Norad,[1] un lugar que quedaba por encima de Londres y desde el que podía contemplarse el Támesis y el Big Ben. Allí, McCoy y su equipo habían creado un auténtico centro de mando de alta tecnología financiera, conectado por cable con los equipos de comunicaciones de tecnología punta de todo el mundo, desde radios de onda corta y antenas parabólicas hasta acceso a Internet de alta velocidad y cables de fibra óptica capaces de transmitir treinta millones de llamadas telefónicas a través del Atlántico en un solo segundo.

Esa tecnología permitía a McCoy y su equipo recibir informes instantáneos de los servicios de prensa, de los mercados financieros, de los trabajadores de GSX y de otras fuentes de información desde cualquier parte del planeta. «Debes conocer bien la condición de tu rebaño», rezaba la diminuta placa de cerámica que tiene al lado de los auriculares, el ordenador y un tarro que siempre está lleno de Chupa Chups sobre la enorme mesa de despacho de madera de cerezo que siempre está ordenada y que Churchill utilizó cuando era un diputado cualquiera del Parlamento y un agitador declarado.

Bennett imaginaba a McCoy y sus ayudantes amontonados en el despacho a primerísima hora de la mañana británica, mirando simultáneamente a diez pantallas de televisión pegadas a la pared y trabajando con los teléfonos.

1. Siglas de North American Aerospace Defense, es decir, Mando de la Defensa Aérea de América del Norte. *(N. de la T.)*

—Erin, ¿qué ves?

—Muy bien, espera. Mmm... Ahora enfocan más cerca. Vamos tíos, enfocad bien. Espera. ¡Uy, uy! Dios mío, Dios mío...

—¿Qué pasa, Erin? ¡Dime algo!

* * *

Norris no quería que el mundo viera ninguna imagen, y todavía menos que vieran ésas.

Supuso que un cámara de la Fox había conseguido de algún modo subirse a la furgoneta de las telecomunicaciones o había trepado encima de uno de los autocares de prensa. Sea como fuere, con un teleobjetivo muy potente, la imagen que estaba captando y transmitiendo a todo el mundo estaba completamente centrada en el agujero que acababan de abrir en el vehículo del presidente.

Podía verse a los agentes del Servicio Secreto empezar a levantar con sumo cuidado otro cuerpo sin vida, sujetado con correas en una camilla de madera, y sacarlo fuera del coche. Las oleadas de nubes tapaban a veces la imagen, pero se trataba, sin lugar a dudas, de unas imágenes impactantes y, además, en exclusiva.

—Sánchez, detente. Repito: ¡detén la evacuación inmediatamente!

Norris gritaba por teléfono. Perplejos, todas las personas del centro de operaciones del Servicio Secreto se quedaron mirándolo con horror.

—Nikon Uno, Nikon Uno, aquí Base de Meta. Aterriza delante de Diligencia ahora mismo. Aterriza ahora. Venga, vamos, aterriza inmediatamente.

Los espectadores de todo el mundo sin excepción de repente vieron como la imagen que transmitían la Fox y Sky News se oscurecía por completo a causa de un helicóptero de la Policía de Denver que bajaba a toda velocidad. El cámara alejó el *zoom*, pero no sirvió de nada. Sin cámara ni periodista, nadie podía ver qué estaba sucediendo. Nadie excepto Bud Norris y sus compañeros de la Casa Blanca, el Pentágono, el FBI y la CIA. Las imágenes seguras que les llegaban de la cámara de vídeo montada en la parte delantera del helicóptero Apache que todavía sobrevolaba la zona volvió a concederles el control exclusivo de la situación.

Norris acabó dando la orden y los trabajos de evacuación se reiniciaron, rápida y cuidadosamente. Se movilizaron más agentes armados con M-16 para rodear el equipo de rescate. En ese instante, otra ambulancia se incorporó en posición de apoyo, junto con Balón Prisionero, flanqueado por agentes de paisano con ametralladoras.

—Sánchez, ¿qué ocurre?

—Thomas y Stevens están muy mal —le comunicó refiriéndose a los dos guardaespaldas de Gambito, los dos agentes encargados expresamente de proteger la vida del presidente—. Ambos están inconscientes, con fuertes hemorragias internas. Estamos a punto de proceder a evacuarlos con asistencia médica.

Norris apretó el estómago.

—Acaban de sacar a Burdett y Rodríguez. Burdett está inconsciente, pero estable. Rodríguez está hecho un desastre, señor, está fatal —transmitía Sánchez en referencia a Terry Burdett, el asistente personal del presidente, y Tommy Rodríguez, el chófer de la limusina.

Norris era consciente de que se estaba enfureciendo por momentos. Sí, naturalmente le importaban sus hombres, como también le interesaba el personal del presidente, pero en esos instantes, ninguno de ellos era la prioridad.

—Sánchez, ¿qué hay de Gambito?

—Lo sabremos en un instante, señor.

* * *

El *Marine Two* descendió rápida y bruscamente en el césped de la zona sur de la Casa Blanca.

Mientras descendían para tocar tierra, el vicepresidente

—que recibía el nombre en clave de Jaque Mate por parte de su guardia personal— veía las baterías de misiles tierra-aire que habían sacado fuera y estaban preparadas para entrar en acción en el tejado de la Casa Blanca y el edificio Eisenhower. También pudo vislumbrar las patrullas de los grupos SWAT del Servicio Secreto vestidos con el equipo de combate negro corriendo por tierra como si fueran un hormiguero.

En el mismo instante en el que el helicóptero aterrizó, un Suburban negro a prueba de balas corrió a colocarse al lado, la puerta del aparato aéreo se abrió y lanzaron a Jaque Mate en el interior del vehículo terrestre a través de una de las puertas laterales. Los agentes se amontonaron encima del vicepresidente y el Suburban arrancó a toda prisa, en dirección al despacho oval.

Allí, una sección entera de agentes rodeó el vehículo, con ametralladoras en las manos. Llevaron a rastras a Jaque Mate a través del despacho oval, lo bajaron hacia el pasillo principal del ala este, cruzaron las puertas de una escalera de seguridad, bajaron dos tramos de escaleras, atravesaron una puerta con un sistema de seguridad que requería una contraseña y que permanecía custodiada por dos marines armados, corriendo a lo largo del pasillo y, finalmente, hasta el COE, el Centro de Operaciones de Emergencia, construido a prueba de explosiones nucleares.

Ya le esperaban allí la asesora de Seguridad Nacional, Marsha Kirkpatrick, el secretario de Estado, Tucker Paine, y sus principales consejeros. Acababan de aterrizar hacía algunos minutos en la base Andrews de las Fuerzas Aéreas provenientes de un viaje a Moscú. Cuando el destacamento de seguridad recibió la noticia de la crisis que se estaba extendiendo rápidamente, trasladaron sin dilación al equipo diplomático directamente a la Casa Blanca. La descomunal puerta de acero de un metro de grosor se cerró por completo detrás de ellos. Hasta ese instante Kroll no envió la confirmación a través del micrófono de pulsera: «Jaque Mate está a salvo. Repito: Jaque Mate está a salvo».

* * *

—Director, el señor Norris por la línea 1.

A las 3.27 de la madrugada, hora del Este, el director del FBI, Scott Harris, había vuelto a la *suite* ejecutiva del séptimo piso, acompañado por sus asesores con las pilas cargadas de energía.

—Bud, soy Scott. ¿Cómo está Gambito?

—Todavía no lo sé. Sabré algo más dentro de un minuto. ¿Qué sabes tú?

—Recubrimiento metálico. Hemos puesto en marcha toda la red. Hemos presionado a los informadores de todo el mundo. Tengo al equipo de campo en Toronto apuntando hacia el aeropuerto y dos equipos más que se dirigen hacia allí desde Buffalo y Boston. Acabamos de hablar por teléfono con los canadienses. Nos prestarán toda la ayuda que precisemos.

—Nos hará mucha falta ahora. ¿Cuál es nuestra situación táctica?

—Ahí me has pillado. No creemos que esto haya terminado.

—Estoy de acuerdo.

—Pero todavía no tengo nada en firme.

—Conocían el programa, el coche y el mejor momento para atacar.

—Seguro que tenían a alguien trabajando en tierra.

—¿Para calcular que el vuelo saliera de Toronto y se encontrara en el sitio adecuado en el momento adecuado? Seguro. Es una pesadilla. Seguro que se producen más atentados. La pregunta es en qué lugar.

—Puedo inundar Denver de agentes.

—Hazlo. Mándalos a Colorado Springs y que vayan en coche. Yo mantendré el aeropuerto de Denver cerrado por el momento.

—Muy bien. Así lo haremos. ¿Cómo vais a evacuar a Gambito? He oído que *Marine One* tenía problemas mecánicos.

—Así es. Por esa razón organizamos la caravana presidencial en primer lugar.

—Ahora no podéis arriesgaros a ir por la carretera, ya no sabes en quién confiar.

—Voy a meterle en uno de los helicópteros. Sánchez lo pilotará, flanqueado por los Apaches.

—¿Y adónde irán?

—Al Palacio de Cristal.

—¿No le llevará de regreso al *Air Force One*?

—No le trasladaré allí hasta que no tenga garantizado que es un lugar seguro.

—Muy bien. ¿Qué necesita de nosotros?

—Averigüe quién coño ha hecho esto.

* * *

—Base de Meta. Tengo a Moore —dijo Sánchez a Norris por el teléfono vía satélite.

En la pantalla de vídeo, Norris vio a Sánchez moverse con presteza, dirigir al grupo, reubicar a sus hombres y hacerse con el control del helicóptero policial. Después vio a Sánchez coger el auricular de dentro de Diligencia.

—¿John? John, soy Bud.

—Hola, jefe... —dijo Moore, aturdido y dolorido.

—Dime, John.

—Gambito está a salvo.

—Dios mío.

—Tiene muchos cortes y heridas y ha sufrido una leve conmoción cerebral. Está realmente confundido. Lo tenemos sedado y le hemos puesto oxígeno. También lo hemos inmovilizado. Le hemos hecho un reconocimiento y está bastante bien, se recuperará. Doy gracias a Dios por los airbags.

A pesar de los cinco mil agentes y los equipos de tecnología de última generación de un valor de miles de millones de dólares, ¿sería verdad que el presidente hubiera salvado la vida durante un atentado terrorista gracias a unos airbags? Después de dos años sin fumar, Norris sintió una necesidad imperiosa de fumarse un cigarrillo.

—John, no puedes ni imaginar...

—¿Bud? Bud, soy Mac. ¿Se trata de otro de tus ejercicios o qué?

Al principio, al oír la voz de MacPherson, Norris se quedó absolutamente perplejo; después, empezó a reír, más bien a causa de los nervios contenidos que había acumulado que por el pobre pero noble intento del presidente de rebajar la tensión. La voz del hombre temblaba, pero parecía que anímicamente estaba fuerte.

—Sí, señor. ¿No le ha llegado la nota?

MacPherson se rió débilmente y empezó a toser.

—Señor, ¿se encuentra bien?

Pero en ese instante Moore volvía a estar al habla.

—¿Tenemos permiso para trasladarle, señor?

—Por supuesto. Proceded.

Norris y su equipo contemplaron la imagen que les hacía llegar el Apache y que les mostraba a los agentes de tierra retirar de un modo rápido, cuidadoso y profesional la camilla de Gambito de Diligencia y depositarla en la parte trasera del helicóptero policial. Sánchez se situó en el asiento del piloto, junto a otro agente que anteriormente había sido piloto de helicóptero de la reserva militar. Los demás agentes ayudaron con cuidado a Moore a subir al aparato, junto con otros dos agentes de paisano que iban en la otra limusina, Balón Prisionero, uno de los cuales tenía conocimientos de medicina.

Al empezar a despegar, flanqueaban el helicóptero en el que iba el presidente dos Apaches y dirigía el grupo otra aeronave policial, repleta de agentes. Un escuadrón de F-15 les cubría. En tierra, los vehículos del Servicio Secreto y los vehículos policiales empezaron a retirarse de la zona y volvieron hacia el aeropuerto velozmente para custodiar el *Air Force One*. Unos minutos más tarde, una docena más de helicópteros de la Policía y la Guardia Nacional aterrizaron para llevarse a los agentes y a los trabajadores de la Casa Blanca. En Washington, Norris se dio la vuelta y miró a cada miembro de su equipo a los ojos.

—Gambito está vivo.

El centro de operaciones estalló en aplausos y todos volvieron a respirar por primera vez desde hacía horas.

—Dadme paso en todas las frecuencias —dijo Norris a su ayudante—. Jugadores, aquí Base de Meta. Buenas noticias. Gambito está vivo. Repito: Gambito está vivo.

Se detuvo tan sólo un instante, para que sus palabras causaran efecto y, acto seguido, continuó.

—Jaque Mate también está a salvo. Igual que Megáfono. No hemos perdido a ningún jefe, todavía no. Pero hemos estado a punto. Y no creo que esto haya terminado, ni mucho menos. Así que escuchad atentamente: ahora mismo estamos en alerta máxima. No sabemos exactamente a qué nos enfrentamos. Puede que tengamos alguna sospecha sobre quién lo ha perpetrado, pero recordad que ésta no es nuestra misión o, como mínimo, no esta noche. Nuestra misión es que los internos no se amotinen en la cárcel: nuestra misión es vigilar, no vengarnos. ¿Todo el mundo lo ha entendido? Así que manteneos alerta y que Dios nos ayude.

CAPÍTULO CUATRO

Roni Barshevsky ya casi había llegado.

Condujo su Mercedes a través del acceso abarrotado de coches del Aeropuerto Internacional Ben Gurión, cerca de Tel-Aviv-Jaffa. A medida que la noticia del atentado contra el presidente estadounidense empezó a extenderse, el aeropuerto cuya previsión de viajes era ya de por sí ajetreada, se convirtió en un hervidero de personas. Los turistas y los hombres de negocios se dirigían hacia el aeropuerto en manada, preocupados otra vez porque temían ese proceso.

Sin embargo, parecía que, paradójicamente, a Bennett no le preocupaba demasiado. Estaba pegado al drama que se estaba desencadenando y daba gracias por no tener que bajar demasiado pronto del coche. Mientras el vehículo avanzaba unos centímetros, desde Londres Erin McCoy le retransmitía todas las secuencias que podía ver en los televisores de los corresponsales de Denver, Atlanta, Nueva York y Washington.

—Jon, acaban de trasladar al presidente lejos del lugar del accidente.

—¿Está vivo?

—No lo dicen.

—¿Adónde se lo llevan?

—No lo sé. Tampoco lo dicen.

—¿Qué dicen, entonces?

—Tienen un vídeo de alguna emisora local. Espera. ¡Ostras! ¡Es increíble! Jon, tienen un vídeo del avión kamikaze atacando la caravana presidencial, concretamente la limusina del presidente, y luego se ve algo, yo qué sé, parecido a un cohete o a un misil o algo así que proviene de la parte trasera de uno de los camiones del Servicio Secreto, impacta con el avión de lleno, que explota en una bola de fuego increíblemente grande.

—¿Qué?

—Parece que explotara todo el cielo.

—Espera, espera: creía que el avión se había precipitado sobre la caravana presidencial y luego había explotado.

—Yo también pensaba que había ido así. Pero es lo que te digo: algún tipo de misil o de cohete salió disparado desde la parte trasera de uno de esos coches negros e hizo saltar el avión en pedazos. Después, todo se cae encima de la caravana y se ve el coche del presidente estampándose contra la mediana de hormigón de la I-70 y todo empieza a arder y continúa dando vueltas y más vueltas de campana.

Bennett empezó a sentir calor y náuseas otra vez, así que cogió rápidamente una botella de agua y empezó a beber.

—Jon. ¿Jon? ¿Sigues aquí?

—Sí, sí. Estoy aquí. Es que... vaya, no sé.

—Lo sé. Es horrible.

—¿Has podido ponerte en contacto con Iverson?

—No, todavía no. Todas las líneas del área de Denver están bloqueadas. Le estamos llamando con el busca pero todavía no hemos obtenido respuesta.

—Muy bien, escucha. Intenta hablar con alguien de Brooks, en Nueva York.

—De acuerdo.

—Diles que lo vendan absolutamente todo en cuanto suene la campana de apertura.

—¿Absolutamente todo?

—Todo. Vayamos a por el dinero.

—¿A por el dinero? Jon, ¿de qué me hablas?

—¿De qué me hablas tú? ¡Todo se va a ir a pique! Acaban de intentar asesinar al presidente de Estados Unidos y tal vez lo hayan conseguido.

—Ya lo sé, pero...

—Pero ¿qué? Erin, seguro que el Dow Jones baja unos dos mil puntos en pocas horas. El Nasdaq también tendrá pérdidas. ¿Cómo está el Nikkei ahora mismo?

—Espera un instante, vamos a ver: está empezando a reaccionar y ya ha perdido el 3 por ciento.

—Ahí lo tienes. ¿Y qué me dices del Hang Seng?

—Ha bajado 2,5 por ciento.

—Te lo estoy diciendo, ambos habrán bajado un 10 por ciento o más al final del día. Ve mirándolo.

—Jon...

—¿Qué? Sigues pensando que estoy equivocado.

—No lo sé. Tan sólo...

—¿Tan sólo que qué? Erin, ¿me tomas el pelo? Vamos, piénsalo. Haz un esfuerzo. ¿Qué pasará si el presidente muere o si sigue vivo pero no lo supera? ¿Qué pasaría entonces?

McCoy no respondía.

—¿Tú crees que alguien va a subirse nunca más a un avión? ¿Piensas que alguien saldrá a comprarse una casa a la semana siguiente o que abrirá su propio negocio?

—No.

—Tienes razón, maldita sea, ¡nadie lo hará! La confianza del consumidor va a desmoronarse y el mercado con ella. ¿Sabes lo que significa?

—Que no podremos seguir adelante.

—Significa que no tendremos los fondos suficientes para mantener lo pactado en el trato. Y entonces, ¿qué ocurrirá?

—¿Cómo podemos apañárnoslas ahora para terminar con el acuerdo de Galishnikov?

—No, no voy a dejar que ese trato se incumpla, dalo por seguro. Habla con Brooks por teléfono y dile que venda todo. ¡Todo, ¿de acuerdo?!

En ese instante Bennett estaba gritando por teléfono.

—Muy bien, muy bien. ¡Ya lo he entendido, ya lo he entendido!

Los dos guardaron silencio un momento, McCoy alterada por la rabia de Bennett y éste alterado por el miedo que crecía rápidamente en su interior. Como después supo Bennett, McCoy despertó a Tom Brooks, el operador jefe de la Joshua Fund, en su casa del Greenwich Village. Le puso al corriente de la situación con mucho tacto, le dijo que hablara con todos los empleados y que los convocara inmediatamente en su despacho. También le avisó para que se preparara para vender todas las participaciones de la Joshua Fund y hacerse con el líquido.

A Bennett le impresionó la serenidad de McCoy, la paciencia que tuvo con Brooks mientras removía su casa para encontrar el mando a distancia para encender el televisor y poder seguir las horrendas imágenes que transmitían la CNN, la Fox y, en ese instante también, la MSNBC. Había descubierto una sinceridad y una dulzura en ella a las que nunca había prestado demasiada atención, y eso le hacía sentirse peor.

Barshevsky lo llevó hasta la terminal sin decir nada, abrió el maletero y salió para sacar el equipaje. Bennett colgó el teléfono, lo metió dentro del maletín y salió. Ambos se dieron la mano, pero no articularon palabra. Entonces Bennett cogió las maletas y se apresuró a entrar al aeropuerto para tomar el vuelo que estaba seguro de que ya había perdido.

* * *

—Pónganme con el presidente.

Al menos el vicepresidente estaba a salvo, a una buena profundidad por debajo de la Casa Blanca.

—Señor, Bud Norris del Servicio Secreto me acaba de comunicar que el presidente no está del todo bien, que vuelve en sí y pierde el conocimiento de manera intermitente —dijo la asesora del Consejo de Seguridad Nacional, Marsha Kirkpatrick, la catedrática de historia rusa de la Universidad de Georgetown, de cincuenta y tres años, que se había convertido en asesora de la Casa Blanca, desde su sillón en una enorme mesa de reuniones mientras intentaba establecer una conexión telefónica segura vía satélite con el presidente y su equipo de seguridad.

—¿Dónde se encuentra ahora?

—Va de camino al Palacio de Cristal y está custodiado por dos Apaches. Un equipo de agentes les sigue los pasos en otro helicóptero y otros dos aparatos están recogiendo al resto de agentes en el lugar del accidente ahora mismo.

—¿Cuánto tardarán en llegar al Palacio de Cristal?

—No estoy segura, un momento.

Justo en ese instante, Kirkpatrick pudo conectarse por fin con el helicóptero de la Policía Metropolitana de Denver cuyo signo de llamada entonces era «Águila Uno», que volaba bajo y sin luces en dirección al sur por las colinas de las Rocosas.

—Águila Uno, digan.

—Águila Uno, aquí Rancho de la Pradera. Código de seguridad Matrix Delta Tango.

—Recibido: Matrix Delta Tango. Estamos en posición segura.

—Águila Uno, os habla la asesora de Seguridad Nacional. ¿Con quién hablo?

—Señora, aquí la agente especial Jackie Sánchez.

—¿Está Gambito con ustedes?

—Afirmativo, señora. Volamos en dirección al Palacio de Cristal.

—Agente Sánchez, Jaque Mate está conmigo. Espere un instante.

El vicepresidente cogió el micrófono negro de la consola que tenía delante mientras un ayudante militar introducía el código de seguridad.

—Señor, tiene a la agente Jackie Sánchez en la línea. Está volando con el presidente.

—Agente, aquí Jaque Mate. ¿Cómo se encuentra el presidente? —preguntó el vicepresidente con tranquilidad.

—Señor, Gambito está vivo. Se encuentra bastante bien, dadas las circunstancias. Me pidió que le pidiera que active inmediatamente la operación Rayos X Irlandeses.

—¿De verdad?

—Eso es lo que dijo.

—Muy bien. Comuníquele que así lo haremos. ¿Algo más?

—Las funciones vitales son correctas y está estable. Estamos a punto de descender al Palacio de Cristal y tenemos a un equipo médico que nos espera. ¿Puedo transmitirles el informe completo una vez estemos a salvo dentro?

—Naturalmente, pero mantenga esta línea abierta, agente.

—Sí, señor.

El vicepresidente pulsó el botón de silencio y se volvió hacia Kirkpatrick.

—Dos cosas. Primero, Gambito quiere que ejecutemos la operación Rayos X Irlandeses. ¿Puede encargarse usted?

Kirkpatrick se sorprendió un instante.

—¿Tan rápido?

—Eso parece.

—Muy bien. Lo haré ahora mismo.

—Muy bien. Segundo, ¿cuánto puede tardar en ponerme con el Destacamento Especial de la Lucha Contra el Terrorismo?

—Eso está hecho, señor.

* * *

Pasaban pocos minutos de las once de la mañana, hora de Israel.

Eran las cuatro de la madrugada en Washington y las dos de la noche en Colorado.

En efecto, casi con toda seguridad Bennett perdería el avión puesto que, aunque el aeroplano no iba a moverse de la puerta durante los siguientes diez minutos, a él le resultaría imposible llegar en menos de una hora, ya que debía hacer la larga cola de los controles de seguridad israelíes. Sabía que no lo conseguiría.

El teléfono sonó.

—Jon, ¿eres tú?

Era el secretario Iverson.

—¿Stu? Sí, soy yo. ¿Dónde estás?

—Estoy en un helicóptero con Corsetti. Vamos a ver al presidente. Pero justo ahora tenemos una tormenta encima y casi no puedo oírte.

—¿Está bien el presidente? Las noticias no dicen nada, pero no tiene buena pinta.

—No puedo decirte mucho en una línea abierta, pero creo que lo conseguirá.

—¡Gracias a Dios! —exclamó Bennett.

—¿Qué es eso, Jon? Te pierdo.

Iverson gritaba todo lo que los pulmones le permitían mientras el helicóptero se agitaba y se balanceaba por la tormenta, que arreciaba. Bennett se escondió en un rincón del aeropuerto e intentó hablar tan alto como pudo sin llamar demasiado la atención, pero no era tarea fácil.

—¿Puedes oírme ahora?

—Casi no te oigo. Mira, Bob ha hablado con el presidente hará cosa de unos minutos. Quiere que estés allí con él esta noche. De hecho, quiere que vayamos los dos, por eso Bob ha mandado a un agente a recogerme y me han metido en este cacharro que nos va a matar a los dos.

—¿Dónde está ahora? —preguntó Bennett.

—¿El presidente?

—Sí.

—No te lo puedo decir —contestó Iverson—. Ahora mismo es confidencial.

—¿Qué debo hacer?

Entre los truenos, el aguacero que caía y el rugido de los rotores, era un milagro que Bennett pudiera oír algo de lo que decía el secretario. Se tapó el oído derecho con el dedo y apretó el teléfono contra la oreja izquierda, esforzándose en comprender cada palabra.

—Creo que lo mejor es que regreses a Nueva York antes de que cierren los aeropuertos. Tengo el Learjet aquí conmigo, pero está bloqueado en el aeropuerto de Denver. No dejan aterrizar ni despegar a nadie.

—Muy bien.

—Así que tendrás que fletar un avión desde Nueva York e ir hasta Colorado Springs. No te preocupes por el dinero. Te dejaré las instrucciones en el contestador automático de tu casa. Con eso bastará por ahora. Si me necesitas, déjame mensajes en el contestador de casa. No me podrás localizar en ningún momento en el móvil.

—Muy bien, así lo haré.

—Y Jon...

—Sí, Stu.

—Tráete los papeles.

—Muy bien, ¿por qué? ¿Qué tramas?

—Tú hazlo.

—No creerás que existe alguna relación entre el atentado y el acuerdo con Medexco, ¿verdad?

—No tengo ni idea. Pero Jon...

—Sí, Stu.

—¿Te acuerdas de lo que nos dijo el presidente antes de que te marcharas?

—¿El «juramento»?

—Exacto.

—Naturalmente.

—Jon, volveré a recordártelo: no puedes decir nada a nadie acerca de ese acuerdo. ¿Lo entiendes, verdad?

—No te preocupes.

—Jon, te lo digo...

—Stu, ya te he dicho que lo entiendo.

—Hablo muy en serio. No digas nada a nadie, es una orden del presidente.

—Stu...

—Ya lo sé, ya lo sé. Tan sólo quería repetírtelo para que no hubiera ninguna confusión.

—No te preocupes.

—Oye, mira, tengo que dejarte.

—Muy bien. ¡Ay! ¿Me oyes Stu?

—Jon, tengo que dejarte.

—Una última cosa.

—¿Qué?

—Le he dicho a Brooks que venda todo al sonar la campana: debemos ir a por el dinero.

—Lo sé. Tom ya me lo ha comentado. Un movimiento inteligente, pequeño. Pero recuerda que ya no puedo hablar contigo acerca de este tipo de cosas. Sal de ahí rápido, esta misma noche. El presidente cuenta contigo. ¿Entendido?

—Entendido. Cuídate.

La línea se cortó. Bennett se sentía turbado.

* * *

Las medidas de seguridad eran extremadamente rigurosas.

El teniente coronel Nick Calloway, un especialista en traumatología de las Fuerzas Aéreas, nunca había visto nada similar. Los marines preparados para el combate rodeaban el perímetro mientras los cazas F-15 daban vueltas por encima de su cabeza y tres Apaches sobrevolaban la zona a una altura de tan sólo unos treinta metros. Los dos helicópteros que llevaban al presidente estadounidense y al equipo de seguridad estaban ya preparados para tomar tierra. Los truenos ensordecedores, los rayos cegadores, los vientos huracanados y la lluvia torrencial hacían que las condiciones de vuelo fueran sumamente peligrosas y todos los que aguardaban en tierra, calados hasta los huesos, temían que uno de los helicópteros, si no los dos, tuviera un accidente.

De repente, *Marine One* golpeó el suelo en la helisuperficie y se abrió una puerta lateral de un tirón. Calloway se metió dentro rápidamente.

—¡¿Es usted John Moore?! —gritó con todas sus fuerzas Calloway intentando que se le oyera por encima de los fuertes vientos que levantan todos los helicópteros.

—¡Sí! —gritó Moore como respuesta.

—¡Teniente coronel Nick Calloway! ¡Bienvenido a la montaña!

—¡¿Estabais esperándonos?!

—¡Desde luego! ¡¿Está bien el presidente?!

—¡Está estable! ¡Pero necesitamos llevarle a algún recinto médico a paso ligero! ¡En marcha!

—¡Sí, señor!

Calloway se dio la vuelta para hablar con los equipos médicos y de seguridad que se encontraban a su espalda.

—¡Muy bien! ¡En marcha!

Los agentes, con Moore y Jackie Sánchez a la cabeza, salieron como pudieron de los dos helicópteros y trabajaron conjuntamente con los equipos de Palacio de Cristal para tumbar al presidente en una camilla y llevarlo hasta una caravana formada por una ambulancia, dos todoterrenos Chevrolet Suburban y siete vehículos Humvee. Cuatro minutos más tarde, la caravana cruzaba a toda velocidad un oscuro túnel que llevaba hacia el corazón de la montaña, custodiado por dos conjuntos de puertas de acceso de dos metros de grosor, que se cerraron a su paso con una sacudida estremecedora.

Ya se encontraban en el «Palacio de Cristal», el nombre en clave del Mando de la Defensa Aérea de América del Norte, situado en las mismísimas entrañas de la montaña Cheyenne, al sur de Colorado. La montaña estaba sellada y el presidente estaba a salvo.

* * *

Todos los mandatarios estaban preparados.

La videoconferencia con el Destacamento Especial de la Lucha Contra el Terrorismo ya era un hecho, de manera que estaban conectadas las autoridades más importantes del Gobierno federal con el vicepresidente en el Centro de Operaciones de Emergencia, con el nombre en clave de «Rancho de la Pradera». La asesora de Seguridad Nacional, Marsha Kirkpatrick, ordenó que todo el mundo trabajara con premura.

—Muy bien, señores. Hagan el favor de sentarse. Señor secretario, ¿podría tomar el asiento que tiene a la derecha? Fantástico. Ya podemos empezar —dijo Kirkpatrick mientras todas las personas que se encontraban en la habitación contemplaban la pared forrada de grandes monitores de vídeo y relojes digitales que mostraban la hora de las principales ciudades del mundo.

—Hagamos la rueda de verificaciones —ordenó el vicepresidente.

—Allá vamos, señor. Señores, os habla la asesora de Seguridad Nacional Marsha Kirkpatrick desde el Rancho de la Pradera. Tengo aquí conmigo al vicepresidente Oaks y al secretario de Estado Tucker Paine. Secretario de Defensa, ¿está ahí?

—Afirmativo, y tengo a casi todos los jefes del Estado Mayor aquí conmigo, aunque parece que el de Marina todavía está de camino —informó el secretario de Defensa Burt Trainor, el veterano de Vietnam, de sesenta y cuatro años de edad, que recientemente había sido nombrado consejero delegado de General Motors y que antaño había figurado en la lista de los diez consejeros delegados más importantes del siglo XXI de la revista *Black Enterprise*.

—Muy bien. El secretario del Departamento del Tesoro, Iverson, todavía está en Colorado, con Bob Corsetti, de camino a Palacio de Cristal. ¿Se encuentra con nosotros el subsecretario?

—Así es, Marsha, estoy aquí y también está el presidente de la Junta de la Reserva Federal, Allen —comentó el subsecretario del Departamento del Tesoro, de sesenta y tres años, Michael Forrester—. El presidente de la Junta y yo nos encontramos en el centro de comunicaciones situado debajo de la embajada de Estados Unidos de Tokio. Se suponía que debíamos reunirnos con el primer ministro nipón hoy, más tarde, así como con los jefes de los bancos centrales asiáticos.

—Ya está cancelado —replicó Kirkpatrick.

—Perfecto. Aproximadamente dentro de una hora nos subiremos a un avión de las Fuerzas Aéreas para volver a Washington —contestó Forrester.

—Señor presidente de la Junta, soy Bill —agregó el vicepresidente.

—Usted dirá, señor vicepresidente —respondió George Allen, de setenta y un años, que se encontraba en su primer mandato después de haber sido miembro de la Junta de la Reserva Federal más de veinte años.

—¿Tiene alguna información?

—De hecho, sí, señor. A las 6.45 de la mañana, hora del Este, la Junta de la Reserva Federal anunciará un recorte importante de los tipos de interés.

—¿De cuánto estamos hablando, George? Extraoficialmente, claro.

—¿Extraoficialmente? Hablamos de unos cincuenta puntos básicos.

—¿Medio punto? Eso es fantástico, George. Gracias. Se lo comunicaré al presidente.

—Claro que sí, señor. Por cierto, ¿cómo se encuentra?

—Se pondrá bien, por increíble que parezca. Es un milagro. ¿Han visto el vídeo del atentado?

—No, señor, todavía no —dijo Allen.

—Es espeluznante. Es asombroso que alguien haya podido salir vivo de ese atentado, pero bueno...

—La gracia del Señor —constató el presidente de la Junta de la Reserva Federal.

—Tiene que ser eso. La cara desagradable del asunto son los agentes. El recuento hasta ahora es de tres. Los otros, pues bueno, hay algunos que no han salido muy bien parados. No sabemos si sobrevivirán.

—Rezamos por todos ellos, así como por el presidente y por usted —añadió el presidente de la Junta Allen.

—Gracias, George, es todo un detalle por su parte.

—No hay de qué.

—¿Tenemos al secretario de Justicia? —preguntó Kirkpatrick.

—Estoy aquí, Marsha. También tengo conmigo a mi equipo de expertos —informó el secretario Neil Wittimore, el ex fiscal general del Estado de Nueva York, de sesenta y cinco años, desde el Departamento de Justicia.

—¿Y el director de los servicios de inteligencia?

—Sí, señora —respondió Jack Mitchell, de cincuenta y un años, el director pintoresco, nacido en Houston, de la Agencia Central de Inteligencia y un veterano de la comunidad de los servicios de inteligencia, puesto que llevaba allí veintidós años—. Está aquí conmigo el subdirector de operaciones. El subdirector de inteligencia está abajo, pero tengo línea directa con él.

—¿Se encuentra solo en un centro de seguridad? —preguntó Kirkpatrick.

—Sí, señora. Estamos todos preparados.

—Muy bien. Muchas gracias. ¿Y el FBI?

—Estoy aquí —respondió el director Scott Harris.

—¿Y el Servicio Secreto?

—Soy Bud. Estoy listo, Marsha, y coincido con los comentarios del vicepresidente —declaró Bud Norris—. El presidente va mejorando, pero mis chicos están luchando por sus vidas en estos instantes y, créame, señor presidente de la Junta de la Reserva Federal, van a necesitar todas sus oraciones. Muchísimas gracias, señor.

—De nada, Bud —contestó el presidente de la Junta Allen, reblandecido por esa respuesta—. Debéis resistir, ahí.

—Lo haremos, señor. Lo haremos.

—Muy bien, estamos todos y ya nos hemos presentado. Señor vicepresidente, ha llegado su turno —dijo Kirkpatrick al mismo tiempo que seleccionaba una serie de cables e informes del Servicio Secreto que tenía delante de ella.

* * *

—¡Dios mío, Jim! ¡Gracias a Dios que estás vivo!

A la primera dama Julie MacPherson, rodeada de agentes del Servicio Secreto fuertemente armados en la residencia familiar de Beaver Creek, la habían sedado para poder calmarla, pues tenía los nervios destrozados. Al oír la voz de su marido por primera vez desde el atentado, las lágrimas le brotaron sin remedio.

—Oye, cariño... ¿Cómo estás? ¿Cómo están las chicas? —respondió con la voz débil y la sangre llena de narcóticos.

Julie MacPherson intentaba luchar contra sus emociones. Quería ser fuerte por su marido, estar ahí con él en alma ya que no podía ser en persona.

—Estamos todas bien, amor. ¡Me alegra tanto oír tu voz! No hemos parado de rezar por ti.

—Gracias. Me he estado acordando todo el rato de aquello que dijo Reagan. ¿Qué dijo exactamente? «Cariño, olvidé agacharme...»

La primera dama empezó a reírse, pero pronto las carcajadas se transformaron en sollozos y el cuerpo se le convulsionó por la emoción. Tan sólo podía pensar en lo afortunada que era y en lo destrozadas que seguramente estarían las esposas de los agentes fallecidos, lo que pudo con ella en ese instante.

* * *

La habitación parecía una cámara frigorífica.

No debían de estar a más de quince grados allí dentro. El vicepresidente, vestido con unos vaqueros, un jersey grueso de lana de color azul marino y una chaqueta del mismo color forrada de borreguillo con la insignia de la vicepresidencia, se echaba para adelante y atendía las llamadas.

—Muy bien. El presidente está a salvo en Palacio de Cristal. Han cerrado por completo la montaña y tiene un equipo médico que le está llevando a cabo un reconocimiento mientras hablamos. Burt, ¿cuál es el estado del espacio aéreo y militar?

—Señor vicepresidente, como ya sabe, estamos en estado de alerta. Con su permiso, nos gustaría cambiar a alerta máxima.

—Hacedlo.

—Gracias, señor. Como también sabe, hemos mandado a tres escuadrones de F-15 en formación de combate para que sobrevuelen Colorado. El espacio aéreo del estado está completamente cerrado, de modo que ningún vuelo puede despegar o aterrizar en ese estado hasta nuevo aviso. También hemos cerrado el espacio aéreo de Washington D. C., Virginia y Maryland, asimismo como hemos mandado allí varios cazas F-15 y F-16 en formación de combate. Del mismo modo, han despegado unos cuantos F-16 para vigilar las costas y la frontera con Canadá y México.

—Señor vicepresidente. Soy Scott, desde el FBI.

—Dígame, Scott.

—¿No deberíamos cerrar todo el espacio aéreo?

—Burt, ¿qué opináis vosotros? —pidió el vicepresidente dirigiéndose al secretario de Defensa.

—Señor vicepresidente, no creo que tengamos ningún indicio de que se trate de otro 11-S. Al menos por el momento. Me parece que nos enfrentamos a un intento de eliminar al presidente, no a una serie de atentados.

—Marsha, ¿qué opina usted?

—Considero que el secretario tiene razón. Usted está a salvo, al igual que el presidente de la Cámara de Representantes y los secretarios del Gabinete. Vamos a estar controlándolo todo. Sin embargo, no debemos olvidar lo que ya sabemos: no se trataba de un avión comercial, era un *jet* privado, un *Gulfstream IV*, aparentemente fletado en Toronto por unos ejecutivos de la industria del petróleo. Por supuesto, esto puede ser una tapadera y es probable que no se haya producido ningún secuestro.

Y, a pesar de los veinticinco mil vuelos diarios, no han secuestrado ningún aeroplano en el espacio aéreo estadounidense desde hace mucho tiempo. Vuelvo a insistir en que cerraremos todo el espacio si ése es nuestro deber, pero también me gustaría asegurarme de que no estamos reaccionando de forma exagerada.

—¿Reaccionando de forma exagerada?—exclamó Harris—. Acaban de intentar asesinar al presidente y decapitar el Gobierno de Estados Unidos.

—Scott, estoy de acuerdo con usted. Lo único que digo es que la industria aérea por fin había vuelto a recuperarse. Tenemos a millones de pasajeros para el día de Acción de Gracias que irán hacia el aeropuerto hoy por la tarde. No debemos precipitarnos a la hora de cerrar por completo todo el espacio aéreo.

—Debe de estar de broma, Marsha —dijo Harris con desdén—. Precisamente por esa razón tenemos que prohibir los vuelos. Podríamos ser víctimas de una pesadilla en nuestra propia casa. Mire, cuando me he despertado esta mañana, o ayer por la mañana, para el caso es lo mismo, le habría confesado sin lugar a dudas que estábamos protegiendo los vuelos nacionales fantásticamente bien. Habría montado a mi esposa y a mis hijos en cualquier vuelo comercial. Pero ahora mismo, no estaría tan seguro.

—¿Cuántos agentes de seguridad en los vuelos tenemos trabajando esta noche, Scott? —preguntó el vicepresidente.

—No lo sé exactamente, señor.

—Aproximadamente.

—¿Aproximadamente? Serán unos trescientos, la mayoría en vuelos internacionales de regreso a Estados Unidos o en todos los vuelos que van y vienen, o mejor dicho que iban y venían, desde Washington. Sin embargo, la aviación privada está totalmente fuera de control, puesto que no hay controles de seguridad, ni detectores de metales o máquinas de rayos X, ni nada por el estilo. Puedes subirte a cualquier avión privado a cualquier hora del día o de la noche y no hay ningún tipo de control de seguridad. Como mínimo, deberíamos hacer aterrizar a toda la aviación privada hasta que no lleguemos al fondo de la cuestión.

El vicepresidente se echó atrás en la silla un instante y escudriñó las pantallas de televisión que tenía delante.

—Muy bien. Hablaré con el presidente, pero quiero que alertemos a la Administración de Aviación Federal acerca de un posible cierre del espacio aéreo por completo de un momento a otro. Marsha, ¿comprendido?

—Sí, señor.

—¿Qué hay de las órdenes de combate de Washington D. C. y de Colorado? —preguntó Jack Mitchell desde Langley.

El secretario de Defensa, Trainor, se encargó de responder.

—Por lo que respecta a la orden ejecutiva del presidente de hace años, si se cierra el espacio aéreo y se vuela en formación de combate, automáticamente se genera una autorización presidencial para abatir cualquier avión que no cumpla la orden.

—Neil, ¿tendremos algún problema constitucional si el presidente está tan sedado? —preguntó Kirkpatrick al secretario de Justicia.

—Podría ser. Mi equipo está preparando la documentación para poner al vicepresidente al mando en caso de que fuera obligatorio. Necesitamos desesperadamente saber cuál es el estado del presidente.

—No debería tardar —informó Kirkpatrick a Wittimore. Acto seguido, se dio la vuelta hacia el vicepresidente—. Señor, una vez sepamos seguro el estado del presidente, sería conveniente que hiciera unas declaraciones en la sala de prensa.

—De acuerdo.

El vicepresidente se dio la vuelta y ordenó a un ayudante que empezara a reunir a los equipos de prensa de la Casa Blanca —como mínimo a los que no estaban de viaje con el presidente y se encontraban en esos momentos atrapados en la I-70 de Denver— para una reunión informativa.

—Señor vicepresidente, por mi parte tengo noticias frescas —dijo el secretario de Estado, Tucker Paine, justo cuando acabaron las conversaciones sobre temas de seguridad inmediata.

—Dígame, Tuck. ¿Qué ocurre?

—Acabo de hablar hace un momento con el Kremlin. Como ya sabe, Marsha y yo acabamos de volver de Moscú.

—Sí, lo sé. ¿Qué se cuentan?

—El viaje en sí ha sido productivo. Les encantó el paquete de ayuda de emergencia y han cooperado extraordinariamente a la hora de compartir la información secreta. Sin embargo, están preocupados por el último ataque que han sufrido y creen que Al-Qaeda no está implicada. Esta vez no, sobre todo teniendo en cuenta el gran éxito que hemos conseguido al desmembrar su red.

—¿En quiénes piensan?

—No les gusta mucho decirlo. Pero el instinto les dice que les huele a Iraq.

—¿Por qué razón?

—Tengo entendido que trabajan sobre una hipótesis. Nos informarán más tarde esta mañana.

—Muy bien. Comuníquemelo en primera instancia.

—Señor vicepresidente.

—¿Sí, Jack?

Jack Mitchell, un tejano de pies a la cabeza, era amigo íntimo del vicepresidente, así como también del presidente, al que había conocido en la jungla de Vietnam cuando era un agente de campo subalterno de la CIA. Mientras MacPherson volvió a Estados Unidos y se instaló en Wall Street, Mitchell pidió el traslado a Oriente Próximo, petición que se le concedió, y estuvo destinado a diversos estados del Golfo. Consiguió abrirse camino hasta convertirse en el jefe del centro de esa organización en Bagdad, encargado de seguir la pista a los agentes de Mujabarat, el servicio de inteligencia iraquí, y de las armas, los asesores y los científicos soviéticos y de la Alemania del Este; asimismo, también intentó seguir de cerca las actividades en lugares como Salman Pak, un campo de entrenamiento para terroristas y una fábrica de armas biológicas situado al sur de Bagdad, a orillas del río Tigris.

Mitchell volvió a Estados Unidos en 1989 para tomar el mando de la División de Operaciones en el Oriente Próximo ubicada en Langley, dirigiendo los esfuerzos de la agencia para capturar misiles Scud durante la guerra del Golfo en 1991. Llevó a cabo un papel fundamental en el episodio de deserción de dos de los científicos nucleares más importantes de Iraq durante la década de los años noventa, dos de los últimos éxitos más espectaculares, aunque no anunciados públicamente, de la ajetreada red de espías estadounidenses. Precisamente a causa de su dilatada experiencia, Mitchell se movía intranquilo en la silla y se puso una pizca de tabaco fresco entre la mejilla y la encía.

—Este asunto va de mal en peor y muy rápido.

—¿Ah sí? —le interpeló el vicepresidente.

—No somos los únicos que hemos sido golpeados esta noche.

Mitchell susurró a un ayudante que pusiera algunas cintas de vídeo que acababan de llegarles de diversos centros de la CIA de distintos lugares del mundo. Entonces empezó la explicación.

—Dios santo —dijo el vicepresidente.

Aunque eran imágenes tomadas por videoaficionados, eran surrealistas. La embajada de Canadá en París estaba en llamas, todos los edificios del complejo ardían con violencia. De algún modo, el cámara, un turista canadiense que filmaba a su novia delante de la embajada tan sólo unos instantes antes de que empezara el atentado, había capturado tres explosiones sucesivas de coches bomba, una tras otra, dentro del recinto vallado, seguidas de fuego de mortero que sobrevoló las cabezas de la pareja. Todas las personas que había en la sala se quedaron heladas, incluido el vicepresidente.

—Nos acaban de llegar estas imágenes —informó Mitchell.

—¿Hubo alguna víctima mortal? —quiso saber el vicepresidente.

—No sabemos nada todavía, señor. Aún estamos intentando reunir más información. Tenemos a dos agentes de campo en el lugar de los hechos ahora mismo y hay más de camino.

—La embajada de Canadá, Jack. ¿Por qué razón? ¡Maldita sea! —preguntó Trainor.

—Se trata de una embajada nueva que acaban de terminar. El presidente canadiense, Jean Luc, estaba allí para inaugurarla. Esta noche se ha celebrado allí una gran fiesta.

La sala se quedó muda.

—Me temo que eso no es todo, señor.

Mitchell dirigió la atención de todos los que allí se encontraban hacia la segunda pantalla de vídeo.

Era peor que la primera.

—Es una transmisión en directo. El Palacio de Buckingham de Londres también está en llamas, al parecer hace menos de diez minutos que ha sufrido un ataque con morteros y granadas propulsadas por cohetes.

Todas las personas de la sala dieron un grito sofocado.

—El centro de la CIA de Londres informa de que se puede oír fuego de ametralladora en las calles cercanas al palacio. Estoy intentando recoger más información al respecto, señor.

—¿La reina está dentro? —preguntó el director del FBI, Harris.

—Parece ser que así es —respondió Mitchell—. Nuestra embajada nos ha informado de que está bien, pero en este momento la están trasladando a un hospital militar como medida de precaución.

En la pantalla del televisor, en ese instante se veía como un asistente le alargaba una nota a Mitchell.

—¿Qué pasa ahora, Jack? —preguntó el vicepresidente.

—Santo cielo. ¿Lo habéis confirmado? ¿Estáis seguros? Señor vicepresidente, me acaban de entregar la noticia de que un 747 acaba de estamparse contra el Palacio Real de Arabia Saudí.

—¡¿Qué?!

—Uno de mis hombres se dirigía al palacio cuando ocurrió.

Lo presenció todo. Acaba de enviar un breve mensaje de correo electrónico a nuestra embajada de Riyād que nos lo ha reenviado inmediatamente aquí, a Langley. Nuestro agente empezó a grabar las imágenes y tendremos acceso a ellas de un momento a otro.

—Señor, soy Burt, desde el Pentágono.

—Dígame, Burt.

—Señor, debo decir que creo que estamos ante un ataque coordinado a escala mundial contra nuestros líderes aliados. Debemos pasar al estado de alerta máxima inmediatamente. Y lo siento, pero creo que también deberíamos cerrar el sistema de control del tráfico aéreo.

—¿Un cierre completo, ningún avión que pueda despegar ni aterrizar, en la vigilia del día de Acción de Gracias? —soltó el subsecretario del Departamento del Tesoro desde Japón.

—No creo que tengamos otra opción, señor —replicó Trainor, que dirigía sus observaciones al vicepresidente.

—Jack, ¿tenemos alguna razón para creer que vamos a sufrir algún ataque contra la población civil? ¿O, por el contrario, Burt tiene razón y se trata de una serie de intentos de asesinato con el objetivo de decapitar a los gobiernos que nos son favorables?

—Bueno, Bill, no lo puedo afirmar rotundamente. No puedo saber con certeza qué más puede ocurrir. Ahora mismo hay un puñado de lunáticos que intentan tirar por los suelos la civilización occidental. Pero, sí, por el momento, las pruebas iniciales sugieren que efectivamente se está llevando a cabo una campaña de atentados contra los gobiernos que nos apoyan, la mayoría de ellos gobiernos que forman parte de la OTAN, y que no se trata de terrorismo generalizado contra población civil. Sin embargo, señor, sabe tan bien como yo que eso podría cambiar rápidamente.

El vicepresidente respiró hondo y tomó un sorbo de café acabado de preparar a su gusto, con mucha leche y tres terrones de azúcar, que le sirvió un camarero de la Marina filipina.

—Muy bien. Mirad, vamos a hacer lo siguiente. Marsha emitirá inmediatamente la prohibición absoluta de sobrevolar el espacio aéreo para los vuelos privados, pero esperaremos un poco más para la prohibición total por vuelos comerciales. Al menos hasta que haya podido hablar con el presidente. Os comunicaré la respuesta pronto. Burt, declare el estado de alerta máxima. El presidente seguro que está de acuerdo, así que lo tendré por escrito en el Palacio de Cristal durante los próximos minutos. Tuck, envíe una alerta rápida a todas nuestras embajadas: explíqueles la situación y pídales que se pongan en contacto inmediatamente con el líder de sus respectivos países y que les informen de que se está produciendo una oleada de intentos de asesinato. Entonces, convoque una conferencia inmediata con los ministros de Asuntos Exteriores de los países del G-8 y descubra qué saben y cómo están reaccionando.

—¿Desde aquí o desde algún lugar oficial?

—Buena pregunta. No lo sé. Bud, ¿qué opináis?

—Señor, me parece que ninguno de ustedes debería dejar el búnker por ahora, teniendo en cuenta los acontecimientos que estamos viviendo —opinó Norris.

—Creo que tiene razón —asintió Kirkpatrick—. Disponemos de las instalaciones de la sala contigua. Tuck, puede llevar a cabo sus indagaciones diplomáticas desde la sala de reuniones número 2, mientras nosotros nos coordinamos con el presidente y el destacamento especial desde aquí.

—Muy bien. Hagámoslo así —dijo con aprobación el vicepresidente.

—¿Algo más, Jack? Deme alguna buena noticia.

—Lo siento, señor —dijo Mitchell—. Temo que no tengo ninguna.

CAPÍTULO CINCO

Bennett entregó el pasaporte de Estados Unidos y la tarjeta dorada de la American Express a la agente de billetes de Delta que había tras el cristal antibalas.

Había estado haciendo cola durante aproximadamente media hora y ya casi llegaba hasta la puerta. Empezó a temer que no lograría salir de allí. Sin embargo, el carné de socio conlleva ciertos privilegios. Nueve minutos más tarde tuvo suerte: quedaba un último asiento del último vuelo que podía llevarle hasta Nueva York antes del final del día y, además, dio la casualidad de que era en primera clase.

La atractiva y joven israelí con el pelo negro engominado hacia atrás y unos oscuros ojos de un tono grisáceo sonrió seductora mientras le devolvía el pasaporte, la tarjeta de crédito y un billete sin escalas. Era el vuelo 97 de Delta, que salía de Tel-Aviv-Jaffa a las 13.30, hora local, y aterrizaría en el aeropuerto Kennedy a las 18.45, hora del Este. Eso sería lo fácil, lo difícil sería cómo llegar a Colorado.

El aeropuerto de Denver estaba, como es natural, cerrado indefinidamente. El último vuelo desde el aeropuerto Kennedy con destino a Colorado Springs, con American Airlines y a través de Dallas-Fort Worth salía a las 18.10, hora del Este, más de media hora antes de que llegara a Nueva York, hubiera pasado los controles de aduanas y pudiera llegar a las terminales de los vuelos nacionales. Pero incluso en el caso de que el vuelo de

American fuera con retraso, todas las plazas estaban reservadas. El siguiente vuelo comercial hacia Colorado Springs no salía hasta las 5.50 de la mañana siguiente. Pero eso no era lo peor: la Administración de Aviación Federal había ordenado cerrar el tráfico aéreo en el estado de Colorado —nadie podía ni entrar ni salir volando— de modo que sólo eran conjeturas.

Bennett cogió sus maletas y volvió a mirar a la agente de Delta, que se fijó en él y le guiñó el ojo. Se quedó un momento quieto donde estaba y finalmente se animó a sí mismo para ir a hacer cola en otra fila inacabable, esta vez la del control de seguridad que daba acceso a la zona restringida a los pasajeros. Mientras esperaba, sacó el teléfono móvil del maletín, llamó a McCoy en Londres y le explicó la conversación que había mantenido con Iverson por teléfono. Acto seguido, le dio instrucciones para que probara suerte con el centro de apoyo a la aviación Signature en La Guardia y que fletara un *jet* privado hasta Cheyenne, en Wyoming. Que fuera grande y rápido y que no se preocupara por el precio, le dijo Bennett. También le pidió que una limusina Carey le estuviera esperando en el aeropuerto cuando llegara. Firmaría los recibos él mismo a partir de entonces, pero ésa sería la menor de sus preocupaciones.

Calculó que pasaría a tiempo los controles de aduana y que el servicio de vehículos le podría recoger entre las ocho y las ocho y media, de modo que podría llegar a La Guardia y subirse al *jet* que le estaría esperando en la pista, con los motores en marcha y el plan de vuelo fijado, a eso de las nueve o nueve y media, dependiendo del tiempo y el tráfico. A las diez de la noche, hora de Nueva York, ya debería estar volando y, con un buen piloto y el viento de cola, podría llegar al aeropuerto Cheyenne a media noche, hora local, o tal vez a las doce y media. Si tenía que alquilar un coche, McCoy le informó de que la distancia del trayecto eran casi trescientos kilómetros, es decir, unas tres horas aproximadamente. Si la Policía del estado de Colorado o el Servicio Secreto le dejaba montarse en uno de sus helicópteros, tal vez pudiera llegar a Springs, o dondequiera que fuera, hacia la una o las dos de la madrugada, como muy tarde.

Bennett sintió que se ahogaba: era incapaz de pensar o de reaccionar, y le costaba articular un discurso coherente. Pero no había nada más que pudiera hacer y no dejaba de repetirse a sí mismo que había que avanzar paso a paso, paso a paso.

* * *

Se llamaba general Jalid Azziz.

Había servido como jefe de la Guardia Republicana iraquí, la máquina militar de élite de Saddām Hussein, desde el final de la guerra del Golfo, y tenía bajo su responsabilidad tanto la seguridad personal de su presidente como la estabilidad del régimen.

Como jefe de los servicios de espionaje de Saddām durante la guerra contra Irán en los años ochenta, Azziz insistió a la hora de obtener fondos para construir un intrincado y sofisticado laberinto de búnkeres a prueba de bombas y endurecidos con acero y hormigón debajo de Bagdad, en caso de que los líderes del régimen necesitaran esconderse en época de guerra o revueltas. Su construcción se inició a finales de 1986, mientras diversos informes públicos contradictorios afirmaban que Saddām estaba empezando una excavación arqueológica descomunal, que estaba construyendo una red de metro de primera clase que competiría con cualquier sistema occidental o que estaba restaurando el centro histórico o bien construyendo unas nuevas oficinas gigantescas y un centro comercial. Cuando las bombas autodirigidas de Estados Unidos empezaron a llover del cielo de Bagdad, la construcción ya estaba en buena parte terminada. Pero nunca llegó a anunciarse oficialmente, ni mucho menos a inaugurarse, ningún yacimiento arqueológico, ninguna red de metro ni ningún centro comercial. Y Saddām Hussein había sobrevivido casi sin ningún esfuerzo a una de las campañas de bombardeo más agresivas de la historia de los conflictos bélicos modernos. No hacía falta ser ingeniero de misiles de la CIA, ni tampoco ser el mismo Saddām, para comprender el porqué. Como resultado, el general Azziz quedó instituido como un héroe nacional.

El general fue considerado también el único responsable de la expulsión definitiva del territorio iraquí del UNSCOM, la Comisión Especial de Naciones Unidas para la búsqueda y exterminación de todas las armas de destrucción masiva de Saddām Hussein. Hacía años que los inspectores del UNSCOM no ponían los pies en el país y era responsabilidad del general que continuara siendo así. Para asombro de su jefe, y de gran parte del mundo, había tenido un éxito espectacular.

El punto más crítico de la extensa carrera del general se produjo a principios de los años noventa, cuando dos científicos nucleares iraquíes de primera fila abandonaron el país y se pasaron a las filas estadounidenses. Las operaciones «Ladrón de Bolsos» y «Trueno Encendido» estuvieron encabezadas por el archienemigo de Azziz, Jack Mitchell, y esos desastres casi costaron la vida al general iraquí.

Por suerte para Azziz, uno de sus tenientes pudo localizar uno de los científicos, que todavía se encontraba en Jordania, y le convenció de que volviera a visitar a su familia sin que su vida corriera riesgo alguno. Según la versión que interceptaron de los servicios de espionaje jordanos, cuando a la postre llevaron al científico ante Azziz, se organizó un gran banquete al que también acudieron la esposa de éste, sus siete hijos y los parientes más próximos.

Estaban todos reunidos, incluido el presidente Hussein, de modo que era toda una celebración. El general Azziz abrazó al científico, le dio un beso en cada mejilla y le perdonó.

A continuación, y sin previo aviso, sacó una pistola y le disparó en plena cara.

Luego, Azziz decapitó personalmente a todos y cada uno de los miembros más cercanos de la familia del científico ante todos los asistentes, con un reluciente sable persa del siglo XIV.

Obligó a la esposa, que gritaba como una histérica, a mirar y fue la última en ser decapitada. Al acabar, Hussein y Azziz se sentaron a comer cordero asado, cuscús y baclava mientras el resto de familiares que quedaban, muertos de miedo, limpiaban los restos de la masacre. Esta acción redimió al general a los ojos del líder supremo de la nación y volvió a convertirse en el hijo más glorioso de Iraq.

Sin embargo, ahora, Jalid Azziz volvía a correr grave peligro. Gracias al exhaustivo seguimiento de las publicaciones comerciales occidentales y una serie de mensajes de correo electrónico provenientes de un topo enterrado muy adentro de la Administración MacPherson, recientemente los agentes de Mujabarat habían interceptado el rastro de un enorme acuerdo relacionado con petróleo que estaban negociando duramente Galishnikov, Sa'id y las alma máter del presidente estadounidense, GSX y la Joshua Fund. Azziz se quedó perplejo al enterarse de la magnitud sin precedentes de ese acuerdo comercial y su jefe se puso hecho una furia.

Cegado por la rabia ante la perspectiva de una riqueza petrolera israelí sin antecedentes que comportaría la desestabilización de la OPEP, el éxito evidente de algunos palestinos moderados al crear una empresa conjunta con los israelíes y la implicación cada vez mayor de los estadounidenses, tanto respecto a la financiación como al trabajo entre bastidores para convencer a la cúpula dirigente palestina de que les ofreciera el beneplácito, las instrucciones de Saddām Hussein fueron más claras que el agua: impedir el trato. Era imprescindible saldar algunas cuentas pendientes y había llegado el momento propicio.

Entregaron a Azziz un plan operativo que el mismo Saddām había diseñado. Era tan insolente como brutal y asesinar al presidente MacPherson tan sólo era el principio. La joya de la corona sería que la «furia de Alá» caería encima de Tel-Aviv-Jaffa y Nueva York y, de ese modo, mandarían un mensaje al mundo y «finalizarían las tareas pendientes» que Osama bin Laden había emprendido el 11 de septiembre de 2001.

El plan era arriesgado y se lo jugaban todo a una carta: o mataban o les matarían a ellos; o eliminaban a los estadounidenses y a los israelíes o les eliminarían a ellos.

En líneas generales, era muy sencillo: el plan no resultaría nada fácil, pero era claro, conciso, sin complicaciones y directo.

Así que se estableció el plan completo con mucha rapidez.

De inmediato pusieron a su disposición a los mejores hombres y las mejores armas para la causa. Naturalmente, los elementos fundamentales para que el plan funcionara eran el sigilo, la rapidez y la sorpresa.

Sin embargo, los acontecimientos se estaban precipitando y escapaban al control de Azziz, por lo que su jefe, a quien tenía que informar al cabo de diez minutos, no estaría nada contento. Había llegado el momento de pasar al plan B.

* * *

Bennett tardó treinta y cinco minutos hasta llegar al principio de la cola.

No habría imaginado nunca lo que le esperaba allí.

Un hombre soltero que viajaba con un billete de sólo ida desde Israel a Nueva York, que buscaba información de vuelos a Colorado tan sólo unas horas después de un intento de asesinato por vía aérea contra el presidente de Estados Unidos en ese estado, muy probablemente a cargo de personas de Oriente Próximo, había encendido la luz roja de las bengalas típicas de la fiesta nacional mucho antes de que Bennett mostrara el pasaporte, el billete de avión y la tarjeta de embarque en el punto de control.

Incluso mientras el joven intentaba comprar su billete, la agente de Delta había introducido una alerta *alef*, de máxima prioridad, en el ordenador y había pulsado un pequeño botón que tenía junto al pie izquierdo. Este botón activó inmediatamente el seguimiento de Bennett por videocámara, de modo que la agente seguía todos sus movimientos en la parte superior izquierda de la pantalla del ordenador.

Mientras fingía estar introduciendo los datos del pasaporte en el ordenador, la joven estaba escribiendo instrucciones para la videocámara que tenía a sus espaldas para que enfocara hacia la cara de Bennett y la «pintara» con código infrarrojo.

Eso permitiría que todas las cámaras de videovigilancia del aeropuerto le siguieran, entre las que figuraba la cámara de rayos X sofisticada, de fabricación israelí, que podía escanear el cuerpo de Bennett, así como su equipaje, para buscar armas. Asimismo, también permitía que todos los micrófonos guiados por láser escucharan lo que decía en cualquier parte del aeropuerto, mientras se abría paso entre la multitud. Todos esos dispositivos permitirían al personal de la oficina de seguridad central situada debajo del aeropuerto verle y escucharle todo el rato.

Aun así, eso fue sólo el principio. La alarma silenciosa también provocó que tres agentes de seguridad camuflados rodearan a Bennett y le siguieran de cerca sin él advertirlo. Paralelamente, la alerta *alef* empezó una búsqueda informática a toda velocidad sobre todos los detalles de la vida de Jonathan Meyers Bennett en la increíblemente enorme base de datos israelí, interconectada con la Interpol y el FBI.

La atractiva joven israelí que había detrás del mostrador de venta de billetes de Delta era una trabajadora de la compañía aérea algo atípica, puesto que, de hecho, era una especialista de la lucha contra el terrorismo del Shin Bet, la agencia de seguridad interna y de contraespionaje de Israel, lo que sería el equivalente al FBI estadounidense.

Al darse cuenta de que la «entrevista» de seguridad de facturación de equipaje duró más de cuarenta y cinco frustrantes minutos, Bennett empezó a perder la paciencia. El maletín y las maletas de equipaje pasaron por los rayos X y por una inspección manual. Vaciaron el tubo de dentífrico para buscar explosivos plásticos; vaciaron el *spray* de espuma de afeitar para comprobar que no hubiera ninguna toxina dentro; desmontaron rápidamente el teléfono móvil y lo volvieron a montar, como también hicieron con el BlackBerry, revisaron minuciosamente su ordenador portátil y le revolvieron los documentos.

Sin embargo, los problemas graves empezaron cuando uno de los guardias de seguridad hojeó la agenda de contactos, pese a la enérgica protesta de Bennett, y descubrió que tenía los números de teléfono personales y los de oficina de todos los asesores más importantes del presidente MacPherson.

Eso atrajo la atención de un agente estadounidense, el cual Bennett imaginó que trabajaría para el FBI o para el programa de seguridad en la aviación de Estados Unidos. Sacaron a Bennett de la cola, doblaron una esquina y lo condujeron a través de un pasillo, fuera de la vista de los demás pasajeros, bajaron cinco tramos de escaleras. Una vez allí, atravesaron una serie de puertas de seguridad y se instalaron en una de las muchas salas para interrogatorios que había en uno de los extremos del oscuro y umbrío pasillo.

Era una estancia pequeña, sin ventanas y con las paredes pintadas de un color verde pálido. No había ni reloj ni ninguna pieza de mobiliario, exceptuando una silla de madera desvencijada en el medio del suelo, cubierto con mugrientas baldosas blancas, en el que en una esquina descansaba una pequeña jeringuilla de plástico rojo usada. Una sola lámpara metálica de color verde y llena de polvo colgaba de un cable increíblemente largo y pelado que venía desde muy arriba, de tan arriba que Bennett ni llegaba a ver el techo.

En realidad, la habitación parecía ser una torre de algún tipo. La pintura verde pálido de las paredes finalizaba a unos tres metros de altura y, a partir de ahí, Bennett veía las gruesas piedras labradas, que serían un vestigio de un castillo medieval o de alguna construcción romana. Sin embargo, las sombras y la oscuridad que había más arriba hacían imposible que la vista alcanzara más allá. A Bennett también le sorprendió la temperatura: hacía calor y humedad, unos cuantos grados más que en la sofocante terminal de pasajeros. El aire estaba viciado y olía a tabaco. Estaba muy lejos del lujo del hotel Rey David y su rabia iba en aumento.

Dos israelíes bajos, fornidos y musculosos, vestidos con vaqueros y americanas azul marino empujaron a Bennett contra la silla y le sujetaron las manos con esposas metálicas que se le clavaron en la piel y le cortaron la circulación de las manos.

—¿Por qué carajo me hacen esto? —preguntó Bennett.

Los dos hombres no dijeron nada y ocuparon su puesto al lado de la puerta cerrada.

—Mirad, soy un ciudadano de Estados Unidos. Tengo mis derechos. ¿Y ahora podría contarme alguien qué coño está pasando?

Nadie dijo nada. Un tercer israelí, más bajito y delgado, que llevaba puesto un impecable traje italiano gris marengo, sin corbata, y unas gafas finas, cuadradas y con la montura de oro, caminó hasta la esquina que quedaba en el extremo opuesto de la puerta y se encendió un cigarrillo, sin decir nada. El agente estadounidense, entretanto, caminaba tranquilamente jugando obsesivamente con un yoyó de un color rojo muy vivo.

—Señor Bennett, ¿por qué tiene tanta prisa en llegar a Colorado esta misma noche? —preguntó mientras se encendía un cigarrillo.

—Mire, ya he respondido a esa pregunta como mínimo veinte veces.

El hombre con el yoyó se detuvo detrás de Bennett, bajó la cara por la parte posterior de la oreja izquierda de éste y le susurró:

—Responda otra vez.

Bennett sentía cómo la sangre le subía por detrás del cuello. Las orejas se le estaban poniendo rojas y calientes y los cuatro hombres armados se percataron de esa reacción, que no ayudó un ápice a calmar sus nervios o a disipar su sospecha. La atmósfera se hacía cada vez más tensa y Bennett luchaba por mantener la calma e intentar idear un plan para conseguir salir de allí.

—Afirma conocer al presidente.

—Sí, ya se lo he dicho. Soy amigo personal del presidente. Soy el vicepresidente ejecutivo de una empresa de inversiones que él mismo dirigía en Denver, la Global Strategix. Estoy aquí de viaje de negocios. Me han pedido que me largue de aquí y que vaya a verlo tan rápido como me sea posible.

—¿Ha hablado con él esta mañana?

—No, ya se lo he dicho a estos señores. Hablé con Stuart Iverson.

—¿El secretario del Departamento del Tesoro?

—Exactamente, y también ex presidente de GSX.

—¿Y con quién dice que se encuentra ahora mismo?

—Él y Bob Corsetti van de camino a ver al presidente. Acabo de hablar con ellos hará una hora o dos.

—Bob Corsetti, ¿el jefe del Estado Mayor de la Casa Blanca?

—Correcto.

—¿Y se supone que debe reunirse con ellos?

—Sí.

—¿Dónde?

—En Colorado Springs.

—¿En qué lugar de Colorado Springs?

—Como ya le he dicho, no lo sé. Tengo que llegar allí y esperar instrucciones.

—¿De quién?

—De Stu o de Bob, supongo. Todavía no lo sé.

—Ya veo. Muy interesante.

La habitación se sumió en un silencio inquietante. El hombre continuaba jugando con el yoyó: no se había presentado, aunque lucía dos chapas de identificación que le colgaban del cuello unidas en una cadena metálica delgada. Una era claramente una identificación del Gobierno de Estados Unidos de algún tipo, probablemente del FBI, aunque le resultaba difícil a Bennett verla bien, puesto que casi todo el rato el hombre estaba a sus espaldas. La otra identificación era una especie de pase de seguridad del aeropuerto israelí, pero tampoco estaba seguro. Tan sólo sabía con certeza que nada de lo que decía producía ningún efecto positivo. El hombre que tenía detrás no se creía nada de lo que decía Bennett. Pero ¿por qué no? Unas cuantas llamadas telefónicas en un santiamén confirmarían cualquier dato sobre su persona y les permitirían zanjar ya el tema. ¿Qué problema tenía ese tío?

Pasaron al menos cinco minutos, tal vez fueran más. Bennett no estaba seguro de cómo actuar. Cuanto más intentaba defender su inocencia, más callado se quedaba el hombre. Cuanto más se enfadaba Jon, más desconfiado se mostraba el otro. El problema eran esas preguntas. Cuantas más vueltas le daba Bennett, más se daba cuenta de que no estaban diseñadas para esclarecer los hechos. Contenían implicaciones e insinuaciones, parecían acusaciones. Bennett había oído contar un millón de historias sobre la seguridad de los aeropuertos israelíes, pero no eran así. Eso ya no eran unas cuantas preguntas, sino todo un interrogatorio. No lo dirigía un israelí, sino un estadounidense; y no era un compatriota cualquiera, sino que era un estadounidense con un interés personal especial, un ciudadano de Estados Unidos cuyo presidente acababa de sufrir un atentado brutal por parte de unos hombres montados en avión y que quizá procedieran de Oriente Próximo.

Bennett se esforzó en controlar la rabia, reducirla, analizarla e impedir que se inmiscuyera en sus razonamientos. Era un analista, un estratega, así que debía analizar esa situación. Se estremeció de dolor a causa del metal que se le clavaba en las muñecas, pero volvió a concentrarse e intentó aclarar las ideas.

Al hombre que tenía detrás le gustaba estar solo; era un tipo solitario que seguramente jamás había contraído matrimonio. Al menos, no llevaba anillo de casado y, de hecho, no llevaba anillos de ninguna clase. Era un tipo solitario, que no se alimentaba del calor de la familia y la amistad, sino del frío de la adrenalina que desprendían el miedo, la duda y la rabia.

Era un hombre dirigido, un hombre que debía cumplir una misión y un objetivo. Sin embargo, se sentía frustrado, puesto que su trabajo era imposible: conocer la mente, las intenciones y las acciones inminentes de los hombres malvados que estaban decididos a causar un gran daño a su país. Su único objetivo en la vida era descubrir a hombres que tuvieran un modo de pensar diferente, que vivían en un mundo horroroso y macabro de muerte y engaños; hombres con educación y medianamente ricos, con esposa e hijos, y un futuro, pero que, por voluntad propia, decapitarían un piloto con una cuchilla y sus propias manos y dirigirían un 757 cargado de combustible contra un edificio monumental de ciento diez pisos de altura, hecho de acero, cristal y hormigón, y de algún modo disfrutarían al ser incinerados en una bola de fuego de mil grados, creyendo que iban camino a la gloria, a la derecha de Mahoma.

El hombre que estaba de pie a su espalda con el yoyó era un hombre con una misión: impedir que secuestraran aviones y que los transformaran en misiles humanos, en auténticas armas de destrucción masiva. Y acababa de cometer un error. Naturalmente, no sólo había fallado él. Habían fallado él y sus compañeros. Otra vez. El sistema había fallado, el mundo entero había fallado. Pero ese hombre se lo tomaba como si fuera una cuestión personal. Y en ese instante era un caldero de sospechas hirviendo: creía que tenía a un sospechoso y pruebas circunstanciales, un hombre con recursos y tal vez con un motivo evidente. Ese agente estaba considerando las opciones que tenía.

No decía nada. Tan sólo se limitaba a fumarse un cigarrillo tras otro y a dar vueltas alrededor de Bennett una y otra vez, primero en un sentido y luego en sentido contrario, como un tiburón que rodea una presa herida y ensangrentada. Estaba claro que el hombre tenía el mando en esa sala. Los otros continuaban pegados a la pared, dejándole espacio para que jugara con el yoyó y con la mente de la supuesta víctima. A medida que transcurrían los minutos, Bennett notaba la rabia de ese hombre, una rabia auténtica y en aumento que, además, era palpable.

Iba vestido con pantalones informales de color marrón, una camisa blanca arrugada con un cuello destrozado, una fina corbata del mismo color que los pantalones, un abrigo deportivo viejo de color azul marino y unos zapatos negros de vestir muy brillantes. Tenía el pelo negro y fino y lo llevaba muy corto, aunque no era exactamente el tipo de corte militar. Lucía un denso bigote que cubría parcialmente una cicatriz grande e irregular que le empezaba al lado del ojo izquierdo y le llegaba hasta la boca. Era más alto que Bennett, mediría casi metro noventa, y pesaría unos cien kilos. Tenía los ojos pequeños, negros y furibundos; no, eran más temibles: parecían huecos, de cristal, sin vida. En ese instante la rabia de Bennett empezó a convertirse en miedo.

—Muy bien, empecemos —informó tranquilamente al agente con las gafas de la montura de oro.

El agente procedió con diligencia, se acercó a Bennett por la espalda, abrió las esposas, le soltó la muñeca izquierda y le subió la manga de la camisa. Del interior de la americana sacó un trozo de algodón que mojó repetidas veces con un líquido claro que llevaba en un pequeño frasco. «Será alcohol», pensó Bennett. Acto seguido, limpió una zona del brazo izquierdo de éste, justo en la parte interior del codo y se enderezó delante de él.

A continuación, de otro bolsillo de la americana sacó tres jeringas de plástico, una verde, una amarilla y otra roja. Les quitó la capucha a las tres y quedaron al descubierto tres agujas de cinco centímetros cada una. El corazón del estadounidense latía a marchas forzadas, le bajaban por la cara gotas de sudor y, de repente, se dio cuenta de que tenía la camisa completamente empapada. El agente sostuvo las jeringas delante de los ojos de Bennett durante diez o quince segundos.

—Usted elige, señor Bennett —empezó el hombre de la cicatriz irregular.

Bennett intentó tragar saliva, pero tenía la boca completamente seca.

—Puede vivir o morir.

La cabeza le daba vueltas. No podía ser verdad. Seguro que podía decir o hacer algo al respecto.

—En la primera aguja, la verde, hay pentotal sódico.

A Bennett se le hizo un nudo en el estómago.

—Le llamamos el suero de la verdad.

Bennett luchó para mantener la compostura.

—Usted habla. Yo escucho. Y le dejamos vivir.

Los dos guardas que había al lado de la puerta se movieron algo nerviosos.

—En la segunda aguja, la amarilla, hay tiopental sódico.

Uno de los guardas se secó muy despacio las gotas de sudor que tenía en la nariz y la barbilla.

—Era el favorito de Rickey Ray Rector. ¿Se acuerda de él? Rickey Ray Rector era un enfermo mental de Arkansas. Era un asesino. Le arrestaron, le juzgaron y le condenaron. Negó la clemencia del bueno de Bill Clinton durante las elecciones de 1992. ¿Lo recuerda? Lo ejecutaron con... ¿Qué era? ¡Ah, sí! Una inyección letal. Oí que los médicos tardaron tres cuartos de hora en encontrar una vena buena y clara. Pero lo lograron y lo hicieron muy bien. Sumieron a Rickey Ray Rector en un bonito y profundo sueño con la aguja amarilla. Pero eso no fue el final. El final es la tercera aguja, la roja. ¿Sabe cómo se llama ésta?

Bennett no hacía ningún movimiento; estaba allí sentado, paralizado e incapaz de hablar.

—Cloruro de potasio. ¿Sabe lo que provoca?

La habitación guardó silencio.

—Te para el corazón. Te desconecta. Te mata.

El hombre de la cicatriz volvió a jugar con el yoyó.

—Ahora, señor Bennett, le inyectaremos la primera, la verde. No es negociable, es trato hecho. La pregunta es... Bueno, dejaré que usted mismo se la imagine. Es un hombre muy inteligente, señor Bennett, trabaja en Wall Street. Diablos, es amigo del presidente y, ¿para qué están los amigos si no?

El hombre de las gafas con la montura de oro sostuvo la aguja verde por encima de la cabeza de Bennett, que de pronto se puso tenso, pero esperó. ¿Qué le pasaría? ¿Qué efectos producía el pentotal sódico?

En ese instante sintió cómo la aguja se le clavaba en la vena. Bennett emitió un grito y se agitó descontroladamente, aunque luego, al cabo de un instante, se sintió somnoliento y débil. El corazón le latía lentamente y todos y cada uno de sus músculos se relajaron. Sintió perder el control y le invadió una sensación de calidez. Sintió que iba a la deriva, casi inconsciente. Cerró los ojos, respiró más despacio y se sintió a salvo.

—Ahora, vayamos al grano —declaró el hombre pacientemente, en un susurro.

—Muy bien —contestó Bennett con suavidad, cansado y en un estado casi hipnótico.

—Jonathan Meyers Bennett.

—Correcto.

—Cuarenta años. Multimillonario.

—Correcto.

—Se convertirá usted en milmillonario.

—Tal vez, con un poco de suerte.

Llegados a ese punto, el hombre empezó a dar vueltas alrededor de Bennett, despacio y haciendo rodar el yoyó por entre los dedos.

—Se crió en Moscú.

—Durante algún tiempo.

—Habla ruso.

—Un poco.

—Papá trabajaba para el *Times*.

—Correcto.

—Tenía fuentes de información en la KGB.

—Seguro...

—¿Trabajaba para la KGB?

—No.

—¿Podría ser?

—No, no. No lo creo. No.

—¿Quiere a su padre, señor Bennett?

—Bueno, sí. Yo...

—¿No le guarda ningún rencor?

—No.

—Nunca pasó demasiado tiempo con usted. Siempre trabajando. Demasiado ocupado.

—Bueno, sí. Pero yo...

—No habla mucho con él.

—Correcto.

—No le llama.

—No muy a menudo.

—Él tampoco le llama a usted.

—No demasiado, no.

—¿Está usted casado?

—No.

—¿Por qué no?

—No lo sé. Trabajo demasiado, supongo.

—¿Sale con alguien?

—No.

—¿Tiene amigos íntimos?

—Algunos. Pocos... En realidad, no.

—¿Por qué no?

Bennett respiró hondo.

—No lo sé, la verdad.

—¿Es usted religioso?

—No.

—¿Cree en Dios?

—Bueno... No. No lo sé.

—¿No cree en Dios?

—No... No lo sé. La verdad es que no pienso mucho en eso.

—¿En qué cree usted?

Bennett se quedó callado. Drogado y somnoliento como estaba, cada vez se sumía en una espesa y turbia niebla de semiinconsciencia y la pregunta parecía confundirle en sumo grado.

—Seguro que cree en algo, señor Bennett. ¿Qué es?

—No lo sé.

—En el fondo de su ser, de su corazón, de su alma, ¿no hay nada que sea la razón de su vida?

Bennett dudó, intentando amarrarse a algo, aunque fuera un asa resbaladiza y escurridiza.

—No lo sé. Quiero... Quiero destacar, de algún modo.

—¿Ah, sí?

Bennett lo meditó un instante. No le gustó esa respuesta y permaneció en silencio.

—Patético. ¿Así que dice que conoce personalmente al presidente?

—Sí.

—¿Sabe dónde vive?

—Sí.

—¿Ha estado en su casa?

—Sí.

—¿Ha subido a su mansión?

—Sí.

—¿Ha dormido en sus camas?

—Sí.

—¿Ha jugado con sus hijas?

—Sí.

—¿Les ha ayudado a elegir las universidades?

—Sí.

—¿Le resultan atractivas?

—Sí.

—¿Ha coqueteado con ellas?

—Un poco.

—¿Ha salido con ellas alguna vez?

—No.

—¿Le gustaría?

Bennett guardó silencio.

—Bueno...

El hombre se detuvo, miró a Bennett, que tenía los ojos cerrados y estaba casi dormido. Entonces dio media vuelta y empezó a caminar lentamente en el sentido contrario.

—¿Conoce a los agentes cercanos al presidente?

—Sí.

—¿Le conocen a usted de vista?
—Sí.
—¿Ha estado en el despacho oval?
—Sí.
—¿Ha estado en el despacho del jefe del Estado Mayor?
—Sí.
—¿Conoce todos los pasillos del ala oeste?
—Bastante bien.
—¿Sabía cuándo iba a volar hacia Denver el presidente?
—Sí.
—¿Sabía a qué hora iba a aterrizar?
—Más o menos.
—¿Sabía en qué coche se desplazaría?
—Más o menos.
—Pero usted no se encontraba allí.
—No.

El hombre volvió a detenerse, justo detrás de Bennett.

—Ahora escúcheme con atención, ¿comprendido? —susurró—. Viene a Israel sólo por un día. Un único día. Cena con un musulmán palestino y un judío ruso que trabajan en algún proyecto relacionado con el gas y el petróleo. Eso va a convertirles a todos en hombres ricos, ¿me equivoco?

«¿Cómo sabía todo eso?», pensó Bennett. El hombre aumentó el volumen de voz.

—Después vuelve a encontrarse con ese ruso para desayunar. Y eso ocurre en el mismo instante en el que alguien intenta matar al presidente de Estados Unidos. Sin embargo, usted no toma el vuelo que tenía previsto para volver a su país, vía Londres. No. Porque en Londres se produce otro atentado. El Palacio de Buckingham está siendo reducido a cenizas. No. En vez de eso, compra un billete de sólo ida para volver a Estados Unidos e intenta encontrar algún modo de llegar a Colorado Springs. ¿Por qué?

Silencio. La cabeza de Bennett empezó a inclinarse hacia delante, con los ojos cerrados todavía, y con la mente flotando en el aire. El hombre de la cicatriz empezó a caminar más rápido mientras el volumen de su voz subía cada vez más.

—¿Por qué? ¿Por qué? ¡Ah! Yo sí sé por qué. Porque se supone que debe encontrarse con el presidente. Porque quiere verlo ahora mismo. Tan pronto como sea posible. *Vite*. Ayer. ¿Verdad?

—Es la verdad.

—¡Cállese!

Bennett estaba asustado. De repente, fue completamente consciente del enojo y la frustración que iban creciendo en aquel tipo.

—Pero no tiene ni idea de dónde, cuándo ni por qué. Se supone que debe «recibir instrucciones». Interesante, eso de esperar a recibir instrucciones. Unas instrucciones un tanto misteriosas.

La sangre empezó a volver a la cabeza de Bennett. Los ojos volvieron a abrírsele, de repente, de par en par. Intentaba volver a concentrarse.

—Y ahora quiere que le deje libre para poder subirse a ese avión estadounidense y poder ir a ver al presidente. Así podrá ir a reunirse con él y, de este modo, podrá matarlo. ¿No es eso cierto?

—No —insistió Bennett.

O el sedante empezaba a perder efecto o la rabia creciente de Bennett lo estaba venciendo. El agente se colocó cara a cara con el estadounidense, al que lanzó una bocanada de humo directa a los ojos, lo que le estremeció y empezó a asfixiarle.

—Mire, se ha equivocado por completo.

—¿Con quién trabaja?

—No lo sé. No sé de qué me está hablando.

—¿Quién es la mujer de Londres?

—¿Qué?

—¿A quién llamó para que le fletara un avión?

Ahora Bennett estaba completamente despierto, aunque desorientado y algo confuso.

—¿Cómo lo sabe?

La pregunta fue un error. El agente retrocedió y se quedó detrás de Bennett, sosteniendo el yoyó rojo por encima de la cabeza de éste y haciéndolo oscilar delante de su cara como si se tratara de un ahorcado pendiendo de la soga. Apretó los dientes y prácticamente escupió la siguiente frase.

—Bennett, usted no me gusta. Esconde algo. Puedo olerlo. Lo noto. Y si no empieza a contarme la verdad...

Sacó cordel del yoyó y lo tensó por ambos extremos; poco a poco empezó a apretarlo contra el cuello de Bennett.

—Tendré que sacársela por la fuerza o bien tendré que inyectarle la aguja amarilla.

La respiración de Bennett se aceleró. Había recobrado la lucidez, pero también el miedo.

—Quiero un abogado. Usted no puede hacerme esto. No es correcto.

—Es su elección, Bennett.

—¿Tanto cuesta comprobar lo que le estoy diciendo?

—¿Qué quiere: vivir o morir?

—Me dieron una autorización del Servicio Secreto durante la campaña. Compruébenlo. Llamen a la Casa Blanca. Les dirán quién soy.

Nadie dijo nada, del mismo modo que nadie realizó ninguna llamada ni nadie se movió. Por primera vez, Bennett se percató de que se encontraba en una sala insonorizada. No podía oírse nada a través de esas cuatro paredes, así que si gritaba, o moría, nadie se enteraría.

—Llamen a la Casa Blanca, al despacho de Corsetti. Les dirán quién soy.

No obtuvo respuesta alguna del agente de la cara marcada, pero el cordel del yoyó se tensó más alrededor de su cuello.

—Mohamed Jibril.

El nombre flotó en el aire durante, al menos, un minuto.

—¿Quién es? —preguntó Bennett.

—¿No lo sabe?

—No.

Bennett sentía arcadas.

—Mohamed Jibril es un terrorista, señor Bennett. Ahora mismo vive en Moscú y trabaja con varias células terroristas islamistas.

—¿Y qué relación tiene conmigo?

—Acaba de reunirse con su hermano.

—¿Qué? ¿Qué está diciendo? No es verdad.

Bennett continuaba sintiendo náuseas. Había estudiado detalladamente el historial de Ibrāhīm Sa'id, el jefe de PPG, y sus principales dirigentes y no había encontrado ningún indicio de que tuviera relación alguna con grupos terroristas. Nada.

Hasta ese instante, Bennett había renunciado a decirle nada a ese tipo sobre los pormenores del acuerdo petrolero. No era asunto suyo y había recibido órdenes estrictas del presidente de Estados Unidos de que él debería ser el primero, tan sólo él, en saber todo el contenido del tratado antes de contárselo a cualquier otra persona del planeta. Bennett hacía esfuerzos por respirar. Sentía una necesidad imperiosa de contar a esos hombres todo lo que sabía. ¿Era el suero de la verdad o simplemente se trataba del instinto de supervivencia?

Pero no podía contarlo de ningún modo, puesto que le había dado su palabra al presidente y también a Iverson. No sabía exactamente quiénes eran esos tipos. ¿Y si resultaba que estaban compinchados con los que acababan de intentar asesinar al presidente? Sin embargo, era poco probable, puesto que lo habían sacado del aeropuerto, pero ¿acaso tenía eso alguna importancia? Podían ser perfectamente agentes dobles, pagados por el enemigo. Pero ¿qué enemigo? No sabía de qué lado estaban esos tipos. Además, también dudaba de las consecuencias si revelaba cierta información crucial. ¿Y qué ocurriría si resultaba que había cometido un error y que, de algún modo, su acuerdo se había visto mezclado con la misma gente que acababa de intentar matar al presidente? ¿Y si al final resultaba que estaba financiando a los malos?

El miedo y el dolor hicieron estremecer a Bennett. No sabía

qué hacer y el interrogador lo estaba notando, de modo que volvió a tensar el cordón del yoyó. El sudor le caía por la cara.

—Galishnikov. ¿Qué me cuenta de él?

Bennett intentó tragar saliva, pero no pudo.

—¿Sabe quién es?

El estadounidense estaba a punto de vomitar.

—Es... Es un amigo.

El hombre apretó aún más el cordón.

—Hace cuatro años, Dimitri Galishnikov fue uno de los cerebros que planeó y organizó el atentado terrorista que destruyó con una explosión una de las refinerías más grandes de la ex Unión Soviética, que costó al Gobierno ruso quinientos mil millones de dólares. No es que necesiten el dinero, por supuesto que no, porque son un país rico, pero les fastidió un poco que en la explosión murieran 212 ciudadanos rusos.

—No sé de qué me habla. En serio... Yo... Por favor, llamen a la Casa Blanca.

Súbitamente, el agente explotó: aflojó la cuerda del yoyó del cuello de Bennett, le cogió por la camisa y el pelo y lo estampó contra la pared. Destrozado e incapaz de protegerse, Bennett golpeó la pared con la cabeza, se cayó al suelo en posición fetal y se acurrucó para recibir los golpes que sabía que vendrían a continuación.

El hombre temblaba de rabia y parecía que no fuera a controlarla. Cogió la silla de madera y la estampó con tanta fuerza contra la pared que se rompió en pedazos y saltaron astillas por todas partes. Bennett sabía que eso era teatro, que todo lo hacía para asustarle. Pero aun sabiéndolo, el impacto fue igualmente formidable y Bennett se aterrorizó. No estaba acostumbrado a no tener el control de la situación y a cumplir órdenes. Y, además, temía por su vida.

—¡¿Quiere la inyección amarilla, señor Bennett?! ¡¿O tal vez la roja?!

Bennett era incapaz de decir nada.

—¡No, por Dios! ¡No!

Bennett sintió cómo se le clavaba la aguja.

—¡Tiene dos minutos, señor Bennett! ¿Es usted un terrorista?

—¡No!

—¡¿Financia a los terroristas?!

—¡No!

—¡¿ Sa'id es un terrorista?!

—¡No! ¡No lo sé!

—¡¿Galishnikov es un terrorista?!

—¡No lo sé!

—¡¿Ha colaborado en la conspiración contra el presidente de Estados Unidos?! ¡Conteste!

—¡No! ¡No!

—¡Dígame lo que quiero oír, lo que usted ya sabe!

—¡Dios mío! ¡Por favor, no!

El hombre volvió a agarrarlo y lo puso de rodillas.

—¡Olvídelo, Bennett!

Lo cogió por el pelo y le puso la cabeza a la altura de su cara. Cuando los ojos de Bennett lo miraron, el hombre le mostró la aguja roja, la lanzó al suelo y la machacó con el pie. Bennett aspiró tanto oxígeno como pudo. Sentía que el hombre lo tenía agarrado por el pelo sudado y levantó la cabeza para poder verlo. Lo miró una fracción de segundo directamente a los ojos, que tenía encima, y no vio clemencia: no le había perdonado, sino que le iba a ejecutar.

El hombre sacó una Beretta de 9 milímetros y la apretó contra la frente de Bennett. Inmediatamente, la retiró y caminó hasta situarse detrás, de modo que puso la pistola en la parte trasera de la cabeza de éste mientras le mantenía el cuerpo y la cara pegados al suelo. A pocos centímetros, el estadounidense vio un líquido marrón oscuro que emanaba de la jeringa roja destrozada. El cuerpo le temblaba sin control.

—¡Tú, monstruito enfermo! —le gritó el hombre al oído—. ¡¿De verdad piensas que voy a matarte con todo lo que sabes?! Voy a contar hasta tres y me dirás por qué pagas a terroristas para que maten al presidente. Si no lo haces, tu cerebrito asqueroso acabará salpicando todas las paredes de esta habitación. Te voy a matar, cabronazo, y nadie nunca sabrá que has muerto. ¡¿Me oyes?! ¡¿Me has oído bien?!

—¡No es verdad! ¡Está equivocado! Por favor... ¡Yo no sé nada! Por favor...

—¡Uno!

—¡No! ¡No sé nada! ¡Se lo ruego! Por favor...

—¡Dos!

—¡Oh, Dios, ayúdame! ¡Por favor, ayúdame!

—¡Tres!

—¡Dios mío! ¡No quiero morir! ¡¡Por favor!!

La explosión ensordecedora de la Beretta sacudió la sala y resonó a lo largo y ancho de la torre oscura.

A continuación, todo se quedó en silencio.

Los israelíes se quedaron allí horrorizados sin acabar de creer lo que acababan de ver. Los tres salieron rápidamente de la habitación y, unos instantes después, el hombre con la cicatriz en la cara volvió a enfundar la pistola, recogió su yoyó y les siguió, tras haber cerrado la puerta con llave. El cuerpo de Bennett yacía en el mugriento suelo blanco, hecho un ovillo y completamente inmóvil.

CAPÍTULO SEIS

Era la última vez que los cuatro hombres pisarían Occidente.

Lo sabían y no les importaba. Se habían desencadenado unos acontecimientos extraordinarios y había llegado la hora de recibir las últimas instrucciones y cumplir su misión.

La publicación europea del *Wall Street Journal* había sacado en portada la reseña del nuevo secretario del Departamento del Tesoro, Stuart Iverson. Altos funcionarios de la Administración, aunque anónimos, opinaban que el presidente contaba con alguien en el que podían, tanto él como la nación, e incluso el mundo entero, confiar para que condujera la economía global hasta nuevos máximos. Parecía que Iverson encajaba perfectamente e incluso los demócratas del comité de finanzas del Senado lo elogiaban.

Los cuatro hombres sonreían por la suerte que habían tenido. No podían comentar la jugada, o al menos no podían manifestarlo allí, sentados en bancos separados de la catedral de San Esteban, la Stephansdom, de Viena. Nunca se podía saber quién merodeaba en la sombra o se escondía a plena luz del día.

Construida originariamente en estilo románico del siglo XII y reformada en el siglo XIV como catedral del más puro estilo gótico, San Esteban era un icono en el corazón de Viena, cubierto con un hollín negro y mugriento que tenía más de seiscientos años y había sido testigo de las guerras, los incendios y la industrialización. Naturalmente, Viena no sólo era la capital y la ciudad más grande de Austria, sino también un icono en el corazón de Europa, una gran ciudad conocida como la puerta de entrada a los poderes del Este y Moscú. En ese lugar, los alemanes y los rusos, así como los aliados, lucharon una vez por el control. En esa ciudad, las paredes exteriores de la catedral recibieron las pequeñas marcas de los agujeros de las balas de los soldados nazis, cuyas botas se hicieron oír en las calles adoquinadas, sembrando el miedo en los corazones de todos los testigos.

Hoy día, el icono dentro del icono resultaba ser un gran atractivo turístico y ninguna de las personas que se encontraban allí esa mañana nevosa y apacible podía sospechar que esos monstruos merodeaban por allí, mezclados con la gente.

Sin mirarse nunca entre ellos, los cuatro contemplaban con toda tranquilidad cómo iban entrando, una a una, minuto tras minuto, todas las personas. La mayoría eran mujeres mayores y había pocos hombres. Casi no había niños, excepto alguno que de vez en cuando gritaba haciendo eco por todos los rincones del gran y tenebroso santuario que se elevaba hasta la torre y la punta de aguja. Finalmente, entró una mujer con un vestido negro y un sombrero del mismo color y con una cinta blanca clavada con una aguja en la solapa; se arrodilló y empezó a rezar. Poco a poco, uno a uno, los cuatro hombres recogieron sus pertenencias y, con tranquilidad, fueron saliendo de la catedral. Había llegado la hora.

Ninguno de los hombres dio señales de conocer a los demás y cada uno partió en una dirección diferente. Sin embargo, veinte minutos más tarde, convencidos de que nadie les había seguido, se encontraron en el Graben, es decir, la calle de la acequia, en un lugar conocido como el monumento a la peste, en conmemoración del final de la peste bubónica que causó estragos en Europa en los siglos VI, XIV y XVII y mató a más de ciento treinta y siete millones de personas. Este lugar fue el punto de encuentro para los cuatro hombres, a los que los analistas de la CIA, así como sus homólogos británicos del MI6, habían bautizado con el nombre de «los cuatro jinetes del Apocalipsis».

Uno de los hombres abrió la puerta de un Volvo de alquiler aparcado cerca y entró, otro tomaba fotos como un turista más, mientras su compañero hojeaba una guía Fodor de Austria y buscaba un restaurante barato para comer. El cuarto deslizó discretamente la mano enguantada en una papelera que había cerca, de la cual sacó un sobre sin nombre que estaba dentro de un periódico alemán que habían tirado. Buscó dentro y encontró cuatro billetes de tren, cuatro pasaportes nuevos, cuatro visados y cuarenta mil euros en billetes pequeños. El resto del equipo entró rápidamente en el Volvo que les esperaba con el motor en marcha y se dirigió hacia Südbahnhof, la estación de trenes del sur de Viena.

De camino, todos los ocupantes del coche, exceptuando el conductor, se pasaron la historia del *Journal*, así como una copia del *International Herald Tribune*, el periódico publicado conjuntamente en Europa con el *New York Times* y el *Washington Post*. La noticia que más les atrajo la atención esa mañana era una reseña del presidente ruso Vadim que hablaba de la nueva asociación estratégica del presidente ruso con Estados Unidos y la OTAN, así como los problemas políticos que se intensificaban con los nacionalistas radicales de la Duma, el parlamento ruso.

Las nuevas encuestas de popularidad del presidente de Rusia demostraban que su nivel estaba por debajo del nivel de Stalin y cada día bajaban más, sobre todo teniendo en cuenta que el crudo y frío invierno que ya se cernía sobre Moscú aumentaba la frustración del pueblo al ver las condiciones económicas deteriorarse rápidamente en el interior del país, con el temor añadido y creciente de una nueva ola de hiperinflación. Ser amigo de los occidentales no le estaba haciendo ningún bien al sagaz y espabilado líder ruso en casa y no eran pocos los analistas occidentales citados en ese artículo que afirmaban estar preocupados porque Vadim podría tener los días contados como cabeza de Estado. Incluso la industria petrolera del país, que significaba casi la mitad de todo el producto interior bruto, atravesaba momentos duros. El precio del petróleo se situaba entre los 22 y los 25 dólares por barril. Si bajaba demasiado, Rusia tendría graves problemas. El redactor del *Herald Tribune* escribió que «el hecho de que la preocupación en Washington acerca del futuro de la economía rusa sea cada vez mayor indica que Iverson, buen conocedor de Rusia, podría ser el hombre adecuado en estos momentos».

Exactamente a las nueve y media de la mañana, los cuatro aparcaron el coche, entraron en la estación de tren y se dirigieron a la sección Ost, la sección del Este; llegaron al andén y esperaron. La terminal era sombría y deprimente, aunque tenía un aire clásico que impresionaba, con un techo alto en forma de arco hecho de acero y cristal que parecía un hangar de aviones de la segunda guerra mundial. Allí llegaban y partían trenes de toda Europa y centenares de miles de pasajeros pasaban por esos andenes todos los días. Pero no eran pasajeros como ellos: ninguno había estado antes en Viena y, cuanto más esperaban, más nerviosos se ponían.

El tren en dirección al este con destino Bratislava tenía que partir a las 10.05 de la mañana, pero iba con retraso y acabaron esperando dos horas más. Los cuatro maldijeron el cielo gris y las temperaturas glaciales mientras se encendían los cigarrillos estadounidenses, ignorando que, desde tres ángulos diferentes, dos hombres y una mujer, cada uno en coches de alquiler distintos, no paraban de tomar infinidad de fotografías en 35 milímetros con un teleobjetivo potente mientras comunicaban por radio a otros agentes que vagaban por la estación que los «cuatro jinetes» estaban en el corral.

* * *

Las dos llamadas sonaron casi a la vez.

Una era del Pentágono y otra, de Langley; ambas eran de prioridad absoluta y, en cuestión de minutos, el Destacamento Especial de la Lucha Contra el Terrorismo de Estados Unidos se volvió a reunir mediante un enlace de videoconferencia segura.

—Señor vicepresidente, soy Jack, de la CIA.

—Adelante, Jack.

—Señor, acabamos de hablar con uno de nuestros equipos en Viena. Acaban de identificar una célula iraquí conocida como los «cuatro jinetes». Se encuentran en una estación de tren y los iraquíes tienen un billete para Moscú, señor. Mi equipo quiere pedir permiso para bajarles del tren e interrogarles sobre lo que saben del atentado contra el presidente.

El vicepresidente meditó un instante y cambió de idea.

—No. Todavía no. Haga que su equipo los siga e interceptad cualquier llamada que hagan. Controlad cualquier contacto que realicen y haga que le vuelvan a informar a la hora en punto. Quiero saber adónde se dirigen esos tipos y por qué. También quiero saberlo antes de que nadie se dé cuenta de que los estamos vigilando.

—Señor, ¿está seguro? Llevamos seis años persiguiendo a esos tipos y ahora les tenemos.

—Y resulta que se ponen en movimiento el mismo día en que alguien ha atacado al presidente.

—Exactamente, señor. Por esa razón necesitamos apresarlos, ¡ahora mismo!

—No. Por esa razón necesitamos seguirlos de cerca hasta que averigüemos qué se proponen o hasta que os mande detenerlos. ¿Comprendido?

—Sí, señor.

—Muy bien. ¿A quién le toca ahora?

—Señor vicepresidente, soy Burt, del Pentágono —empezó el secretario de Defensa, con los ojos cansados y rojizos.

—Sí, Burt. ¿Qué ocurre?

—Señor, tenemos ese informe. Tres de nuestros aviones de reconocimiento acaban de ser abatidos en el sur de Iraq. Acabamos de mandar a algunos F-15 para eliminar las baterías de misiles tierra-aire, pero no pinta demasiado bien.

—¿Me toma el pelo?

—No, señor. Y todavía hay más.

—Le escucho.

—Nuestros satélites captan indicios de que la Guardia Republicana iraquí puede estar movilizándose. Hay actividad alrededor de las tres unidades mecanizadas al sudeste de Bagdad, y acabamos de hablar con nuestro puesto en vanguardia de combate cerca de la frontera en territorio kuwaití, desde donde nos han informado que el radar recoge diversas señales luminosas que podrían ser unidades de reconocimiento. Ahora estamos intentando verificar esa información, señor.

—Tiene razón, no son buenas noticias.

—No, señor, no son nada buenas. Tendremos más información a lo largo de las siguientes horas, pero teniendo en cuenta todo lo que está sucediendo, me preocupa que Iraq se esté preparando para efectuar un gran movimiento militar.

Trainor no acabó de expresar todo lo que pensaba, pero tampoco fue necesario. De repente, el director de la CIA, Jack Mitchell, interrumpió la conversación.

—¿Señor vicepresidente?

—Sí, Jack.

—Me acaba de llamar el subdirector de inteligencia desde abajo. Tiene al teléfono al general de brigada Yoni Barak, el jefe de Aman, el servicio de inteligencia militar de Israel.

—Sí, ya conozco a Yoni. ¿Qué se cuenta?

—Señor, tiene un equipo, al que me parece que usted ya conoce también: el Sayeret...

—El Sayeret Matkal.

—Sí, señor.

—Una de sus unidades de reconocimiento.

—Correcto, señor.

—¿Qué información le transmiten?

—La unidad está interceptando gran cantidad de tráfico por radio militar tanto en el interior como en las afueras de Bagdad. Espere un momento... Muy bien. Los agentes que están allí le informan de que se oyen sirenas de ataques aéreos por toda la ciudad. Parece ser que no hay civiles en las calles. Las emisoras nacionales de radio y televisión no emiten y la Guardia Republicana se está movilizando y hay algunas unidades avanzadas de reconocimiento que se dirigen hacia el este, hacia Kuwait, y también al sur, hacia Arabia Saudí. Resulta todo bastante caótico, señor, pero es lo más fresco que tenemos.

—¿Hay alguna unidad iraquí que se dirija hacia Israel?

—Por el momento y que nosotros sepamos, no.

—¿Que impresión general tienen acerca de todo esto?

—El primer ministro Doron no quiere esperar. En cualquier momento convocará una sesión de emergencia del gabinete de seguridad. Creemos que pondrá las fuerzas de defensa israelíes en alerta máxima y llamará a las fuerzas de reserva de un momento a otro.

—¿Completas o parciales?

—No lo sabe todavía.

—¿Qué te dice la intuición, Burt?

—Completas.

—¿Jack?

—Todos conocéis mi opinión. Los israelíes van a llamar a todas las fuerzas de reserva y nosotros también deberíamos empezar a hacer lo mismo. Tendríamos que reunir todas las fuerzas y volver a trasladarlas a la región inmediatamente.

—¿Marsha?

—Señor, yo creo que la movilización va a ser completa. Dados los sucesos de esta noche, tiene toda la pinta de tratarse de una jugada de Saddām y puede constituir un preludio para que Iraq se haga con el control de los campos de petróleo de Kuwait y de Arabia Saudí. Estoy de acuerdo con Jack. Necesitamos desplegar las fuerzas de reserva con rapidez y deberíamos convencer a los saudíes de que dirijan sus tropas terrestres hacia allí. Tardaremos mucho en organizarlo todo, mucho más tiempo que los israelíes, pero no tenemos más opciones.

—Si se trata de una jugada de Saddām, ¿qué país creéis que

va a ir primero, Kuwait o Arabia Saudí? —presionó el vicepresidente.

—Puede que ambos o cualquiera de los dos, pero no estoy seguro —admitió Kirkpatrick—. Independientemente de cuál sea, se trata de una situación extremadamente grave.

—¿Señor vicepresidente?

Todos se dieron la vuelta hacia el secretario de Estado, Tucker Paine.

—¿Sí, Tuck?

—Señor, acabo de hablar por teléfono con el príncipe saudí para expresarle nuestro pésame. Están a salvo, pero el atentado les ha afectado sumamente.

—¿Tienen alguna pista sobre quiénes han sido los autores?

—Todavía no. Todo está sucediendo a un ritmo vertiginoso. Sin embargo, han prometido ponerse en contacto conmigo tan pronto como averigüen algo.

—¿Y qué hay de Moscú? ¿Todavía no sabemos nada de ellos?

—No, señor. Todavía no. Continuaré investigando.

—Así que todavía no sabemos a lo que nos enfrentamos.

—No exactamente —respondió el secretario de Estado—. En mi opinión, debemos tomar extremadas precauciones para no adelantarnos a los acontecimientos y atacar sin razón.

—¿Adelantarnos, atacar sin razón? —preguntó Mitchell—. Señor secretario, el presidente y los líderes de varios aliados nuestros acaban de ser objeto de una conspiración increíblemente bien planeada, bien financiada y casi perfectamente bien ejecutada para asesinarlos. Es pronto, lo admito. Pero, como acabamos de comentar, existen pruebas contundentes de que todo puede formar parte del nuevo plan de Saddām Hussein para dominar el golfo Pérsico y perturbar la formación de una coalición occidental que podría detenerle. ¿Cómo puede afirmar que reunir las fuerzas de reserva y desplegarlas en la región es adelantarse a los hechos o atacar sin razón?

—Señor, tan sólo digo que debemos tener muy presentes las

vías diplomáticas, necesitamos ser extremadamente cautos —replicó Paine.

—¿Que debemos ser cautos? —preguntó Mitchell—. Seremos cautos pero con la pistola cargada. Estamos en guerra, señor secretario. Todos sabemos que no disponemos de vías diplomáticas con el sayón de Bagdad, del mismo modo que sabemos que deberíamos habernos encargado de Iraq antes, no sólo armando y entrenando fuerzas contra Saddām o jugando en Naciones Unidas tranquilamente, sino eliminando a ese monstruo de una vez por todas. Pero no terminamos el trabajo y el asunto ya ha llegado demasiado lejos, tanto que ha renacido para darnos caza.

—Señor vicepresidente, con todos mis respetos, no estamos en guerra, todavía no. No lo estamos a menos que usted y el presidente hagan caso a estos patanes —advirtió Paine, el pálido y canoso ex embajador de Estados Unidos en Naciones Unidas—. Tenemos que consultarlo con nuestros aliados y esbozar un plan.

—¿Patanes? —Mitchell se rió—. Qué alegría me produce saber que el Estado ya lo tiene todo previsto. ¿Por qué no se limitan a invitar a Saddām a que venga para una barbacoa y, ya saben, discuten un poco este problemilla y lo liquidan de una vez por todas, como buenos y civilizados chicos del coro de Naciones Unidas? ¡Demonios! Limitémonos a aprobar otra resolución inútil.

Paine resopló disgustado. El vicepresidente retomó con rapidez el control de la discusión.

—Señores, por favor. Cálmense. Marsha, ¿qué opina usted acerca de los acontecimientos? ¿Cómo recomendaría al presidente que actuara?

—Señor, me temo que ya hemos cruzado el Rubicón y no tenemos ninguna otra opción. Yo recomendaría que se cerrara por completo el espacio aéreo en todo Estados Unidos, de modo que no pudiera entrar ningún aeroplano al país. Deberíamos enviar patrullas aéreas de combate a ambas costas y a las fronteras. Cerrar las fronteras con Canadá y México, al menos hasta que controlemos la situación. Lo último que necesitamos ahora son suicidas que lleguen en camiones de 18 ruedas o en trenes de carga.

—¿Qué más?

—A continuación, señor, necesitaríamos poner en marcha la operación Ciclón Inminente tan rápido como nos fuera posible. Eso significaría enviar al grupo de batalla del Nimitz de vuelta hacia el golfo y mantener a la espera a los grupos de combate del *Roosevelt* y el *Reagan* delante de la costa de Israel. Enviaremos la División 82 del aire y la Delta Force de camino a Arabia Saudí esta misma mañana. La clave estriba en reunir tantas tropas, unidades mecánicas y unidades aéreas en el lugar tan pronto como podamos.

Tenía razón. Los sucesos empezaban a escapar a su control. Incluso el canoso vicepresidente, de setenta y siete años, un ex agente del Servicio de Inteligencia de la Marina, gobernador de Virginia una vez, senador de Estados Unidos durante cuatro mandatos, presidente durante mucho tiempo del Comité de Fuerzas Armadas del Senado y una ayuda sólida como pocas en Washington, empezaba a tener los nervios a flor de piel.

—Estoy de acuerdo con todas vuestras recomendaciones y el presidente también lo estará —empezó el vicepresidente—. Sin embargo, señores, saben tan bien como yo, que eso no bastará. Es tan sólo el principio. Si Saddām Hussein ha decidido volver a atacar Kuwait, a los saudíes o a los demás Estados del golfo, Ciclón Inminente no va a pararle los pies. Todos son conscientes de eso.

Escudriñó la sala y las pantallas de vídeo que había en la pared que tenía delante. Nadie parecía estar en contra.

—No tenemos a los efectivos en el lugar para abatirle a tiros con rapidez, en especial si lanza una invasión en toda regla. Podemos movilizar la OTAN para que se una a nosotros. Así seguro que contaremos con los británicos. Y quién sabe si también con los franceses y los alemanes. Pero incluso si conseguimos el apoyo de la OTAN, no dispondremos de seis u ocho meses para prepararnos. Saddām podría tener bajo su control la mitad de la producción de petróleo mundial a finales de semana.

El equipo se mantenía en silencio y los notables repasaban las últimas horas que acababan de vivir.

—Voy a ir más allá y recomendaré al presidente que cierre el espacio aéreo por completo, que movilice inmediatamente a los cincuenta mil reservistas de que disponemos y que ponga en marcha la operación Ciclón Inminente. Sin embargo, Tuck, antes que nada vuelve a hablar por teléfono con los saudíes y haz que respondan.

—Señor, yo...

—Ahora mismo, señor secretario.

—Señor, naturalmente que cumpliré la orden. Sin embargo, debo prevenirle, para que así conste, que necesitamos que el presidente se ponga al teléfono pronto y convoque una reunión oficial del Consejo Nacional de Seguridad antes de que vayamos más lejos.

—Así lo haremos —confirmó el vicepresidente—. Usted asegúrese de que los saudíes están de nuestra parte por completo. Recientemente se han mostrado algo quisquillosos por culpa de nuestra presencia allí y no necesito decirles que ha habido tensiones en nuestra relación durante los últimos años. No les gusta tener tropas estadounidenses, especialmente a las mujeres y a los cristianos, cerca de las ciudades santas de La Meca y Medina. Pero nos necesitan y nosotros a ellos también. Necesitamos asegurarnos de que todos estamos en el mismo bando, luchando en la misma guerra. Y ellos necesitan saber que no les abandonaremos a la suerte de Saddām Hussein. No vamos a debilitar su régimen como ocurrió con Carter y el sah de Irán, del mismo modo que no vamos a limitarnos a parlotear, dar rodeos y llevar una política exterior ineficaz y de cara a la galería, como sucedió con Clinton. Tenemos la seria determinación de encerrar a Saddām Hussein y nos comprometemos con esta causa hasta el final. Debemos dejárselo bien claro, Tuck. ¿Comprendido?

—Sí, señor.

—Muy bien. Habiendo dicho esto, damas y caballeros...

El vicepresidente volvió a examinar las caras de todos los que estaban con él en la sala y las de los que veía en los televisores que tenía justo delante.

—Voy a repetirlo: con esto no bastará. El presidente y yo no podemos decir al mundo que estábamos ganando la guerra contra el terrorismo y después perder el Golfo, por el amor de Dios. Necesitamos más opciones y las necesitamos ahora mismo.

El vicepresidente se quedó sentado y miró durante un breve lapso de tiempo a la consola de comunicaciones que había delante de él. Nadie sabía cómo actuar.

—¡Y después hablamos de honor!

* * *

Los retrasos eran bastante habituales.

Pasaban a toda hora, tanto en las dos estaciones principales de Viena como fuera. Pero no era un día normal. En el momento en el que ese tren en concreto finalmente entró, veinte agentes de Estados Unidos, quince hombres y cinco mujeres que hablaban árabe y ruso, habían llegado, habían sido informados brevemente de la situación y habían tomado posiciones en cada uno de los vagones que seguramente iban a ocupar los «cuatro jinetes».

Los iraquíes eran profesionales. Aunque todavía no sabían que seguían su pista, no tenían la más mínima intención de mostrarse al exterior para que los observaran o escucharan si había alguien que controlaba sus pasos. Una vez hubieron subido al tren y el revisor hubo comprobado los billetes, no tardaron ni un segundo en meterse en el compartimento con literas para cuatro y cerrar la puerta.

El agente de la CIA que dirigía la operación se limitó a colocar a algunos miembros del equipo en los compartimentos adyacentes para que pegaran los equipos de gran sensibilidad a las paredes, conectados a equipos digitales de grabación. El resto del equipo actuaría como camareros, turistas y encargados del equipaje mientras él mismo tomaba la posición de mando y control con los ingenieros en la parte delantera del tren. La única buena noticia de ese tramo de la misión era que los cuatro hombres no iban a ir a ninguna parte a la que los agentes no pudieran llegar también durante los siguientes dos días y medio.

Tal vez los agentes también podrían acomodarse para pasar esa larga noche de invierno.

* * *

Los agentes estadounidenses e israelíes se reagruparon.

Caminaron en silencio por el pasillo vacío. Al llegar al final, el hombre de las gafas con la montura de oro pulsó un código de nueve cifras en una caja de plástico clavada en la pared, abriendo así la enorme puerta de acero; todos entraron y bajaron rápidamente tres tramos de escaleras. Una vez allí, mostraron sus identificaciones a dos centinelas armados, pusieron los pulgares en el control de huellas dactilares y pasaron a un enorme despacho insonorizado, a prueba de balas y forrado de madera que estaba repleto de televisores y monitores de ordenador, asesores militares y guardaespaldas: era el despacho del jefe de la seguridad aeroportuaria de Israel, Yitzhak Galit.

Galit no levantó la mirada cuando los cuatro hombres entraron en la sala y cerraron la puerta rápidamente tras de sí. Estaba agachado delante de una pantalla de televisión que había detrás de su mesa de despacho junto con otros tres hombres. Uno era Yosi Ben Ramon, el jefe de Shin Bet, el servicio de seguridad interior de Israel, que fumaba cigarrillos Winston sin parar. El segundo era Avi Zadok, el jefe del Mossad, el conocido servicio de inteligencia exterior de Israel, que daba caladas tranquilamente a un gran habano. El tercero era un hombre tranquilo, Dietrich Black, jefe del equipo de lucha contra el terrorismo del FBI en Israel, que en esos momentos vaciaba el contenido de una lata de Coca-Cola *light* en una jarra de cristal llena de cubitos.

—¿Y bueno? —preguntó el estadounidense que acababa de entrar en la habitación.

Todos miraron a Black. Sin embargo, éste, vestido con pantalones vaqueros, zapatos marrones informales, una camiseta negra y una pistola del calibre 45 en una funda en el hombro, se limitó a mirar a la jarra y esperar a que la espuma bajara. El humo de los cigarrillos y el puro llenaba la habitación de una neblina azulada, pero parecía no importar a nadie.

—¿Sabéis por qué bebo Coca-Cola *light*? —preguntó Black a la sala repleta de agentes de la policía secreta con grandes responsabilidades mientras continuaba con la mirada fija en la espuma del vaso.

Nadie tenía la menor idea de lo que les intentaba explicar.

—Siempre he odiado la Coca-Cola *light*, esta mierda sabe a aguachirle —continuó Black—. Sin embargo una vez en Washington fui a comer con el director del FBI que había entonces. Era en otoño de 1991 y estábamos comiendo en el Four Seasons con Henry Kissinger.

Zadok miró a Ben Ramon.

—Y va y Kissinger pide una Coca-Cola *light*, de modo que el director también pidió lo mismo. Y yo pensé que se había acabado el tiempo de los Martini. Así que, ¡qué carajo!, yo también pedí una Coca-Cola *light*, porque me imaginé, ya saben, si Kissinger es un tío inteligente y bebe eso, tal vez también yo debería probar. Y desde entonces bebo Coca-Cola *light*.

Black levantó la vista, tomó su vaso y lo levantó: ¡Salud!

Los israelíes que había en la sala empezaron a reírse, en parte por la tensión nerviosa pero también porque nunca habían sabido muy bien cómo reaccionar ante Black. Como agente, les impresionaba, pero como persona, les resultaba de lo más divertido.

Zadok fue el primero en recuperar el aliento y encendió otro puro.

—Estás tarado, Black —le dijo, con un marcado acento israelí.

—Sí, pero así estoy delgado.

—Es verdad, eres un tarado delgado.

Incluso Black no pudo evitar reírse ante el comentario.

Medía metro noventa de estatura, era esbelto y completamente calvo. Una vez su mujer le dijo que no acababa de decidirse si se parecía más a Lex Luthor o a Don Limpio. A sus casi cincuenta años, Dietrich Peter Black había trabajado en el FBI durante veinticinco años. Le reclutaron recién licenciado en ciencias económicas en Harvard en una época en que ninguno de sus compañeros de promoción se habría planteado continuar su carrera en ese mundo que se encarga de hacer cumplir la ley antes que en el mundo de Wall Street, pero él amaba aquel trabajo y no se lo había pensado dos veces a la hora de aceptar.

En los años ochenta, había viajado por todo el mundo y, durante la década de los noventa, había vivido principalmente en Washington, trabajando en casos importantes de terrorismo como la bomba que estalló en el World Trade Center en 1993, o la de Oklahoma en 1994, la de Atlanta en 1996 y, naturalmente, los atentados contra el World Trade Center y el Pentágono en 2001.

Era frío, metódico y prácticamente carecía del tipo de pasión y emoción que podían nublar el juicio de un investigador eficaz, lo que no significaba que no sintiera ningún tipo de compasión por las muertes de sus conciudadanos y compañeros. Sin embargo, parecía tener una habilidad instintiva de canalizar esa pasión y convertirla en una capacidad de análisis sorprendente: se centraba en los detalles y las anomalías, en la idiosincrasia y las discrepancias que sucedían en cada caso y que, a menudo, se convertían en pistas determinantes, hebras que podían transformarse en fibras que, a su vez, constituirían hilos provenientes de telas delicadamente entretejidas que podían acabar desvelando el más inextricable de los casos.

—Verdaderamente, Deek, estamos todos realmente interesados en cómo empezaste a beber refrescos —dijo el hombre del yoyó—, pero también me gustaría ir al meollo y saber cuál es el veredicto.

Black bebió otro sorbo del refresco frío y burbujeante y se dirigió a los demás.

—¿Avi? ¿Tú qué opinas?

Avi Zadok se reclinó en la silla y le dio otra calada a su habano, saboreando el gusto y el momento. Al final, rompió el suspense.

—Para ser franco, yo le creo —declaró el maduro líder del Mossad.

Black cogió un bocadillo de falafel a medias que había en una bandeja de papel al lado de la bebida y le clavó un buen mordisco.

—¿Yosi?—preguntó, con la boca llena de pan árabe y *hummus*.

—¿Quieres que responda con franqueza, Deek? —contestó Ben Ramon, con el acento tan marcado como el de Zadok, pero dejando entrever sus raíces marroquíes sefardíes—. Creo que estoy de acuerdo con Avi.

Black le miró directamente a los ojos y Ben Ramon acabó su razonamiento.

—No sabía nada.

—No, era más que eso —interrumpió Galit, el jefe de seguridad aeroportuaria, de modo que captó la atención de todos—. Ha sido bueno, muy bueno. Ha sido muy honrado.

—Y leal —añadió Ben Ramon.

—¿Alguien quiere añadir algo? —preguntó Black, con las cejas levantadas y examinando la sala, en la que volvía a notarse la tensión. Nadie abrió la boca, y menos el hombre del yoyó.

Black daba vueltas por la habitación, pensando, mascando y valorando el giro de los acontecimientos. Se acercó al televisor que había en la mesa de Galit, cogió el mando a distancia y rebobinó la cinta; seguidamente, volvió a pasarla sin sonido, fijándose en la cara que había en el centro de la pantalla. Se acabó tranquilamente el bocadillo y la Coca-Cola *light*, se pasó un pañuelo de papel diminuto y delgado por la boca y se giró hacia el resto del grupo.

—Estoy de acuerdo —admitió finalmente Black—. No sabía nada.

Todos miraron hacia abajo, fumando en silencio y, al final, Galit rompió el silencio.

—Vosotros, los de Estados Unidos, deberíais haberle reclutado —dijo observando con cierto nerviosismo al resto de los ocupantes de la sala en busca de aprobación.

Entonces Black sonrió.

—Acabamos de hacerlo.

* * *

El teléfono negro con las siglas del FBI sonó justo antes de las diez y media de la mañana, hora del Este.

La asesora de Seguridad Nacional lo descolgó a la primera llamada digital.

—Soy Kirkpatrick.

—Aquí Rancho de la Pradera. Tengo en espera al agente Black, de operaciones.

—¿Naranjal?

—Sí, señora.

—¿Es una llamada segura?

—Sí, señora.

—Póngame con él.

—Gracias, señora. Espere un instante.

Kirkpatrick cogió una libreta amarilla y un rotulador negro que había por allí. Quitó el capuchón y se preparó para apuntar el mensaje.

—¿Qué me cuenta?

—Ya está hecho.

—¿Y el resultado? —preguntó la asesora.

Hubo una pausa y luego la mujer asintió.

—Gracias. Ahora recójanlo todo y regresen aquí de inmediato. Traigan todo con ustedes. Recibirán instrucciones una vez estén volando.

Kirkpatrick colgó el auricular y miró al vicepresidente. Todas las personas que había en la sala estaban concentradas en otras tareas. El vicepresidente estaba esperando la respuesta. Kirkpatrick escribió una palabra en la última página de la libreta amarilla y se la alargó: miró hacia abajo con discreción y asintió con la cabeza.

Pudo leer la palabra «limpio».

Cogió el teléfono azul en la consola que tenía delante, el que mostraba las letras del Norad escritas.

—Pónganme con el presidente.

* * *

Black colgó el auricular del teléfono seguro con el que había llamado desde el despacho de Galit.

—Séptima planta, ¿en qué le puedo ayudar?

—Necesito hablar con Esther. Es urgente.

—Un momento, por favor.

Mientras Black esperaba, pidió a uno de los trabajadores israelíes que recogiera todo lo que necesitaran para el viaje de vuelta, incluido el cuerpo de Bennett.

—Despacho del embajador. Esther al habla.

—Esther, soy Deek.

—Hola, Deek. ¿Va todo bien?

—Necesito hablar con el ministro consejero.

—Está hablando por teléfono.

—Ahora mismo, Esther.

—Muy bien. Espere un momento.

Black abrió otra lata de Coca-Cola *light*. En un televisor, vio las imágenes repetidas del atentado contra la caravana presidencial que transmitía la Sky News, así como las imágenes de los atentados ocurridos en Londres, París y Arabia Saudí. En otra pantalla, vio la selección de pasajes que había hecho la CNN de la conferencia del responsable de prensa de la Casa Blanca, Chuck Murray, desde la base de las Fuerzas Aéreas de Peterson, en Colorado.

—Necesito el teléfono móvil de Bennett y su BlackBerry —dijo a Galit—. Y necesito que tus hombres descifren los códigos de acceso inmediato.

Galit asintió. Uno de sus hombres salió disparado para cumplir esas órdenes. Justo en ese instante, Tom Ramsey, el ministro consejero de la embajada de Estados Unidos en Tel-Aviv-Jaffa, se puso al teléfono.

—¿Deek?

—Hola, Tom, soy yo.

—Necesitas el avión del embajador.

—¿Cómo lo sabes?

—Acaba de llamarme Jaque Mate.

—¿Qué pasa con Paine? ¿Necesitas su autorización? —quiso saber Black.

—¿Estás de guasa?

—Sólo pregunto.

—Deek, ¿todavía no sabes cómo funcionan las cosas, hijo mío?

—Tan sólo digo que...

—Ya sé lo que dices. Y yo te digo que pedirle al secretario Paine una autorización para una misión operativa encubierta utilizando el avión del Departamento de Estado sería como pedirle a la Iglesia que firmara a favor de las playas nudistas. Eso no va a ocurrir.

Black se rió entre dientes.

—¿Entendido?

—Sí.

—Muy bien. ¿Cuándo os vais?

—Tan pronto como podamos.

—Lo están preparando todo. ¡Ah! He mandado a Jane allí con una sorpresita.

—Tom, no necesito más sorpresas.

—No te preocupes. Te lo envía el embajador en persona. Cuídate mucho.

—Gracias, pero no recuerdo haber hecho nada que merezca una recompensa vuestra.

—Y no lo hiciste.

—Vale.

—Pórtate bien.

—Lo intentaré.

* * *

Una hora después, el despacho de seguridad de Ytzhak Galit estaba casi vacío.

Zadok y Ben Ramon cerraron el aeropuerto hasta próximo aviso y se apresuraron a reunirse con el primer ministro y el gabinete de seguridad. La mayoría de hombres de Galit estaba desalojando los edificios que tenía encima y establecía un perímetro sumamente armado alrededor del único aeropuerto internacional de Israel.

Mientras esperaba que el vuelo de regreso a Estados Unidos estuviera a punto, Black empezó a examinar los mensajes de correo electrónico de Bennett, una combinación de peticiones urgentes de su personal distribuido por todo el mundo que le solicitaba información acerca del estado del presidente, boletines informativos de Associated Press y un pequeño mensaje de Erin McCoy desde Londres. Black inspiró profundamente. Le había mandado todos los detalles acerca del vuelo chárter, incluido el número de registro del avión, dos números de teléfono para el mostrador de operaciones de Signature, los teléfonos móviles del personal de vuelo e incluso los números de teléfono para hablar directamente con la torre de control, todo eso seguido de un comentario en el que ponía: «No tengas miedo. :-)». Black tomó nota mentalmente de que tenía que cancelar ese vuelo y, acto seguido, revisó las actualizaciones de la Associated Press.

- FUENTES: EL PRESIDENTE ESTÁ VIVO, UBICACIÓN DESCONOCIDA
- VICEPRESIDENTE TOMA EL MANDO EN LA CASA BLANCA
- REINA A SALVO A PESAR DE LOS ATENTADOS DE LONDRES
- EL PRIMER MINISTRO CANADIENSE HERIDO POR LAS BOMBAS DE PARÍS
- UN 747 DESTROZA EL PALACIO SAUDÍ, EL REY Y LA FAMILIA CONSIGUEN ESCAPAR POR POCO
- MUEREN TRES AGENTES DEL SERVICIO SECRETO
- ÚLTIMA HORA: LA CASA BLANCA INFORMA DE QUE EL PRESIDENTE ESTÁ SEGURO EN EL NORAD
- EL PAÍS SE DESPIERTA CON LAS ATERRADORAS IMÁGENES EN LA TELEVISIÓN
- LA RESERVA FEDERAL REBAJA LOS TIPOS DE INTERÉS MEDIO PUNTO
- EL MUNDO REACCIONA HORRORIZADO ANTE EL ATENTADO CONTRA EL PRESIDENTE DE EE.UU.
- EL MERCADO SE DERRUMBA UN 11 POR CIENTO EN JAPÓN Y UN 13 POR CIENTO EN HONG KONG
- LA FAA CIERRA EL ESPACIO AÉREO EN TODO EE.UU.
- MUERE UN CUARTO AGENTE SECRETO POR TRAUMATISMO CRANEAL
- EL VICEPRESIDENTE CONSUELA A LAS VIUDAS DEL SERVICIO SECRETO
- EL PRESIDENTE RUSO VADIM OFRECE AYUDA A EE.UU. PARA ATRAPAR A LOS TERRORISTAS
- EL INFORME DEL FBI DESCRIBE LOS MINUTOS FINALES DEL *GULFSTREAM*
- MURRAY: «EL MAL HA VUELTO A MOSTRARNOS SU CARA MÁS ESPANTOSA»

- EL PRESIDENTE «SE RECUPERA» Y DARÁ UN DISCURSO A LA NACIÓN A LAS 21.00 H
- EL DOW CAE UN 9 POR CIENTO Y EL NASDAQ UN 12 POR CIENTO AL ABRIR
- ÚLTIMA HORA: FUENTES DE LA CIA DECLARAN QUE IRAQ PUEDE ESTAR «PREPARÁNDOSE PARA UNA GUERRA»
- CASA BLANCA: HOMENAJE CONMEMORATIVO PREVISTO PARA EL SÁBADO

Con la ayuda de un técnico del equipo de expertos de Galit, finalmente Black pudo descifrar el código del teléfono móvil de Bennett y empezó a escuchar los mensajes de voz del buzón. La mayoría eran llamadas del equipo de GSX de todos los rincones del mundo, dos eran de McCoy repitiéndole los detalles del vuelo que también le había mandado por correo electrónico y dos más de sus padres preguntándole cómo se encontraba.

A continuación, Black llamó al contestador del teléfono fijo en casa de Bennett. Otra vez tuvieron que intervenir los técnicos de Galit para que Black pudiera finalmente escuchar los mensajes telefónicos. La llamada más misteriosa era la del secretario Iverson. Black hizo una mueca y volvió a escucharla otra vez: «Hola, Jon, soy Stu. Te cuento rápido. Las cosas se han calmado un poco y el presidente va recuperándose. Quiere hablar contigo acerca del acuerdo tan pronto como sea posible. Puedes ponerte en contacto conmigo en el 303-555-9697. Repito, 303-555-9697. Utiliza un teléfono fijo, no un móvil. Ya me inventaré el modo de que puedas llegar. Si tienes algún problema, házmelo saber. Ya nos veremos, chico».

Black respiró hondo: iba a ser un vuelo largo.

* * *

Eran las diez de la noche en Israel.

Finalmente, Black recibió la autorización que necesitaba para volver a Estados Unidos. Soplaba un viento fresco esa noche del mes de noviembre, pero después de tantas horas metido en el búnker repleto de humo de Galit, le pareció refrescante. Black cruzó la pista, se quedó quieto un instante y estiró las piernas: estaba cansado y un poco aturdido. De repente, le entraron ganas de retirarse, trasladarse a Vail o a Aspen y comprarse un pequeño refugio de montaña, sentarse bajo la tranquila bóveda celeste y contemplar las estrellas con tranquilidad, alejado de los teléfonos móviles, los buscas y la crisis. Era demasiado mayor para tanto jaleo.

—Buenas noches, señor Black —dijo el hombre negro, fuerte y tosco vestido con el uniforme impecable de las Fuerzas Aéreas—. Esta noche seré su piloto. Soy el coronel Frank Oakland. Encantado de conocerle.

Se dieron la mano. Tres agentes estadounidenses armados hasta los dientes con cables de plástico que se les metían en la oreja vigilaban de cerca, mientras otros seis agentes de seguridad israelíes, armados con ametralladoras Uzi preparadas para disparar rodeaban el avión siguiendo las órdenes de Galit. El avión estaba cargado y tenía el depósito de combustible lleno hasta arriba, tan sólo faltaba que embarcaran los pasajeros.

—Es un placer conocerlo, coronel. Pongamos el espectáculo en marcha.

—Como usted mande, señor. Estaremos suspendidos en el aire dentro de ocho minutos. Díganos si hay algo que podamos hacer por usted, lo que sea. ¿De acuerdo?

—Gracias. Vamos.

Black había caminado algunos pasos en dirección a los escalones del avión, cuando de repente se paró en seco.

—Es un G4, ¿verdad?

El piloto dudó.

—Sí, señor. Todo un G4 —respondió con tranquilidad.

Black se quedó quieto un instante, evaluando el avión, y se dirigió hacia el morro del aparato.

—Es grande.

—Mide 27 metros de largo —asintió Oakland mientras seguía a Black dando la vuelta al avión—. Tiene una envergadura de casi 24 metros. Es casi como un edificio de dos pisos de altura.

—¿Cuánto pesa?

—¿El máximo?

—Sí.

—Unos treinta y cuatro mil kilos. Puede transportar un cargamento de combustible y volar a más de cuatro mil doscientas millas náuticas en un mismo vuelo.

Black no dijo nada. Se paró al lado de uno de los motores.

—Rolls Royce —dijo el piloto espontáneamente—. Los mejores que se puedan comprar. Seis mil cuatrocientos kilos de propulsión de arranque. Puede alcanzar casi la velocidad del sonido.

Black negó con la cabeza, incrédulo.

—¿A qué altura puede llegar?

—A cuarenta y cinco mil pies, unos trece mil setecientos metros, más o menos.

Black se deslizó por debajo de la cola, vigilando no situarse detrás de los motores, y volvió caminando lentamente hacia los escalones. Entonces, se dio la vuelta hacia el piloto, y contempló a ese hombre fornido un instante, sin mediar palabra. Acto seguido, susurrando le dijo:

—Si volara de Toronto a Denver...

Paró un segundo y respiró hondo.

—¿Cree que correría el riesgo de quedarse sin combustible?

El piloto lo miró directamente a los ojos.

—No, señor. No podría ocurrir.

Black examinó los ojos del hombre un momento y luego apartó la vista, comprobó la hora y dio media vuelta hacia los escalones. El cuerpo de seguridad y el piloto le siguieron y el personal de tierra se dispersó con rapidez para vigilar el despegue del aeroplano.

Una vez a bordo, Black se inclinó sobre el salpicadero, realizó un rápido examen de los paneles de control y le dio la mano al copiloto, de manera que hubo completado las comprobaciones previas al vuelo. Al volver a la cabina, le recibió una azafata que no debería tener más de veinticinco años.

Con el pelo negro corto y unos cálidos ojos marrones, María Pérez lucía una sonrisa dulce y tierna. Pero lo mejor de todo era que sostenía un café acabado de preparar en una taza granate oscuro con un sello dorado en el que se leía: «Embajada de EE.UU. de Tel-Aviv-Jaffa» a un lado y una pequeña bandeja de porcelana blanca repleta de galletas con trocitos de chocolate todavía calientes que acababan de sacar del horno y que había traído consigo el equipo de seguridad.

Black cogió la taza y la bandejita de galletas con gratitud y las dejó cuidadosamente en una mesa pequeña y baja que tenía a la derecha. Una mesa a su izquierda sostenía un jarrón de porcelana de color azul oscuro enorme que contenía rosas de color rosa recién cortadas y una gigantesca fuente de fruta fresca exquisita: naranjas Jaffa, melón, fresas, kiwis, uvas negras, deliciosas manzanas rojas y unas peras maduras y jugosas que tenían una pinta estupenda.

En otra mesa auxiliar que quedaba más atrás, había unos platos de cristal llenos de distintos frutos secos y unos platos de plata con bombones de Navidad, de color verde y rojo, normales y rellenos de cacahuete, junto con pequeñas botellas de agua de manantial, Perrier, zumos de fruta y refrescos de todo tipo. Era la sorpresa de la que le había hablado Ramsey: un pequeño banquete de parte del embajador y su mujer. Realmente se lo agradecía, puesto que con el tipo de trabajo que tenía no estaba acostumbrado a los extras, así que saboreaba todos los que le ofrecían.

Black no había estado nunca en el avión de un embajador estadounidense y se quedó impresionado. Se sentó rápidamente en uno de los ocho sillones giratorios de piel de color blanco que había y, a continuación, se abrochó el cinturón mientras el avión empezó a rodar por la pista de despegue, casi al instante. El interior del G4 era espléndido y mucho más espacioso que el viejo y destartalado Learjet que el FBI utilizaba normalmente para enviarle de una punta a otra de Estados Unidos. Éste, en cambio, tenía una moqueta gruesa y buena, un sofá largo de piel blanca y una bonita y brillante mesa de reuniones de caoba con algunos periódicos. También disponía de un conjunto de televisor y DVD y un sistema de música estéreo con un reproductor de CD de seis unidades, desde el que la *Marcha turca* de Mozart empezó a llenar la cabina.

Black se recostó en el asiento y miró por la ventanilla: vio a cuatro todoterrenos del ejército israelí con soldados vestidos de combate escoltando al G4 hasta la pista. Un escalofrío involuntario le bajó por la columna, así que cerró dos conductos de aire acondicionado que había cerca y volvió a concentrarse en el café y las galletas, comprobó que la bebida no estuviera demasiado caliente y bebió un trago largo.

Pérez, la hija de un jefe del Estado Mayor de las Fuerzas Aéreas, como supo después, se desabrochó rápidamente el cinturón de seguridad de la silla, que quedaba en la parte trasera del avión, y le ofreció una gruesa manta de lana y una almohada grande y mullida. Black aceptó ambas cosas agradecido, dejando a un lado el café y una galleta, después se quitó los zapatos y puso los pies en una mesa baja que tenía delante, mientras la auxiliar de vuelo atenuaba la luz y volvía a su asiento.

Había sido un día largo y todavía no había terminado; aun así, cuando el G4 despegó, Dietrich Black ya se había dormido.

* * *

El avión estaba a medio camino, cruzando el Atlántico.

Se oyó la voz de Oakland por el interfono, que informaba a Black de que tenía una llamada segura desde Washington. Rápidamente, Black se frotó los ojos, tomó un sorbo del café frío, asió el teléfono que tenía al lado y pulsó la línea uno.

—Aquí Black.

—Hágalo.

—¿Ahora?

—Ahora.

—Recibido.

Y la comunicación se cortó.

Black tardó unos segundos en aclarar sus ideas, se levantó, se dirigió hacia la mesa de las bebidas, abrió un botellín de agua mineral, se echó un poco en la mano y se la pasó por la cara. A continuación, se tragó de una vez lo que quedaba de agua y se secó la cara con una toalla de mano que había cerca.

—Muy bien —anunció con un tono de voz grave a su equipo—. Ha llegado la hora.

Uno de los tres miembros de su cuadrilla se desabrochó el cinturón y se levantó. No era tan sólo un diestro tirador, sino que también era un doctor cedido por la CIA. Sacó su maletín de médico y se arrodilló cerca del gran sofá de piel blanca, donde yacía el cuerpo exánime de Jonathan Meyers Bennett, cubierto con una manta de lana de color azul marino.

El médico de la CIA le subió con rapidez la manga izquierda a Bennett, limpió con un algodón impregnado de alcohol la parte interior del codo y sacó una jeringa de plástico blanco. A continuación, le quitó la protección, echó un pequeño chorro de fluido y dio unos golpecitos en la jeringa para eliminar posibles burbujas de aire. Acto seguido, la clavó en el brazo de Bennett y esperó; al cabo de unos segundos, los ojos de éste parpadearon y volvieron a la vida y, al igual que el resto de personas que había allí, volvió a respirar.

Black se sentó en uno de los grandes sillones giratorios de piel blanca que había enfrente de Bennett. Una vez el médico hubo terminado su trabajo, ordenó que todos se fueran hacia la parte delantera del aeroplano, fuera de la vista inmediata del estadounidense. Le costó un rato, pero finalmente el joven volvió en sí y, poco a poco, se incorporó. Black se balanceaba levemente hacia delante y hacia atrás sin parar. Bennett miró por las ventanas que había a ambos lados del avión y pudo ver dos F-16 que los escoltaban mientras volaban.

—¿Dónde estoy? —quiso saber, todavía grogui y desorientado.

—A doce mil metros de altura sobre el Atlántico —contestó Black.

—No estoy muerto.

No era una pregunta, era una afirmación con un toque de incredulidad.

—No, señor Bennett. No está muerto. De hecho, le doy la bienvenida otra vez.

Pasaron algunos instantes durante los que Bennett intentaba aferrarse a algo que le devolviera a alguna realidad que pudiera comprender.

—¿Dónde estaba?

—Formaba parte de una misión, señor Bennett.

—¿Y se puede saber qué hacía yo en ella?

—Probar su lealtad al presidente.

Bennett intentó tragar saliva, pero continuaba teniendo la boca completamente seca. Black le entregó una botella abierta de agua, de la que el joven bebió un pequeño sorbo todavía con problemas para tragar.

—¿Quién es usted?

—Me llamo Dietrich Black. Soy un especialista de la lucha contra el terrorismo del FBI.

—Ah —manifestó Bennett, que seguía sin entender nada—. ¿Es usted el tipo que intentó matarme?

—No.

—¿Dónde está?

—Nadie intentó matarle, señor Bennett.

A éste no le divertía en absoluto esa situación.

—Ya le digo yo que sí.

—Bueno...

—Bueno, ¿qué?

—Nosotros lo llamamos operación Rayos X Irlandeses. Es la manera que tenemos de sacar información a alguien y ponerle a prueba en un momento de crisis para ver si tiene lo que nosotros llamamos «raíces irlandesas», ya sabe, si alguien está «limpio como una patena». Digamos que es mucho más rápido y efectivo que una investigación del FBI de unos cuantos meses.

—¿Me está diciendo que le han hecho esto a otras personas amigas del presidente?

—No puedo contarle más de lo que ya le he contado.

—¿Usted pretende que me crea que me iban a matar y así lo cantaría todo, si es que tenía algo que esconder?

—Más o menos, sí.

—Bueno, funcionó.

—Sí. Pasó la prueba y con mucho éxito.

—¿Así que ahora me cree?

—Sí.

Bennett intentó beber otro sorbo de agua, pero empezó a toser. Black le alargó la pequeña toalla de mano y él se secó la boca. Todavía estaba somnoliento y un poco ido.

—¿Me creía antes?

—¿Que si le creía antes de nuestra pruebecita?

—Sí.

—¿Sinceramente, señor Bennett? No estaba seguro.

—¿Alguien lo estaba?

—Digamos que usted tiene muy buenos amigos muy bien situados en puestos importantes.

Bennett se quedó mirando a Black; cuando giró la cabeza, vio que el resto del equipo del agente lo observaba con detenimiento.

—¿Quiénes son?

—Los buenos.

—Ah, muy bien.

Bennett asintió con la cabeza e intentó volver a beber un poco de agua. La auxiliar de vuelo se le acercó lenta y amablemente y le ofreció una pequeña bandeja con un plato frío de compota de manzana y unas cuantas galletas saladas. Bennett la miró. Se sentía completamente vacío, pero al mismo tiempo estaba tranquilo. Suponía que eran los narcóticos o lo que fuese que le habían inyectado. Al parecer, no habían sido letales. Le dedicó una sonrisa a Pérez y ella se la devolvió.

—Sa'id... —empezó Bennett otra vez, dirigiéndose a Black—. ¿Es realmente, ya sabe, un terrorista?

—No.

Bennett movió la cabeza en señal de aprobación mientras intentaba comerse una cucharada de compota.

—Está bueno. ¿Y qué hay del ruso, Galishnikov?

—Tampoco —contestó Black—. Es su amigo.

Bennett tosió y volvió a comerse otra cucharada no muy llena de compota de manzana.

—¿Era todo esto absolutamente necesario?

El agente del FBI dudó.

—No es decisión mía —afirmó Black, sinceramente agradecido de que así fuera.

—Tan sólo me gustaría saber a quién puedo culpar —añadió Bennett, cuya cara no reflejaba ni rabia ni diversión—. ¿Realmente iban a ponerme una inyección letal?

—No, era un sedante suave, una versión licuada de un somnífero. Todo estaba planeado para que actuara como un detector de la verdad acelerado, para descubrir lo que sabía y hasta qué punto usted le era verdaderamente leal al presidente.

Bennett dejó el bol de compota de manzana y la pequeña bandeja de galletas saladas en una mesita que tenía al lado y se subió la gruesa manta de lana hasta que le tapó casi todo el cuerpo. Tenía frío, se encontraba solo y las fuerzas le habían abandonado.

—Así que ya sabe lo que quería saber —dijo con aplomo—. ¿Y ahora qué?

Black se reclinó en el asiento de piel, cruzó las manos detrás de la cabeza y sonrió.

—Usted irá a ver al presidente.

Bennett asintió con la cabeza, cerró los ojos y poco a poco volvió a dormirse. Dietrich sabía que probablemente el joven no recordaría esa conversación y, de hecho, estaba seguro de que la mantendrían varias veces antes de llegar a Colorado o, como mínimo, antes de obtener el permiso para entrar y ver al presidente. Al menos, su «objetivo» estaba vivito y coleando y, además, limpio y en manos del Gobierno de Estados Unidos, y no de terroristas islamistas.

La operación Rayos X Irlandeses, es decir, la captura y el interrogatorio de una ética del todo discutible, si no ilegales, de Jonathan Meyers Bennett, por orden directa del presidente de Estados Unidos, había comportado un riesgo enorme y todavía podía salir mal. Aun así, también podía haber valido la pena. Black se aferró a este último pensamiento al echarse la manta por encima y cerrar después los ojos. El Servicio Secreto no llamaba al presidente Gambito por casualidad.

Ahora sabía por qué.

CAPÍTULO SIETE

—Damas y caballeros, por favor, abróchense los cinturones. Vamos a proceder a la última aproximación.

El coronel Oakland colgó el interfono justo antes de las nueve en punto de la mañana, hora de Colorado. La parada para llenar el depósito en la base de las Fuerzas Aéreas de Andrews, en las afueras de Washington, había durado más de lo esperado. Sin embargo, el *Gulfstream IV* en poder del FBI, custodiado todavía por los dos F-16 por orden expresa del presidente, finalmente llegaba a su destino: la base de las Fuerzas Aéreas de Peterson.

Bennett tan sólo empezaba a despertarse. Comprobó que llevara puesto el cinturón de seguridad y descubrió que lo tenía atado en la cintura. Miró discretamente hacia Black, que parecía estar escribiendo algún informe en el ordenador portátil. Seguro que se trataba del informe de la tortura y la casi ejecución promovida por el Estado de un amigo íntimo del presidente. También observó a María Pérez, la atractiva azafata a la que no le importaría nada volver a ver.

Mientras salía lentamente de su estado hipnótico inducido por los fármacos, a lo largo de toda la noche Bennett había hablado largo y tendido con Black de cómo le habían tratado y por qué. Sin embargo, aunque pareciera extraño, incluso después de haber dormido unas horas, parecía incapaz de sentir toda la rabia que le gustaría.

En su cabeza quería crucificar a Black. El concepto de someter a un ciudadano estadounidense no sólo a una inyección letal falsa sino también a un disparo falso en el cogote por parte de su propio Gobierno lo ponía enfermo.

Pero en el fondo, aunque odiaba los medios, Bennett comprendía el fin y, por tanto, le resultaba muy difícil condenar a ese hombre o al resto del equipo. Seguramente le habría resultado más fácil convertir el resentimiento en rabia si el hombre de la cicatriz y el yoyó se hubiera encontrado a bordo del avión, pero no era el caso. Ese tipo era un matón a sueldo contratado para ejecutar el trabajo sucio, pertenecía al último escalafón.

Sin embargo, Black era diferente. Bennett no podía evitar sentir simpatía hacia ese tipo, que le parecía al mismo tiempo enigmático, genuino y tranquilizador.

Por un lado, Black era un tipo duro: llevaba placa y pistola y se dedicaba a robar aviones para el Departamento de Estado. Por otro lado, Black tenía una misión en la vida, lo que podría llamarse un objetivo vital: viajaba por todo el mundo atrapando escoria para eliminarla de la faz de la Tierra. Era un buen trabajo si podías conseguirlo y quedaba realmente lejos del modo en que Bennett se ganaba la vida.

Seguramente podría comprar y vender a ese tipo. Black ganaría al año entre sesenta y cinco mil y setenta mil dólares; tendría tres semanas de vacaciones, que seguramente nunca se tomaría, y estaba casado, puesto que llevaba un anillo en la mano izquierda. Pero ¿cuán a menudo podría estar en casa para disfrutar de la vida de casado?

Bennett, por otra parte, ganaba casi un millón de dólares al año, novecientos setenta y cinco mil dólares y pico para ser exactos, más otros dos o tres millones en opciones de compra de acciones, participaciones en los beneficios y otros ingresos diversos, dependiendo de los cambios del mercado. Era un gran trabajo si podías conseguirlo. Y él lo había hecho y tan sólo acababa de empezar.

También tenía un Jaguar XJR de color verde que utilizaba para el trabajo y un pequeño Porsche turbo rojo que utilizaba para las citas y los fines de semana que iba al campo. Viajaba por todo el mundo y se codeaba con los consejeros delegados y los ángeles financieros más poderosos de la economía.

Podía descolgar el teléfono y en cuestión de minutos, o como máximo, de algunas horas, hablar con el presidente de Estados Unidos. Había volado en el *Air Force One* y dormido en Camp David, así como también había cenado en el Kremlin y brindado en la plaza de Tian'anmen. Una vez compró un fantástico anillo de compromiso con un diamante de dos quilates en un viaje de negocios que realizó a Johannesburgo, en Sudáfrica, para algún día, pero todavía no había encontrado a la «señora Algún Día». Todavía no.

Era inteligente, respetado y rico, pero tenía demasiado pronto y era solitario y adicto al trabajo. Poseía un despacho descomunal con unas vistas maravillosas que daban a la zona más lujosa de la ciudad más rica del país más poderoso del mundo de toda la historia de la humanidad, pero llevaba una existencia muy agitada.

La vida en el tren bala giraba en torno a las compensaciones, pequeños tratos que hacía consigo mismo para poder tirar adelante. Tan sólo disponía de un único capital emocional que invertir y había decidido tiempo atrás no diversificarlo, de modo que había destinado todo lo que tenía a su carrera y su cuenta profesional le había repercutido en beneficios del 100 por ciento. El inconveniente estribaba en que parecía tener serios problemas para mantener un balance diario mínimo en las otras cuentas de su vida, a saber, la personal, la emocional y la espiritual.

No tenía ningún amigo íntimo de verdad, tipos a los que poder llamar y pasar el rato y hablar sinceramente fuera del trabajo, lejos del despacho y de los negocios. Parecía serle imposible mantener una novia durante tiempo y no digamos ya una prometida o una esposa, un alma gemela que le conociera profundamente y le amara de manera incondicional, que quisiera que él la conociera y la amara del mismo modo. Así pues, ¿de qué le servía tanto éxito si no tenía a nadie con quien compartirlo?

Tal vez no gane el que muera con los mejores juguetes, pensaba Bennett. Tal vez, ya esté muerto.

Bennett miró por la ventana hacia el F-16 que tenía al lado y hacia las luces de la base de las Fuerzas Aéreas que se acercaban con rapidez. De repente, se dio cuenta de cuán rápido y radicalmente puede cambiar la vida. Veinticuatro horas antes, se había despertado con la expectativa de convertirse en milmillonario y en esos momentos tan sólo daba gracias por continuar vivo. Veinticuatro horas antes, un mundo nuevo parecía posible: un mundo en el que los árabes y los israelíes perforarían la tierra conjuntamente a la búsqueda de petróleo; un mundo en el que dos naciones podrían hacerse ricas hasta un punto inconcebible; un mundo de prosperidad que conduciría a la paz; un mundo en el que la esperanza sería más fuerte que el odio, y un mundo en el que la libertad conquistaría el miedo. Sin embargo, todo se había desvanecido. La cara horrenda y malvada del terrorismo había vuelto a mostrarse y hombres y mujeres morirían o ya estaban muertos a su paso.

En el presente el mundo se tambaleaba al borde de la guerra y la recesión. Y el futuro podría ser incluso peor.

* * *

En esos momentos Jackie Sánchez era la agente del Servicio Secreto al mando.

Absolutamente todo el cuerpo de seguridad presidencial tenía que informarla a ella, dado que John Moore se encontraba en la unidad de cuidados intensivos, luchando por su vida. Después de haber colaborado en el traslado de Gambito hasta el Palacio de Cristal para ponerlo a salvo, Moore se había derrumbado al bajar por un pasillo y empezó a escupir sangre. Le habían devuelto rápidamente al hospital de la base de Peterson y le habían intervenido de urgencia. Sin embargo, a esas alturas, el pronóstico era desalentador.

—¿Está usted completamente seguro? —preguntó Sánchez a través de una línea terrestre inviolable.

Pasaban algunos minutos del mediodía cuando habló por teléfono desde la pequeña sala de reuniones secreta, situada debajo del vestíbulo del descomunal centro de operaciones del Norad, que se hizo famoso, aunque la representación no fue muy exacta, a raíz de la película *Juegos de guerra*, un gran éxito de los años ochenta en la que un par de jóvenes piratas informáticos, por accidente, llevan al mundo al borde de la guerra nuclear. Dos agentes del Servicio Secreto, uno con una unidad canina de rastreo de bombas y otro de la división técnica que buscaba micrófonos escondidos, acabaron de inspeccionar la estancia.

—Del todo seguro —contestó su jefe, Bud Norris.

—Muy bien —afirmó Sánchez—. No acaba de gustarme, teniendo en cuenta lo que ha sucedido.

—Lo sé. Pero, créeme, acabo de leer el informe que Black me envió por correo electrónico desde el avión.

—¿Y qué más?

—Te lo mandará dentro de un instante. Pero, créeme cuando te digo que es fiable.

—Realmente le presionaron, ¿verdad?

—Fueron brutales.

—¿Y los hombres de Black actuaron bien?

—Una interpretación merecedora de un Oscar.

Otra agente sacó la cabeza por la puerta de la sala de reuniones y le hizo un signo con el pulgar.

—Muy bien, jefe. Le tomo la palabra. ¡Eh! ¿Qué hay acerca del acto conmemorativo que el presidente quiere celebrar el sábado?

—No te preocupes por ese tema. He reunido a un equipo para que lo prepare. Será el sábado a las dos del mediodía en la Catedral Nacional. Los responsables de relaciones públicas de la Casa Blanca están rematando los detalles, planificando la seguridad y asegurándose de que todas las familias llegan bien y se les presta la atención necesaria.

—Fantástico. Vayan informándome. Oiga, mire, tengo compañía.

—Bueno, está bien. Un momento, ¿Sánchez?

—¿Dígame, señor?

—Cuando llegue Bennett, cuídele bien. Si puede sobrevivir a la CIA y al FBI, no quiero perderle aquí, bajo nuestra custodia.

—Se lo aseguro, señor.

—Cuídese, Sánchez.

—Lo haré. Gracias.

Sánchez colgó el auricular y cerró los ojos un instante, para recuperar el aliento y ordenar sus pensamientos. Inmediatamente, el teléfono volvió a sonar.

—Aquí Sánchez. Naturalmente. Que pasen.

* * *

Diez minutos más tarde, la mesa de reuniones estaba puesta y preparada para el banquete de Acción de Gracias.

Había zumo de naranja recién exprimido, con grandes trozos de pulpa, que se servía en vasos de cristal; café colombiano acabado de preparar, que se servía en tazas de fina porcelana, y, en un mostrador aparte, un recipiente con cubitos, un gran surtido de refrescos y una fila de vasos con las letras del Norad grabadas en relieve. Asimismo, de la cocina privada del comandante de esa base, entraron dos carritos con fuentes calientes de humeantes lonchas de pavo asado dorado y jamón con miel, montículos mantecosos de puré de patata, boles repletos de ácida salsa de arándanos, boniatos ardientes, salseras llenas de salsa densa para la carne, pequeñas fuentes con zanahoria, apio, pepinillos dulces y aceitunas y cestas cubiertas con una servilleta y repletas de pan de maíz y rollos de patata calientes, con un toque de mantequilla y un olor que abría el apetito.

Bob Corsetti fue el primero en entrar, seguido por el secretario Iverson. Dos agentes del Servicio Secreto ya se encontraban allí, en las esquinas del fondo de la sala. Corsetti e Iverson no tardaron ni un minuto en servirse y, acto seguido, saludaron a Dietrich Black, que acababa de ducharse, afeitarse y llevaba puesto un traje formal. No llevaba encima su Beretta puesto que la había tenido que dejar, por cuestiones de seguridad, en la base de las Fuerzas Aéreas.

—Deek, soy Bob Corsetti —dijo el jefe del Estado Mayor mientras le daba la mano a Black con vigor.

—Hola, Bob. Encantado de volver a verle.

—Hacía ya mucho tiempo y no sabía si se acordaría de mí.

—Ah, bueno... ¿Cómo iba a olvidarlo?

—Lo siento. Siempre nos vemos en situaciones difíciles.

Black asintió con la cabeza.

—Me parece que no conoce a Stu Iverson, el nuevo secretario del Departamento del Tesoro —anunció Corsetti.

—No. Es un placer, señor.

—El placer es mío —dijo Iverson, buscando la mano que le tendía Black y apretándosela con energía—. ¿Cómo ha ido el vuelo?

—Tranquilo.

—¡Qué más quisiéramos todos aquí! —apuntó Corsetti—. Debe de estar muerto de hambre. Por favor, cene algo.

—Parece una contradicción disfrutar de la cena de Acción de Gracias dadas las circunstancias, señor.

—Es verdad. Sin embargo, debemos dar las gracias, puesto que el presidente está vivo y ustedes realizaron una labor excelente con Bennett. Ahora, cenemos.

—Sí, señor. Muchas gracias.

Black se sirvió con cierta reticencia pero con gratitud y tomó una taza del Norad, unos cubitos y una Coca-Cola *light*, naturalmente, y se unió a los dos hombres que ya estaban sentados en la mesa, con la cabeza ligeramente inclinada en señal de gracias.

—Stu, ¿qué auguras para la apertura de la bolsa el lunes? —quiso saber Corsetti.

—Un infierno de fuego y azufre —opinó Iverson con rotundidad mientras removía la nata montada que se había echado en el café—. Asia y Europa han caído en picado de la noche a la mañana. Los futuros de S&P han bajado repentinamente y el Nasdaq ha reaccionado como un perro apaleado.

—¿Un auténtico desastre?

—*El síndrome de China.*

Iverson cortó el pavo con el tenedor y el cuchillo, se llevó un trozo a la boca y se pasó la servilleta blanca acabada de planchar suavemente por los labios.

—Bob, necesitamos buenas noticias y, además, las necesitamos ya.

—¿Y si no hay ninguna?

Iverson lo sopesó un instante y, acto seguido, dejó los cubiertos a un lado.

—Mira, Bob. Después de que las Torres Gemelas se derrumbaran, vinieron tiempos duros. Los mercados lucharon un tiempo y finalmente lograron volver a ponerse en pie. A la postre la gente recuperó la confianza y volvieron a volar y a irse de vacaciones, así como las empresas volvieron a contratar personal. ¿Sí? Ahora, se despiertan todos después de estos atentados, que puede que no hayan acabado aquí, y nos encontramos ante un grave problema de confianza: las empresas de todo el mundo perdieron billones de dólares en el mercado de valores ayer, Bob. Billones en un solo día.

—¿Y qué?

—Pues que irá a peor. Las personas nunca más volverán a consumir.

—¿Y qué?

—Volverán a producirse despidos masivos.

—¿Y qué?

—¿Y qué, Bob? Pues que ya la tenemos montada. Economía de crisis: nadie compra y nadie produce. Se despide a todo el mundo y, por lo tanto, las personas gastan menos. También producen menos. Se trata de un círculo vicioso del que cuesta mucho salir.

—¿Y cuál sería la peor perspectiva?

—Mira, Bob, no quiero...

—¿Una recesión económica?

Iverson negó con la cabeza.

—Bob, una recesión es el menor de tus problemas ahora.

—Explícate, Stu, por favor.

Iverson dejó el café encima de la mesa y respiró hondo.

—Mira, lo único que cuenta ahora mismo es lo que haga el presidente este fin de semana. Sólo eso y punto. Si la cagas ahí, nos encontraremos ante un hundimiento económico generalizado. Y debo decírtelo, Bob: la solución no va a ser arrestar a alguien, eso no ayudará nada. Puedes detener a mil terroristas, o a un millón, pero a nadie le importará un comino. A nadie. Aunque sean todos culpables. Dios mío, especialmente si todos son culpables. La gente no quiere detenciones, no quiere oír hablar de activos congelados, de sanciones económicas, de financiación del Congreso Nacional iraquí o de pinchacitos aquí y allá u operaciones quirúrgicas y cosas por el estilo.

—¿Estás diciendo que la hemos cagado?

Corsetti empezaba a ponerse a la defensiva.

—Eso parece.

—Lo hicimos tan bien como pudimos, Stu. Y no nos ha resultado fácil.

—Lo sé —dijo Iverson—. Tan sólo digo que no fue suficiente, Bob. Con eso no bastó.

—Piensas que deberíamos haber sido más duros con Iraq y cazar, de algún modo u otro, a Saddām. ¿Un cambio de régimen?

—¿No es lo que recomendó la CIA?

—¿Piensas que nos echamos atrás y que deberíamos haber presionado con insistencia a Saddām porque estábamos centrados en perseguir a otros grupos terroristas, más pequeños?

—Fue un buen espectáculo y verdaderamente borramos del mapa a muchos tipos malos, pero...

—Pero ¿no los suficientes?

—Está claro que no. Bob, esto no es una investigación criminal. Es la guerra.

—¿Y qué se supone que quieres decir con eso?

—Significa que debemos luchar como en una guerra, no como en un episodio de *Policías*.

—Muy bien, señor de las frases hechas —dijo Corsetti con desdén—. ¿Y qué me dices de todos los ataques aéreos del Delta Force y de la SAS? ¿Y de todas las imágenes de nuestras Fuerzas Armadas barriendo los campos de entrenamiento de terroristas? Cuarenta y tres, para ser exactos.

—¿Qué pasa con eso?

La voz de Corsetti estaba cargada de cinismo.

—Bueno, te resulta muy fácil decir eso, Stu. Sintiéndolo mucho, te darán un buen palizón este año en la cartera.

—Bob, no se trata de ti y de mí, y lo sabes. Si todas esas acciones a lo Rambo hubieran dado buenos resultados, no estaríamos sentados en una montaña a prueba de misiles cenando el día de Acción de Gracias en este rincón. Espabila ya, hijo mío. La gente no va a quedarse tan tranquila si atentan contra el presidente y la reina de Inglaterra y la Casa Blanca les va diciendo: «Escuchad, lo tenemos todo controlado».

—Quieren que alguien pague por ello.

—¡Claro que quieren! Y que sea alguien importante.

—¿Y si no reciben la venganza que quieren?

—No se trata de venganza, es...

—Sí, lo que sea. Si la gente no tiene el final de película que quiere, ¿qué ocurre?

—Bob, mira, me has preguntado cómo iban a reaccionar los mercados, pero yo te explicaré ahora para qué sirven. Son un enorme organismo de previsión, como una encuesta de seguimiento. Nos dicen qué opina la gente sobre el futuro del mundo: si se levantan llenos de miedo o de fe, si piensan que las cosas van a mejorar o a empeorar. Son como los posos del té, Bob, oráculos. Y ahora mismo están enviando un importante mensaje al presidente, tanto si lo queréis escuchar como si no.

—Tenemos que actuar.

—Tenemos que emprender una gran actuación. Si no, habrá una catástrofe.

Corsetti no dijo nada. No era ningún consejero delegado, avezado al mundo de los negocios y las estrategias económicas como MacPherson. Tampoco era un mago de las finanzas de Wall Street, ni un estratega de las inversiones como Bennett. Distaba mucho de ser un embajador o un diplomático, acostumbrado a lidiar con asuntos internacionales como Iverson.

Era un operario al servicio de la política, un estratega con sentido común más que una cara pública para la foto de turno. Organizaba elecciones y contaba votos. Engrasaba los mecanismos anquilosados antes de que provocaran demasiado ruido y sofocaba el fuego de los matorrales antes de que se extendieran hacia el bosque. No pensaba en plazos de diez, veinte o incluso cincuenta años en el futuro; su pensamiento se estructuraba en términos de ciclos de noticias de veinticuatro horas y de ciclos de elecciones de dos años, razón por la cual Iverson le respetaba, pero por la que, al mismo tiempo, le ponía nervioso, puesto que ya no se trataba de estados marcados de colores rojos y azules en un mapa electoral.

—Bob, alguien tendrá que pagar las consecuencias —concluyó Iverson—. Y tanto pueden ser los buenos como los malos. Y ahí es cuando entráis vosotros. Más vale que lo hagáis bien o un montón de personas sufrirán.

Corsetti se limitó a observar el pavo que permanecía sin probar en su plato y que se estaba enfriando. Black mantuvo la cabeza agachada jugando tranquilamente con el tenedor y el puré de patatas que tenía en el plato. El teléfono sonó y Corsetti respondió. Un instante después, se excusó diciendo que tenía que ir a reunirse con el presidente. Iverson y Black se quedaron solos comiendo.

* * *

El director del FBI, Scott Harris, no estaba solo.

Estaba sentado en una pequeña mesa de reuniones que había en su despacho comiendo con un par de subalternos cuando sonó el teléfono. Acababa de darle un buen mordisco al bocadillo de Jersey Mike número 9 —el «Club Supreme» con ternera asada, pavo asado, emmental, lechuga, tomate, mahonesa y beicon— que le había traído hacía un instante un agente de campo que acababa de llegar de una reunión celebrada en Trenton. Harris contestó de todos modos a la segunda llamada.

—Aquí Harris —masculló como pudo, intentando masticar al mismo tiempo.

—¿Scott? ¿Eres tú? Soy el presidente.

Harris abrió los ojos como platos. Los subalternos vieron como se ponía rígido un instante y recorría con la mirada toda la habitación.

—¿Scott, estás ahí? —volvió a preguntar el presidente.

Harris no podía ir a ninguna otra parte y no tenía otra opción: cogió la papelera que había al lado del escritorio y escupió todo lo que tenía en la boca.

—Sí, señor presidente. ¿En qué puedo ayudarle? ¿Y se encuentra usted bien, señor?

—Dadas las circunstancias, se puede decir que he tenido suerte. ¿Estás bien?

—Sí, señor. Muy bien, gracias.

Los subalternos de Harris se estaban desternillando de risa mientras el director se volvía de espaldas a ellos y miraba a través de la ventana hacia la avenida de Pennsylvania y al resplandeciente edificio iluminado del Capitolio que quedaba al final de la calle.

—¿Qué sabes hasta ahora, Scott?

—Señor, en estos momentos estamos presionando en todas partes. Tenemos algunas pistas interesantes, pero todavía no puedo darle ninguna información. Pronto la tendré, confíe en ello.

—Muy bien, te lo agradezco. Sin embargo, mi máxima preocupación ahora es saber cuánta gente podría saber en qué limusina me encontraba.

—Sesenta y tres, sin contar a su mujer y a sus hijas. Acabamos de concretar la cifra, señor.

—Ya sabes adónde quiero ir a parar.

—Creo que sí, señor. Un topo en nuestras filas. Tal vez se trate incluso de un agente espía.

—¿Crees que sería posible?

—Sinceramente, señor, no lo habría pensado nunca, pero hay demasiadas pruebas sobre la precisión del ataque contra usted. El problema es que no hay muchas personas con las que pueda hablar de este asunto. Si hay alguien, y tal vez no sea una persona sino un grupo, dentro del Gobierno de Estados Unidos que trabaja con los terroristas del exterior o con un Estado terrorista como Iraq, Irán, Corea del Norte o cualquiera que sea, va a ser realmente difícil encontrarlos sin que sepan que estamos persiguiéndolos.

—Precisamente es eso lo que me preocupa, Scott. Tú haz todo lo que tengas que hacer, naturalmente siempre dentro de los límites de la ley. Pero debes superar todas las barreras, volver a comprobar todos los antecedentes, ordenar la vigilancia, intervenir los teléfonos, interceptar correos electrónicos. Me da igual. Quiero saber quién se ha ido de la lengua y también quiero conocer el porqué. Si necesitas que te dé una orden ejecutiva, prepara un borrador y yo la firmaré. Pon a tus mejores agentes a trabajar en esto y rápido. Y no digas ni una palabra a nadie de mi equipo al respecto. ¿Entendido?

—Entendido, señor.

—Scott, cuento contigo. Estas personas no me quieren mandar un mensaje, sino verme muerto. Y no van a obtener un no por respuesta. Si tienen a alguien de aquí dentro trabajando para ellos, debo correr para salvar la vida. Tenemos que cazarlos y sacarlos de en medio antes de que lo hagan ellos conmigo.

—Cuente con ello, señor.

* * *

Stuart Iverson recordó la noche electoral de hacía dos años.

Era la primera campaña presidencial de MacPherson. Recordaba el reloj digital de la cuenta atrás de color blanco y rojo que colgaba sobre el mostrador de recepción que marcaba 00.00.00. El día de las elecciones, la hora cero, había llegado. Todo había terminado, menos el recuento.

Los cuarteles generales de la campaña estaban situados en la quinta y sexta plantas de un enorme almacén reformado en el centro de Denver, que daba hacia Coors Field. Mesas y mesas de teléfonos, ordenadores, faxes y fotocopiadoras, ambas plantas estaban repletas de trabajadores contratados, voluntarios y jóvenes en prácticas.

Los teléfonos no cesaban de sonar y, aunque todos tenían un auricular, si no dos, en la oreja, los timbres del teléfono no paraban ni un instante. Lo más impresionante es que los trabajadores experimentados de la sexta planta consiguieran llevar a cabo su trabajo con el CD de Ricky Martin sonando a todo volumen con la canción de *La Copa del Mundo* proveniente de la jauría de los universitarios en prácticas de la quinta planta.

La moqueta, destrozada y con manchas de café, estaba cubierta por una capa de ejemplares pasados de periódicos, cajas vacías de pizza y comida china y pequeños papeles de notas de color rosa. Unas descomunales pancartas rojas, blancas y azules cubrían las paredes, junto con gran cantidad de caricaturas de la prensa, hojas con datos de la campaña y listas de teléfonos internos. Cinco televisores, cada uno conectado a un canal diferente, colgaban sobre las cabezas de los trabajadores.

Los jóvenes, algunos recién salidos de la adolescencia, correteaban por allí vestidos con tejanos desgastados y camisetas de su instituto, todos con algún importante quehacer. Ese escenario tenía algo de surrealista, una mezcla de sala de noticias de la televisión y casa de un círculo estudiantil un sábado por la mañana.

No era un lugar bonito, pero era el lugar donde se había llevado a cabo a un ritmo frenético la operación de la campaña «conozcamos los votos» a lo largo del día.

Iverson, el presidente nacional de la campaña, había visto como Bob Corsetti, vestido con un impecable traje italiano de color gris marengo con rayas diplomáticas y con el pelo negro azabache peinado hacia atrás y engominado como un magnate de Wall Street, se paseaba con tranquilidad por entre las filas de veinteañeros pegados al teléfono, como si fuera una pantera en plena jungla.

Mientras con la mano derecha daba vueltas obsesivamente a un habano sin encender, los ojos de Corsetti inspeccionaban cada una de las pantallas de ordenador y cada una de las libretas abiertas. Tenía los oídos en todas las conversaciones mientras repasaba las cinco cadenas de televisión que había sobre su cabeza. No decía nada, pero, de hecho, veía como la gente se erguía cuando él pasaba a su lado y todos se ponían a trabajar un poco más o hablaban un poco más deprisa. Corsetti era el cerebro que estaba detrás del milagro de MacPherson y quienes se encontraban en esa sala lo sabían.

Ya en los años noventa, cuando Clinton era presidente, fue Corsetti, entonces director ejecutivo del Partido Republicano del estado de Colorado, quien abordó tranquilamente a MacPherson y le propuso que se presentara a gobernador.

En realidad, fue Corsetti quien, después de que le contrataran como director de la campaña de MacPherson, persuadió a ese consejero delegado que nunca antes había sido elegido de que financiara parcialmente su propia campaña y renunciara a sus socios capitalistas para conseguir otros quince millones de dólares.

También fue Corsetti quien planificó la estrategia para que MacPherson ganara, no sólo las elecciones a gobernador, sino también por mayoría la Asamblea Legislativa Estatal ese mismo año. Fue también Corsetti, recién elegido nuevo jefe de estrategia política del gobernador, quien ayudó al novato a salir adelante con un programa agresivo y conservador con reducciones de impuestos, reformas de las prestaciones sociales y abolición de la libertad condicional para delincuentes violentos y reincidentes. Todo eso contribuyó a que MacPherson ganara la reelección de manera abrumadora y se posicionara en un lugar perfecto para presentarse como candidato para la presidencia del Partido Republicano.

De hecho, todos buscaban el respaldo de Corsetti, y no el de MacPherson, para que las cuentas salieran, para poder poner a su hombre en la Casa Blanca y para que les compensaran las jornadas de dieciocho horas que habían dedicado a la campaña durante los últimos dieciocho meses, cuando podrían haber estado ganando mucho dinero o saliendo por ahí todas las noches.

Lo curioso de las campañas presidenciales es que, a menudo, los que trabajan en ellas se sienten más unidos al director de la campaña que al mismo candidato. Después de todo, el candidato es una ilusión, una fantasía, una proyección de todo lo que esperan tener con el próximo jefe del país. Sin embargo, nunca lo ven, no se encuentra nunca en los cuarteles generales. Nunca están en un mitin con él, nunca le pueden preguntar o charlar un rato con él, o subirse con él en el coche de la caravana presidencial o coger el autocar con él. Se trata de una cara en un póster electoral, un nombre en un panfleto, una posición, un número en las encuestas, un trozo de discurso electoral en las noticias de la noche.

En cambio, el director de campaña es real. Es quien los contrata, dirige las reuniones de trabajo, aprueba las solicitudes de pedidos, firma los cheques, charla con ellos un minuto y decide quién será el próximo «trabajador de la semana» y les recompensa con un botecito de salsa termonuclear del sudoeste como regalo. Si trabajan más, se esfuerzan más, se quedan hasta más tarde y sacrifican más de su poco tiempo libre por el bien de la campaña, es más probable que lo estén haciendo por el director de la campaña y no por el candidato, porque el primero es su líder y el otro es tan sólo un eslogan.

Corsetti parecía intuir correctamente la psicología, los ritmos y los ánimos de una campaña: parecía saber perfectamente cuándo atacar y cuándo permanecer callado; parecía conocer dónde derrochar el dinero y dónde reducir gastos. Lo que estaba también claro es que prefería que le temieran a que le quisieran, pero en su equipo ambas cosas se daban a la vez.

A sus cuarenta y nueve años, era más un padre para esos chiquillos que un simple jefe, le consideraban una especie de padrino. Una vez, el *New York Times* le describió como el «*consigliere* de Colorado», el *Newsweek* le apodó el «Don de Denver» y el Comité Nacional Democrático una vez le llamó «Don Corleone vestido de Donald Trump». Sin embargo, nadie de la campaña se atrevía a repetir estos motes, al menos no en su presencia. Bob Corsetti no podía aguantar a los bufones y no toleraba las tonterías. Siempre estaba trabajando, continuamente, y su trabajo consistía en ganar.

Iverson recordaba que cuando Corsetti acabó los últimos recuentos esa noche electoral, no dio indicaciones especiales a su equipo sobre la importancia de California. No les dijo que las elecciones en ese estado acabarían al cabo de una hora y no dio ninguna palmadita en la espalda a nadie, así como tampoco hizo rodar ninguna cabeza.

Se limitó a caminar por la habitación y a supervisar el campo de batalla; acto seguido, abandonó el edificio sin mediar palabra. No era necesario. Todo el mundo sabía lo que esperaban de él y cómo debía actuar. Nunca antes había sabido tan deliciosa una victoria como la que obtuvieron esa noche.

Pero desconocían lo que se avecinaba.

* * *

Exactamente a las cuatro de la tarde, Bennett entró en la sala de reuniones.

Corsetti, que ya había terminado su reunión con el presidente, levantó la mirada del teléfono, lo miró y lo saludó con la cabeza, como también hizo Iverson. Black se incorporó y le saludó con un apretón de manos mientras le preguntaba si le apetecía comer algo. Sin embargo, todos se hicieron cargo de que

Bennett no estaba pensando en comida. En ese instante, la agente Sánchez volvió a asomar la cabeza y señaló a Bennett.

—¿Señor?

—¿Sí?

—Al presidente le gustaría verlo ahora.

Bennett se bebió a toda velocidad un sorbo de zumo de naranja del vaso del sitio que le estaba reservado y se secó la boca con una servilleta que estaba esperando en su plato vacío.

—Hola, Stu —dijo mientras pasaba al lado de su antiguo jefe.

—Hola, Jon —contestó Iverson, todavía confundido por los acontecimientos.

Bennett siguió a Sánchez y cerró la puerta tras de sí. Se encontraba en el despacho privado del comandante del Norad iluminado con una luz tenue, con las paredes forradas de estanterías combadas por el peso de unos enormes tomos de Churchill y Clausewitz, Kissinger y Kerans-Goodwin. Era una estancia espaciosa, un tanto estrecha, impregnada de un suave olor a tabaco de pipa que le recordaba el estudio de su abuelo, catedrático de derecho de la Universidad de Georgetown, cuando de pequeño iba a visitarle.

Al otro extremo de la habitación había un fuego que crepitaba en un hogar de piedra. No tenía ni idea de adónde iría a parar el humo, si subiría por la montaña. También había un magnífico reloj de pie en funcionamiento y que debía de tener más de cien años y una inmensa mesa de despacho con una lámpara de escritorio tipo banquero y una gran silla de piel de color verde en la que estaba sentado el presidente de Estados Unidos con dos agentes del Servicio Secreto al lado, de pie.

—Entra, Jon. Ven, siéntate —dijo el presidente, con una expresión suave y franca.

Al acercarse Bennett se dio cuenta de que el estado del presidente era bastante peor de lo que la prensa había informado. Sí, el presidente se había dirigido brevemente a la nación la noche anterior, pero lo había hecho por radio, no por televisión, le había contado Black al aterrizar en Peterson. Asimismo, el presidente había concedido diversas entrevistas a Associated Press y a los principales periódicos para las ediciones de Acción de Gracias, pero habían sido entrevistas telefónicas, no en persona, aduciendo «razones de seguridad». Realmente así era, puesto que si el país viera lo que estaba contemplando ahora Bennett, el Dow seguro que perdería el lunes tres veces más de lo que ya iba a perder.

Bennett no podía creer el aspecto tan frágil que mostraba su amigo y mentor.

De complexión ya de por sí delgada, parecía haber perdido diez o quince kilos las últimas veinticuatro horas. La cara del presidente estaba masacrada, tenía los ojos de color negro y azul, la cabeza vendada y su brazo izquierdo, roto, enyesado, mientras que el derecho, fracturado, reposaba en un cabestrillo. Tenía dos tubos por vía intravenosa y se percató de que estaba sentado en una silla de ruedas. ¿Podría ser que también se hubiera fracturado ambas piernas?

Bennett no tuvo valor para preguntárselo. Recorrió con la mirada los largos rasguños de las manos y la cara del presidente hasta llegar a la sosegada confianza de los ojos.

—Señor presidente...

—Jon, estoy bien.

—Pero es que...

—De verdad. Estoy bien. He sobrevivido. No te preocupes por mí. Quiero hablar de ti. Por favor, siéntate.

Bennett tomó asiento sin abrir la boca justo delante del presidente, al otro lado de la mesa.

—Jon. Quiero que sepas que... Bueno, que lo siento.

—Señor presidente, ¡por favor!

—Lo digo en serio, Jon. No sé ni cómo contarte cuánto lo siento. Sé que no es suficiente. Pero realmente no sé cómo...

—No es en absoluto necesario, señor presidente.

—No, Jon. Sí lo es. Eres mi compañero, eres amigo mío. Siempre me has sido leal y, bueno, eres prácticamente de la familia para Julie, las chicas y para mí. Y me siento terriblemente mal por todo esto. Pero al mismo tiempo declaro que soy el único responsable.

—Señor...

—Fue decisión mía. Y, sinceramente, si tuviera que volver a hacerlo, lo haría de nuevo.

¿Qué debía decir? A Bennett le resultaba difícil incluso mirar a la cara al presidente y no precisamente porque sintiera rabia o rencor, sino por puro dolor al verlo en esas condiciones tan terribles y sabiendo lo cerca que había estado ese hombre de morir en el atentado. Era una especie de milagro que hubiera sobrevivido y parecía que eso hacía que el trauma que acababa de sufrir fuera un tanto más soportable.

—Julie y las chicas te han preparado una tarta de calabaza.

El presidente le señaló con la cabeza la tarta envuelta en plástico transparente con una pequeña nota con su nombre en el sobre y una cara sonriente. Bennett se limitó a asentir con la cabeza sin decir nada.

—He hablado con Deek por teléfono mientras dormías en el avión.

—¿Lo conoce?

—Su hermano y yo pilotamos cazas juntos en Vietnam.

—No lo sabía.

—¿Sabías que te tenía vigilado en Israel?

—No.

—¿Sabías que había agentes suyos que te seguían a seis metros a cada paso que diste desde que bajaste del avión en Ben Gurión hasta que volviste a entrar en el aeropuerto para regresar a casa?

Bennett negó lentamente con la cabeza.

—¿Sabías que hablé con el primer ministro israelí antes de que te marcharas hacia allí, para pedirle que me asegurara personalmente que no te ocurriría nada mientras te encontraras en su país? ¿Sabías que Barshevsky trabaja para nosotros?

Bennett volvió a negar con la cabeza parsimoniosamente.

—¿Te contó que tanto él como la CIA han estado investigando a Sa'id y a Galishnikov durante los últimos seis meses?

—No exactamente.

—Todas las llamadas telefónicas, todos los socios, todas las reuniones, todas las cartas y todos los correos electrónicos.

—¿Por qué?

—Me parece que ya sabes por qué.

Bennett realizó un gesto afirmativo con la cabeza.

—Jon, he hablado con todas las personas involucradas con esta operación, con todas y cada una de ellas.

Era una faceta de MacPherson que Bennett desconocía por completo y percibía cómo el presidente realizaba serios esfuerzos para encontrar las palabras adecuadas. Finalmente, el mentor hizo un gesto de dolor.

—Con todas y cada una de ellas. Me han contado que no te has rendido nunca y que no has cesado ni un instante para conseguir el trato del petróleo. No has dejado a tus amigos de lado, nunca.

Los ojos del presidente, en este punto, estaban rojos y húmedos. Por su parte, a Bennett empezó a temblarle el labio inferior. Ambos eran hombres comedidos y cuidadosos que no estaban avezados a demostrar sus sentimientos, ni en público ni en privado, y los acontecimientos de las últimas veinticuatro horas no habían contribuido a cambiarlos.

—Bueno. Tan sólo quería que supieras... Bueno, tan sólo quería darte las gracias.

Bennett dirigió los ojos hacia Sánchez, que lo estaba mirando sin mostrar ninguna emoción. Los demás agentes también lo estaban observando. ¿Era desconfianza lo que leyó en sus ojos o tal vez simpatía? Tal vez fueran ambas cosas. Realmente no tenía ninguna importancia, pero sentía curiosidad.

—No sé qué decir, señor presidente. Simplemente, me alegro de que se encuentre bien.

Bennett estaba muy confundido: tenía la mente, todavía algo mareada, hecha un torbellino de emociones, pensamientos y reacciones que aún no había tenido la fuerza de identificar, ordenar ni comprender. Todavía no. Así que no dijo nada. La sala se quedó un instante muda y tan sólo eran audibles el crepitar del fuego que ardía cerca de los dos y el tictac que emitía el reloj de pie desde la esquina.

—Estoy bien, de verdad. Gracias —dijo el presidente.

De repente Bennett se recompuso y recuperó su carácter habitual.

—Me alegro, porque está hecho un asco.

Perplejo, el presidente lo miró un instante y empezó a reírse a carcajadas, a las que Bennett se unió rápidamente.

—¿Quieres tomar algo?

—Creí que no me lo preguntaría nunca.

—Buen chico. Sánchez, haga que sus hombres nos consigan un par de vasos y un *brandy* o un *whisky*. Que sea añejo y bueno.

—Sí, señor presidente.

—No estoy de broma, Sánchez. Llame al comandante y pregúntele qué tiene escondido por aquí para celebrar algún día si descubre que los pájaros vuelan y que se dirigen hacia él. Ordénele que baje aquí inmediatamente y nos abra la maldita botella.

—Cuente con ello, señor. También se lo comentaré a su doctor.

—Oh, Sánchez, no nos estropee la fiesta ahora. Enróllese un poco.

Sánchez sonrió y se dirigió hacia el otro extremo de la sala, donde descolgó el teléfono. En ese instante el presidente se volvió hacia Bennett.

—Jon, tengo una reunión del Consejo Nacional de Seguridad dentro de poco y puede que nos interrumpan algunas llamadas telefónicas. Pero me gustaría hablar contigo francamente un instante. Además, te tengo reservada una sorpresa.

—Por favor, ¡más sorpresas no!

—Ésta te gustará.

El presidente cogió el auricular.

—Hola. ¿Podéis enviarnos a Kojak? No, ahora mismo. Bueno, supongo que... Está bien. De acuerdo. Gracias.

Colgó el auricular.

—¿Kojak? —preguntó Bennett.

—Es un nombre en clave.

—¡No me diga que tiene a Telly Savalas escondido por aquí! —bromeó Bennett.

—Muy gracioso.

—Ahora en serio. ¿Quién es?

—Tu cómplice en el crimen.

—¿Mi qué?

—Tu socio. Te tengo preparado mucho trabajo, Jon. No podrás hacerlo solo.

—Señor, no sé de qué me está hablando.

El presidente lo contempló unos instantes.

—Jon, ¿por qué crees que te he hecho pasar por todo esto?

—¿Debería saberlo? No tengo ni idea.

—Seguro que lo sabes.

—¿Ah, sí?

—Claro.

Bennett contempló el crepitar del fuego, que le hacía sentirse a gusto, tranquilo y seguro.

—Bueno... Supongo que quería asegurarse de que era leal, honrado y que no constituía ninguna amenaza para su seguridad.

—¿Qué más?

—Señor, de verdad que yo...

—Jon, escúchame.

Bennett se dio la vuelta y miró al presidente directamente a los ojos.

—Necesito que te incorpores a mi equipo, Jon. No te necesito en Wall Street ni en Denver. Te necesito en mi equipo.

—¿Qué quiere decir, señor?

—Que quiero que trabajes para mí.

—¿Con dedicación exclusiva?

—Naturalmente.

—¿En la Casa Blanca?

—¿Dónde si no?

—Señor, con el debido respeto...

—¿Con el debido respeto? Jon, ¡me acabas de decir que estoy hecho una piltrafa!

Bennett no pudo evitar reírse. Puede que el hombre hubiera estado al borde de la muerte, pero no había perdido su sentido del humor.

—Bueno, sí, es verdad, señor. Pero yo...

—¿Qué vas a decirme?

Bennett se puso en pie para intentar formar una frase coherente.

—Yo... Señor, yo... Por si no lo recuerda, acabo de cerrar un pacto por valor de mil millones de dólares.

—Créeme, no se me ha pasado por alto.

—Bueno, ya sabe. Quiero decir que trabajar para la Casa Blanca suena bien, señor. Pero estoy a punto de convertirme en milmillonario en los próximos años. ¡Milmillonario, señor! Quiero decir que...

—No. Nada de eso.

—¿Nada de eso?

—Jon, ya sé que todavía no se te ha pasado el efecto de lo que te han inyectado. Pero me da la sensación de que no te has percatado de lo que está ocurriendo ahí fuera. Tú y yo estamos en el Norad, Jon. Unos terroristas me han atacado. Otros terroristas acaban de bombardear el Palacio de Buckingham y, en París, han atentado contra el primer ministro canadiense. Acaban de estrellar un 747 completamente cargado contra el palacio de la familia real de Arabia Saudí. Jon, se ha acabado. El mundo que tú y yo conocíamos hace veinticuatro horas ya no existe.

MacPherson era de verdad un mentor y siempre intentaba ayudar a Bennett a descubrir un horizonte más amplio, una historia detrás de la historia.

—A menos que... —añadió el presidente.

Nervioso por su falta de instinto, Bennett cayó en la trampa.

—¿A menos que qué, señor?

—A menos que lo reconstruyamos juntos.

—¿Reconstruirlo?

—Así es.

—¿Cómo, señor?

—Ya llegaremos a ese punto.

—Pero antes, ¿tengo que entrar a trabajar para la Casa Blanca?

—Exactamente.

Bennett se recostó en la silla y se frotó los ojos. ¿Dónde estaba la bebida que había ido a buscar Sánchez?

—Señor. Yo no sé qué decir.

—Di sí.

—Señor, ¿cuál sería mi trabajo? No sé nada acerca de Washington, de política o de terrorismo —protestó Bennett—. Me he pasado la vida pensando en estrategias de inversión y no, ya sabe, no... No sé nada más.

—Tonterías.

—¿Perdone?

—Jon, eres un experto en cerrar tratos, investigar, analizar, asesorar a los líderes y las empresas y las industrias de oportunidades y signos de preocupación. Tienes un don para leer los posos de té y convencer a las personas de que compren la compañía del té. Es exactamente lo que necesito ahora.

Bennett se sentó sin decir nada.

—Jon, a menos que haga algo, y lo haga rápido, los mercados se desmoronarán. El mundo se sumirá en una recesión, que tal vez incluso llegue a una depresión. Pero actuaremos y, cuando lo hagamos, necesitaremos una estrategia para la paz, no sólo para la guerra. Y aquí es donde tú entras en escena.

—¿Cómo? ¿En una especie de plan Marshall del siglo XXI? Señor presidente, ya sabe que...

—No, no. Nada de eso. Vamos, Jon, piensa. Te aseguro que

cuando las nubes se disipen encontraremos a Saddām Hussein detrás de todo esto. Y si tenemos que entrar en guerra contra Iraq, cuando ganemos, ¿quién saldrá beneficiado, aparte de nosotros?

—Bueno, señor. Depende.

—Vamos, Jon. Si te despertaras dentro de algunos meses e Iraq ya no supusiera ninguna amenaza, pongamos por caso, ¿a quién beneficiaría esa situación?

—A Israel, supongo.

—Exactamente. Ahora, Jon, reflexiona un poco. Si todo sale bien, nuestro contrato del petróleo será una realidad. Podremos someter a la mayor amenaza geopolítica de Oriente Próximo, el epicentro del mal, y después ayudar a Israel y a Palestina a convertirse en dos de los países más ricos de la historia de la humanidad. Podremos erradicar el terrorismo y llevar la paz y la prosperidad a Oriente Próximo. Tú y yo podríamos hacer realidad aquello en lo que las personas han estado pensando y soñando durante más de quinientos años. Año nuevo en Jerusalén. La paz en Oriente Próximo. Y tu contrato, Jon, tiene que ser el eje vertebrador.

—¿De verdad cree eso?

—Llevo meses dándole vueltas. Ya llevo tiempo queriendo hablar contigo de convertir ese tratado en un acuerdo de paz histórico. Pero no ha sido hasta que me he despertado aquí, en el Norad, cuando he visto claro lo que tenía que hacer.

—¿Y por qué no debería quedarme donde estoy ahora?

—Porque te necesito a mi lado. Jon, olvídate del dinero. No vas a ser milmillonario. Eso no va a ocurrir. Y el problema es que, si continúas trabajando en GSX, no podemos utilizar tu trato como el eje central de mi estrategia de paz.

—¿Por qué no?

—Sería un conflicto de intereses, y lo sabes.

—¿Y qué me dice de Stu?

—Stu lo vendió todo para convertirse en secretario del Departamento del Tesoro. Yo mismo lo obligué. Naturalmente, podría haberse hecho rico. Pero, escucha, ya tiene las espaldas bien cubiertas. Así que ahora es mi mano derecha en el Tesoro. Sin embargo, en este asunto, quiero tenerte cerca para supervisarlo a diario y llevar este barco a buen puerto.

—Señor, no acabo de ver exactamente adónde quiere llegar. Quiero decir...

—Jon, mira, te lo aclararé todo en un instante. Pero primero necesito que me des una respuesta.

Bennett se reclinó en la silla y miró hacia el techo.

—Dejar GSX y trasladarme a Washington, ¿verdad?

—Asesor personal del presidente.

—¿Y ser un trabajador más de la Casa Blanca?

—Ya sé a quién voy a echar para darte su despacho.

Bennett se rió.

—¿A Bob?

Ahora fue el turno del presidente.

—¡No! No te negaré que algunas veces ya me gustaría, pero...

Bennett sopesó los pros y los contras. Otra vez, su vida estaba a punto de dar un giro radical. No le entusiasmaba la idea, pero tampoco podía hacer mucho más.

—Bueno, supongo que se lo debo por no haberme matado, ¿verdad?

El presidente sonrió y le acercó una carpeta de piel negra con la insignia presidencial, deslizándola por la mesa.

—Ése es el espíritu que quiero ver. Ahora, firma aquí.

—¿Qué estoy firmando?

—El primer documento es tu dimisión de GSX, que se hará efectiva inmediatamente. El siguiente es tu aceptación de mi oferta de trabajo. Asesor personal del presidente. Noventa mil al año, más todos los beneficios gubernamentales aparte.

—Bob gana ciento cuarenta mil.

—No me aprietes, Bennett. Yo no convertí a Bob en millonario en GSX.

—Ya, pero, ¿no es verdad que obtuvo un porcentaje de todos los anuncios durante la campaña?

El presidente volvió a sonreír.

—De acuerdo, le hice millonario, pero no en GSX.

—Da igual dónde.

—Jon, mira. En primer lugar, puedes permitirte una reducción del salario. En segundo lugar, es fundamental que pases inadvertido. Si ganas más de cien mil al año, vas a aparecer en todas las pantallas de radar. La prensa estará husmeando y eso es algo que ahora mismo no me conviene en absoluto.

—Siempre ha sido un buen contable.

—Todavía no has visto nada, pequeño.

Bennett empezó a revisar los documentos que había en la carpeta.

—Entonces, ¿quién es Kojak? —preguntó Bennett mientras sacaba su Montblanc para firmar.

—Ay, sí. ¿Sánchez?

La agente cogió el teléfono para descubrir a qué se debía el retraso.

—Es Black, ¿verdad? —preguntó Bennett.

—No, pero quiero que esté en tu equipo. Quiero que formes un equipo dentro de la Casa Blanca que esté en contacto directo conmigo y con el Consejo Nacional de Seguridad. Públicamente, no existiréis, pero, en privado, mientras me encargo de dirigir la guerra, vosotros os encargaréis de transformar ese contrato de petróleo en un tratado de paz. Me informaréis directamente a mí y a Marsha Kirkpatrick.

—¿La capitana Kirkpatrick?

—Tienes buenas fuentes de información, Bennett. Y también tienes agallas. Eso me gusta.

—Así pues, ¿por qué llamáis a ese tipo Kojak? Quiero decir que, como puede adivinar, pensé que se trataba de Black, porque es calvo.

—Sí. Buen intento, pero fallido.

—Muy bien. Entonces, ¿quién es?

—Kojak lleva cinco años trabajando para la CIA. Posee autorizaciones de seguridad del más absoluto secreto y tiene un alto cargo de asistente del director. Conoce a todo el mundo. Me conoce a mí, conoce el contrato del petróleo y ha estado trabajando como agente de campo los últimos dos años: vigilándote, de hecho.

Bennett estaba perdido. Seguro que no era el demente y desquiciado agente de la CIA de Israel, el del yoyó, pensó. Preferiría retirarse y convertirse en miembro activo de Greenpeace antes que trabajar con ese lunático.

La puerta del otro extremo de la estancia se abrió, la misma puerta por la que Bennett había entrado antes. Éste no daba crédito a sus ojos. Sintió que el viento le echaba por los suelos.

Kojak no era un hombre, sino que era una mujer. Su nuevo «cómplice en el crimen» era Erin McCoy.

CAPÍTULO OCHO

—Hola, Jon —dijo McCoy con una sonrisa y un gran Chupa Chups en la boca—. He oído que te metieron una bala por culpa del presidente.

Bennett estaba sentado y completamente perplejo mientras McCoy caminaba lentamente hacia donde se encontraban los dos hombres y se sentaba en el otro sillón de piel verde. Los ojos de color verde mar de la chica brillaban con una chispa de diversión.

—Me parece que ya os conocéis —dijo el presidente saboreando el momento.

—Muy divertido —bromeó Bennett—. ¿Así que la CIA?

—Sí.

—¿Y no GSX?

—Bueno, ambos.

—¿Ambos?

—Sí.

—¿Qué eres en realidad? ¿Una especie de analista? —preguntó Bennett, con un ápice de burla.

—¿Y tú? ¿Una especie de imbécil? —le devolvió McCoy sin perder la sonrisa ni un instante.

—¿Qué significa esto?

—No, no soy analista. Soy agente. De operaciones.

—¿Operaciones?

—Así es, amigo mío.

—¿De qué hablas?

McCoy se rió.

—No, hablo en serio. Te pagaba doscientos mil dólares al año, más opciones, mutua médica y participación en los beneficios, ¿y va y resulta que estabas trabajando para la CIA? ¿En «operaciones»? Quiero decir que me cuesta creerlo. ¿Qué está pasando aquí?

—Bueno, es un buen trabajo, si lo consigues.

—Ya, sí. Pero, quiero decir que si no es ilegal o algo por el estilo —dijo bruscamente dándose la vuelta hacia el presidente, buscando un aliado.

—No, no lo es —contestó MacPherson, totalmente desconcertado por la reacción de Bennett—. De hecho, me parece bastante divertido.

Bennett se volvió hacia McCoy.

—¿Divertido? ¿Quién eres en realidad? ¿Jane Bond, ya sabes cero, cero, algo?

McCoy miró al presidente.

—Ya se lo advertí, señor —declaró—. Ese tipo de Israel debería haber acabado el trabajo.

* * *

En Iraq era conocido como Al Nida, el camello alemán de Oriente Próximo.

Naturalmente, ese tren de carretera de Daimler-Benz parecía un camión de ayuda humanitaria de Naciones Unidas cualquiera para la entrega de comida y la asistencia médica que cubre la ruta de Jordania a la antigua patria del rey Nabucodonosor. Era enorme, largo y blanco, con las siglas «U. N.» escritas en mayúsculas y pintadas de un color azul pálido que podían leerse a ambos lados, así como en la parte superior del camión para que no se produjeran errores de identificación por parte de las fuerzas militares iraquíes o de los satélites espía estadounidenses que les sobrevolaban.

Del mismo modo que el resto de camiones que hacían esa ruta semana tras semana, todos los meses del año, atravesando la desértica autopista número 10, que parecía olvidada de la mano de Dios y que unía Ammān con Bagdad, ese tren de carretera viajaba en una pequeña caravana junto con otros cuatro vehículos blancos, Range Rover británicos, de hecho, todos con las letras de Naciones Unidas.

Había pocas cosas peores que sufrir una avería y encontrarse uno mismo perdido y solo en los desiertos occidentales de Iraq, en los que las tormentas de arena cegadoras y sofocantes pueden caerte encima en cualquier instante y en los que las temperaturas diurnas pueden superar fácilmente los cincuenta grados centígrados. Así pues, viajar en equipo, con una provisión de agua, comida y carburante más que adecuada no era algo excepcional, sino que era lo normal.

Una hora y media después de haber dejado atrás las cercanías de Bagdad, unos agentes de policía pararon la caravana conocida por los agentes iraquíes con el nombre de Q17 y la desviaron hacia Al Habaniya, complejo militar y base de las Fuerzas Aéreas de alta seguridad, vigilada por las fuerzas de élite de la Guardia Republicana, donde entró en el hangar número cinco.

La operación completa de desvío duró tan sólo 19 minutos, después de los cuales la caravana obtuvo el permiso para retomar el camino hacia Jordania, con un Range Rover delante, seguido por el Al Nida y otros tres todoterrenos cerrando la procesión.

Los 25 hombres que formaban el Q17 pasaron por delante de Toliaha y Rutba manteniendo el código de silencio más estricto. No se oyeron intercomunicadores, ni teléfonos móviles, ni radios AM/FM, ni casetes o CD. Tampoco se permitió ninguna conversación en toda la caravana. En ese instante, se pararon a un lado de la carretera, justo antes del desvío en la autopista 10 donde hay que tomar la decisión de si dirigirse al norte hacia Al Tanf, en Siria, o bien en dirección al sudoeste hacia Trebil, en Jordania.

Comunicándose con las manos, la mayoría de los hombres sacó comida y bebidas. Cuatro hombres más descargaron rápidamente grandes botes de combustible con los que llenaron los depósitos de los todoterrenos, sin que pareciera importarles que los vehículos estuvieran en marcha o todos estuvieran fumando un cigarrillo.

* * *

Dadas las circunstancias, el presidente agradecía poder reírse un rato.

Al cabo de unos minutos empezaría la reunión informativa del Consejo Nacional de Seguridad y tendría que volver a concentrarse otra vez en la crisis que estaban viviendo. Sin embargo, también era muy importante conseguir que Bennett y McCoy se sintieran cómodos ante la perspectiva de trabajar codo con codo. Especialmente teniendo en cuenta la misión que iba a encomendarles.

—Mira, Jon —dijo—. Eres como un hijo para mí. Por esa razón le dije a Stu que contratara a Erin hace algunos años. Le pedí que te vigilara, que te cubriera las espaldas y comprobara las identidades de Sa'id y Galishnikov. Y puedo asegurarte que es buena, muy buena.

—¿Stu también sabe que Erin trabaja para la CIA?

—No, no lo sabe, pero se lo diré a su debido tiempo. Escucha, mira, tienes otro documento por firmar —dijo el presidente, alargándole otra carpeta de piel negra.

—¿Para qué es ésta?

—Habla de todo lo que acabamos de contarte y de lo que te contaremos en un futuro. Es información estrictamente confidencial y está sujeta a todas las leyes federales relativas a las comunicaciones presidenciales confidenciales. Puedes leer toda la letra pequeña, si quieres. Pero en líneas generales viene a decir que no podrás hablar con nadie, a menos que te dé el consentimiento expreso, de lo que vamos a hacer. ¿Entendido?

—¿Todavía no he pasado la prueba de «mantener el pico cerrado»?

—¿Erin? —preguntó el presidente.

—Creo que podemos fiarnos de él —sonrió ella.

—Bueno, gracias por el voto de confianza.

—Es un placer.

—Firma ya, Bennett —dijo el presidente poniéndose práctico.

Así lo hizo.

—Dígame, señor presidente —continuó Bennett—, ¿de qué se conocen ustedes? Ya sé que, naturalmente, a través de GSX. Pero parece que se conocen de antes, ¿no es cierto?

—Lo ves, Erin. Ya te dije que era un tipo listo.

—Es verdad, ya me lo había dicho.

—Pero no estabas segura del todo.

—Bueno, ya sabe, últimamente he trabajado bastante más cerca de él que usted.

—Es verdad.

El presidente miró a Bennett y luego volvió a dirigirse a McCoy. Otra vez, volvió a contemplar al hombre.

—Espera un instante —dijo MacPherson—. Cuenta alguna anécdota.

—¿Qué? ¡Ah, no! —objetó ella.

—No, no, no. No me digas que no tienes ninguna anécdota, McCoy.

—Señor presidente, por favor. Erin no tiene ninguna...

—¡Claro que sí! Suéltalo, McCoy.

—No, señor. Yo...

—Suéltala.

—Bueno, señor. Ya sabe, tal vez tenga una.

—¡Erin! —protestó Bennett.

McCoy se limitó a reír:

—¿Qué?

—No le cuentes ninguna anécdota ni nada.

—Jon, tengo que hacerlo. Es mi jefe.

—¡Yo soy tu jefe!

McCoy le pellizcó la mejilla como si fuera su abuela.

—Sí, es verdad, pero no eres el presidente.

—No me lo puedo creer.

Sánchez volvió a la sala con una botella de brandy muy vieja que parecía extremadamente buena y tres vasos, que dejó encima de la mesa de despacho del presidente.

—¡Buen trabajo, Sánchez! —gritó el presidente—. Así se hace.

—Tan sólo me encargo de los repartos, señor.

—Y no es poco.

Bennett cogió la botella y sirvió un vaso a cada uno. También le sirvió uno a McCoy, aunque sabía que no bebía.

—Señor, me gustaría proponer un brindis.

—Me parece bien. Vamos, di, Bennett.

Los tres levantaron los vasos.

—Por mi amigo, el presidente, para que encuentre a los que le han hecho esto y los masacre.

Todos se rieron, brindaron y observaron a McCoy beberse el vaso de un solo golpe.

—Erin, creía que no bebías.

—Tienes mucho que aprender, ya lo verás.

—Muy bien, McCoy, empieza ya el relato —ordenó el presidente.

Así que comenzó.

—Muy bien, vamos allá. Hace un año, el ex secretario del Departamento del Tesoro, Murphy, y su esposa Elaine nos invitaron a Jon y a mí al campo de Miami de la Super Bowl. Fuimos en calidad de invitados personales.

—Oh, venga, Erin. No puedes contarle eso al presidente.

—Tiene que ser muy bueno —declaró MacPherson mientras se tomaba otro traguito de *brandy*.

—¿Todavía no ha oído esta historia, señor presidente? —quiso saber McCoy.

—No, me parece que no.

—Yo sí la he oído —interrumpió Sánchez.

—¿Qué?

Bennett estaba muerto de vergüenza, mientras Sánchez sonreía.

—Muy bien. Así que cogemos el Learjet de GSX hasta Miami, todo muy bien; nos recoge la limusina grande, llegamos al estadio Joe Robbi, ya sabe, y entramos en la zona VIP.

—Jon sólo quiere lo mejor.

—Naturalmente, señor. Nos acompañan hasta arriba, hasta los asientos privados del secretario, donde se encuentran él, su mujer, los guardas de seguridad y unos cuantos consejeros delegados. Ya sabe, lo típico.

—De memoria, lo sé.

—Todo ha ido muy bien, y es que los Murphy son encantadores, y ya se acerca el final del cuarto cuarto y el secretario está en la puerta, despidiéndose de los consejeros delegados, que se van antes a alguna fiesta, supongo.

—Ingratos.

—Sí, lo son.

McCoy miró de reojo a Bennett, que tenía la cara escondida detrás de las manos.

—Así que tenemos al secretario en la puerta despidiéndose de los demás invitados y tan sólo quedamos Jon, la esposa del secretario, los tipos de seguridad y yo.

—Sí.

—Y, bueno, ya sabe, la señora Murphy ya tiene cierta edad y no oye demasiado bien.

—Sí, es verdad. Lleva dos de esos aparatos enormes.

—Exacto. Pero...

McCoy empezó a reírse un poco porque Bennett empezó a negar con la cabeza.

—Pero Jon está totalmente concentrado en los últimos minutos de partido. Bueno, todos lo seguimos y nadie dice nada.

—Era un buen partido.

—Efectivamente. Y Jon, mientras tanto, está comiendo no sé qué exactamente. Me parece que una bandeja de comida mexicana, nachos con queso y salsa, guacamole y fríjoles. Da igual. En cualquier caso, alguien consigue el gol decisivo un par de minutos antes del final del partido y Jon... Bueno, ¿cómo podría expresarlo delicadamente con palabras?

—Por favor, no lo hagas.

—Y Jon, pues bueno, él...

—Suéltalo ya, Erin —ordenó el presidente.

—Bueno, digamos que le habría venido bien tomarse un Aerored.

El presidente empezó a desternillarse.

—Y no fue precisamente silencioso que digamos, se oyó perfectamente.

—No puedo creer que le acabes de contar eso al presidente de Estados Unidos —refunfuñó Bennett, absolutamente muerto de vergüenza.

Tanto el presidente como McCoy se estaban riendo a carcajada limpia, especialmente porque Bennett se sentía abiertamente avergonzado.

—Por qué no me rematáis ya.

—... y los agentes intentan, como pueden, aguantarse la risa. Me fijo en la señora Murphy y está tan tranquila, sin ninguna expresión.

El presidente se reía todavía más.

—Pero, señor, eso no es lo mejor.

—¿Todavía continúa?

—Bueno, al cabo de dos minutos finaliza el partido y la señora Murphy se va hacia el recibidor con su marido. Y en cuanto sale de la sala, empezamos todos a berrear y Jon se pone como un tomate mientras nos desternillamos.

Todos los de la sala se estaban riendo, incluso Sánchez y los demás agentes.

—¿Y qué ocurrió luego?

—Pues que el jefe de los agentes se acerca a Jon y le dice:

«Eso ha sido de muy mala educación. Debería ir y disculparse ante la señora». Jon le mira como si estuviera loco, pero el agente insiste: «Se lo digo en serio. Sabe de sobras que es la esposa de un secretario de Estado. Debería ir allí y disculparse».

—Pero no se atrevió a pedir disculpas.

—Sí. Claro que lo hizo, no es broma.

—Jon, ¡hijo mío!

Bennett no dijo nada y McCoy prosiguió con su relato.

—Me mira y yo, que no tengo la más mínima intención de inmiscuirme en ese asunto, le digo: «Te lo han pedido ellos, no yo». Así que Jon se levanta, vuelve a mirarnos a todos y se dirige hacia la puerta. En ese instante, estallamos en carcajadas. Me parece que incluso me caí al suelo.

—No habéis tenido suficiente con intentar matarme, también tenéis que humillarme, ¿verdad?

—Venga ya, Francis —dijo el presidente.

—Pero, esperad, esperad... Todavía no he acabado. Lo mejor vino un rato después, cuando Jon vuelve a la *suite* y el agente le pregunta: «¿Se ha disculpado ya?». Y Jon va y le contesta: «Lo he intentado. Me he acercado a ella y le he comentado que lo sentía mucho, que había sido de muy mala educación, que no quería y que no volverá a ocurrir. Y me ha respondido: "¿Por qué debo disculparle, Jon?". O sea, que no lo ha oído».

—¿Así que no lo oyó?

—Y ella continúa: «¿De qué me habla, Jon? ¿Qué es lo que ha sido de tan mala educación?». Y, señor presidente, no se lo pierda. Va Jon y se lo cuenta.

—¡No puede ser!

—No me lo invento, señor. Es todo verdad. Una historia totalmente cierta.

De repente, la agente Sánchez lo corrobora.

—Así lo hizo, señor. De hecho, calculo que esta historia ya habrá llegado a todos los agentes del país.

—Ya verás, McCoy —se rió Bennett—. En cuanto menos lo esperes, te lo encontrarás.

Ese comentario provocó que todos se rieran todavía más.

* * *

Repostaron con rapidez y comieron igualmente con diligencia.

Todos se subieron a sus vehículos respectivos y esperaron que el todoterreno que iba en cabeza arrancara. Sin embargo, no se puso en marcha. Dentro del vehículo, los tres hombres estudiaban minuciosa y frenéticamente los mapas y miraban hacia todas las direcciones con los prismáticos, mientras sudaban profusamente aunque tuvieran el aire acondicionado puesto a la máxima potencia. La pequeña carretera que buscaban tenía que estar allí mismo, teóricamente, o muy cerca, pero no lograban encontrarla. Lo peor era que el tiempo se les estaba acabando, al igual que la paciencia.

Ali Kamal, el hombre de veintiséis años escogido directamente por el general Jalid Azziz como jefe de equipo contemplaba el fabuloso ocaso que tenía enfrente. Pronto sería de noche y si no llegaba al sitio al que debía llegar a su debido tiempo, tal vez se pegara un tiro en la cabeza, si es que no lo hacía algún agente preparado para eso que habría en alguno de los vehículos que iban detrás de él. No sabía quién sería e incluso sospechaba que podía haber más de uno, pero estaba claro que alguien le dispararía si no conseguía cumplir con la misión. No tenía duda alguna.

Kamal dio una última calada al cigarrillo y miró a su alrededor. Era un coche bonito y lujoso ese Range Rover, aunque estuviera pintado de color blanco. Le habría gustado mucho más que fuera negro azabache, pero el personal de Naciones Unidas no podía ser tan melindroso.

Los tres que iban detrás eran modelos normales, pero ése era una auténtica joya: un enorme chasis y un potente motor V8 diésel que funcionaba a las mil maravillas porque se ocupaba de él personalmente día y noche. La batalla era más ancha que la de modelos anteriores y tenía una suspensión neumática controlada electrónicamente que convertía cualquier travesía por ese horrible desierto a ciento sesenta kilómetros por hora en un viaje confortable y sin complicaciones. Tenía elevalunas eléctrico, frenos potentes con sistema ABS, dirección asistida, airbags e incluso un sistema de navegación por satélite de posicionamiento global de última generación que lo había instalado él mismo en Ammān después de volver de un breve viaje a Londres, donde había alquilado un coche con sistema GPS.

Con una misión que cumplir, un equipo, un coche y un futuro brillante, Ali Kamal tenía todo lo que quería, menos una amante. No obstante, eso también iba a cambiar pronto. Ahora no se podía permitir el lujo de distraerse con esos placeres primarios. Necesitaba concentrarse en su trabajo y Alá le recompensaría, si no era ahora, con las setenta vírgenes que le ofrecería al llegar al paraíso.

Kamal bajó la ventanilla automática del asiento de copiloto tan sólo un instante para lanzar la colilla del cigarrillo fuera. «Olvidad los mapas», gritó con tranquilidad. Tenía que cumplir un trabajo y no cabían errores. Kamal pulsó unos cuantos botones del sistema de GPS del Range Rover y, en una fracción de segundo, toda su rabia y frustración desaparecieron.

Se rió con fuerza. Era sorprendente lo sencillo y lo bien que funcionaba. Ya sabía dónde se encontraba y hacia dónde se dirigía. Y también sabía cómo llegar hasta su destino. Le dedicó una sonrisa al conductor y levantó tres dedos de la mano izquierda: quedaban tres kilómetros más a la izquierda. Una vez situada, la caravana prosiguió su camino.

* * *

El despacho iba recuperándose poco a poco de la historia de McCoy.

Bennett se sentía muy incómodo, pero pensó que iban a jugar los dos al mismo juego.

—Señor presidente, me parecería justo que me concediera unos minutos para igualar el juego —dijo Bennett con un aire de misterio. No estaba de ningún modo dispuesto a que Erin McCoy dijera la última palabra ante su presidente.

—¿Qué? —preguntó McCoy—. No tienes nada que contar acerca de mí.

—¿Que no?

—Nunca te he contado ninguna anécdota.

—Mi trabajo es encontrar tesoros escondidos, McCoy. ¿Recuerdas?

McCoy empezaba a preocuparse y Bennett, a su vez, cada vez disfrutaba más.

—¿Qué puedes saber sobre mí? —quiso saber McCoy, hablando más consigo misma que con él.

—Eso me gustaría saber a mí también —metió baza el presidente—. Muy bien, prosigue, Bennett, te lo ruego.

—Gracias, señor presidente.

Bennett tomó un trago del *brandy* y se levantó para poner otro leño en el fuego. Después, volvió a sentarse, para que McCoy sufriera un poco más.

—Hace un tiempo, Erin era nueva en las oficinas de Londres, como todos sabréis.

El presidente asintió con la cabeza y vio cómo McCoy se movía inquieta en la silla.

—Y, como también sabréis de sobras, ella entró para cubrir un puesto por baja de maternidad.

—Es verdad. ¿Cómo se llamaba? No sé qué Smythe, ¿verdad? —preguntó el presidente.

—Correcto, Gay Smythe. Era de Liverpool y vino a trabajar un tiempo con nosotros en Denver para luego ayudarnos a abrir las oficinas de Londres.

—Sí, sí, la conozco —afirmó el presidente—. La pelirroja, ¿a que sí? Tuvo gemelos, creo recordar.

—Sí, es verdad.

McCoy de repente descubrió adónde quería llegar Bennett y se murió de vergüenza.

—¡Ah, no! ¡Jon!

A McCoy le estaban saliendo los colores a la cara, pero Bennett se limitó a sonreír, no sólo porque había vuelto a ganar el control de la situación, sino porque no pudo evitar, realmente por primera vez, darse cuenta de lo atractiva que estaba con el jersey de cachemira de color rosa pálido, la falda de lana negra, los zapatos de salón negros, un collar de perlas con unos pendientes a juego y un reloj de pulsera Cartier negro y dorado. No cabía ninguna duda de que su vida había cambiado, pero intuyó que sería divertida.

—Jon, no puedes hacerlo. ¿Cómo diablos te has enterado de esa historia?

—Ja, ja, ja... Tuviste tu oportunidad.

Naturalmente, cuanto más se avergonzaba McCoy, más se divertía Bennett.

—Así que, señor presidente, como iba diciendo, la señorita Smythe estaba de baja por maternidad y Erin la sustituyó. De modo que, no sé, al cabo de dos o tres meses de haber llegado, Erin se encuentra abajo, en el gimnasio, ya sabe, haciendo ejercicio.

—Jon, por favor.

—Cuando acaba de practicar ejercicio, se dirige a los vestuarios, según me han contado, se desnuda y entra en la zona de las duchas.

—No puedo creer que me esté ocurriendo esto.

—Así que se está duchando y tan sólo hay otra mujer allí. Y ya sabe que Erin es una mujer muy abierta y simpática...

—Eso es verdad —corroboró el presidente.

—Ya lo creo. Es muy simpática. Y, quién lo iba a decir, va y Erin ve a esa pelirroja en un rincón duchándose y piensa: «Tal vez es la mujer a quien he sustituido».

McCoy cerró los ojos y se cubrió la cara con las manos.

—Total, que nuestra dulce Erin McCoy, la simpática, la agente de la CIA que siempre intenta entablar relaciones estratégicas, decide acercarse y le pregunta: «Perdona, ¿eres Gay?».

El presidente empezó a reírse a carcajada limpia y McCoy lució diversos tipos de rojo en la cara.

—La mujer, a quien había pillado desprevenida, dice en su bonito acento inglés «¿Disculpe? Creo que no la he entendido bien». Así que Erin, que realmente no se ha dado cuenta todavía de lo que ha dicho, vuelve a repetir su pregunta.

El presidente ya no podía reírse más fuerte y a Bennett le costaba continuar con la historia.

—De modo que Erin vuelve a preguntarle: «Te he preguntado si eres Gay». Las dos allí, entre los chorros y vapores de las duchas, completamente desnudas y la mujer le espeta: «No, no soy gay», y sale corriendo de allí. De repente, Erin se da cuenta de lo que acaba de decir y corre detrás de la mujer hacia los vestuarios, completamente desnuda, y dice: «No, no. No soy gay. Pensé que tal vez conocerías a alguna de mis amigas. Bueno... que...».

Ahora hasta los agentes del Servicio Secreto empezaron a desternillarse tanto que les costaba trabajo respirar.

—Jonathan Bennett, te las vas a cargar.

—¿Venganza? —se rió Bennett—. ¿Eso es lo que te enseñan en la CIA?

* * *

—Te tengo —gritó en hebreo.

El joven agente de la inteligencia no podía creerlo. La adrenalina hizo que su corazón bombeara con más fuerza y rapidez. Volvió a comprobar los aparatos electrónicos para descartar que se tratara simplemente de un mal funcionamiento y, acto seguido, cogió el teléfono rojo que tenía delante y marcó el número 212.

Descolgaron el aparato al instante.

—¿Ken?

—*Acshav*.

—*Tov*.

Ahora le tocaba al capitán Jonah Yarkon descolgar el teléfono y volver a transmitir el mensaje. Y eso es lo que hizo. Un instante más tarde, otro teléfono rojo sonó en el búnker de operaciones de las IDF, Fuerzas de Defensa Israelíes, que se encontraba ocho pisos por debajo del Ministerio de Defensa en el centro de Jerusalén. El ministro de Defensa, Chaim Modine, lo descolgó y escuchó atentamente.

—*Tov*. Alentad a los pájaros y esperad.

El acento era cerrado y el tono, urgente. Modine puso el teléfono en espera y se dio la vuelta rápidamente hacia el primer ministro, David Doron, que se encontraba junto a una larga mesa de reuniones con el jefe del Mossad, Avi Zadok; el jefe del Shin Bet, Yossi ben Ramon; el jefe de Aman, el general de brigada Yoni Barak; y el general Uri «el lobo» Zeev, jefe del Estado Mayor de las Fuerzas de Defensa Israelíes.

—Es Yarkon. Hemos interceptado una señal cerca de la frontera con Jordania.

—¿Estamos completamente seguros? —preguntó el primer ministro.

—No, señor. Pero de ningún modo podemos equivocarnos.

—¿Uri?

—Estoy de acuerdo, señor. Tenemos que movernos con rapidez.

Zadok y Ben Ramon asintieron con la cabeza, así que el primer ministro no dudó.

—Háganlo.

Modine se puso el auricular en el oído.

—Capitán, tiene permiso. Ponga en marcha la operación Relámpago Fantasma.

* * *

Bennett había vuelto a sentarse y estaba sirviendo otra ronda de *brandy* y atizando el fuego.

—Muy bien. Ahora en serio —volvió a preguntar—, ¿de qué se conocen?

—De hecho, Jon, yo conocía al padre de Erin —dijo el presidente, al tiempo que se tranquilizaba y se ponía serio—. Sean McCoy era miembro de las fuerzas especiales de la Marina de Estados Unidos en Vietnam cuando nos conocimos. Después, ambos abandonamos el ejército: yo me fui a Wall Street y él se fue a la CIA y se abrió camino hasta convertirse en subdirector de operaciones, primero durante el mandato de Nixon y después durante el de Carter.

—¿Ah, sí?

Bennett notaba el cambio de comportamiento del presidente.

—Aparte de Julie, el padre de Erin fue mi mejor amigo. Nunca he conocido a nadie como él.

—¿Y qué ocurrió?

—A Sean le mataron en una misión secreta en Afganistán, después de la invasión soviética en 1979.

—Vaya. Lo siento mucho.

Miró a Erin, que ya no sonreía.

—Gracias —respondió ella—. Ya está bien, señor presidente. No es necesario que siga.

—Lo sé —continuó el presidente—. Pero es importante que sepa algo de tu historia si vais a trabajar juntos.

Erin asintió con la cabeza, un poco reacia, y MacPherson prosiguió.

—Así que, mientras estaba en Fidelity, contribuí a abrir una cuenta para Erin y su madre, bueno, para ayudarlas un poco y eso.

—¿Eres hija única? —preguntó Bennett.

McCoy asintió.

—De hecho —siguió el presidente—, cuando empecé con GSX, la madre de Erin, Janet, trabajó para nosotros durante algún tiempo. Dos años, creo.

—Correcto, señor —añadió McCoy.

—Y no lo supe en su momento, o al menos, no al principio, pero el problema fue, bueno, que Janet tuvo un grave cáncer de ovarios y... En fin, era toda una luchadora. Aparte de Julie y de Sean, creo que no he conocido a nadie como ella en toda mi vida. Tenía una fuerza y un optimismo encomiables. Era increíble.

—No tenía ni idea.

—Eso ocurre muy a menudo —respondió McCoy con serenidad.

—Julie y yo sabíamos que tenía algo que nosotros no teníamos —declaró el presidente, haciendo una pausa para mirar el fuego que crepitaba—. Yo no creía en Dios antes de conocerla. Pero ella supuso una transformación para mí, puesto que realmente Cristo le había cambiado la vida y a raíz de aquello tanto Julie como yo empezamos a plantearnos cuestiones espirituales. Se enfrentaba a la muerte completamente en paz consigo misma y estaba segura de adónde ir cuando pasara ese trance. Julie y yo sabíamos que no teníamos esa certeza. No sé. Ella nos hizo reflexionar.

La habitación se llenó de silencio otra vez. Bennett no sabía qué decir.

—¿Cuándo ocurrió todo eso?

—Fue un año antes de que tú llegaras, me parece. De hecho, Erin acabó viviendo con nosotros y con las chicas ese año, ¿no es así?

—Sí, unos diez meses, creo.

—Así que acabamos conociéndonos muy bien durante ese tiempo. Mis hijas se enamoraron de ella. Personalmente, yo no la podía soportar.

—Muy gracioso, señor —se defendió McCoy.

Agradeció ese comentario jocoso. Hacía mucho tiempo que no lo veía y hacía más de diez años que no quedaba con su familia.

Al recibir la llamada en Londres que le informaba que tenía que volar tan pronto como le fuera posible a Colorado en un avión de las Fuerzas Aéreas para ver al presidente, no estaba segura de lo que ocurriría una vez llegara allí. Sin embargo, después de pasar una noche no muy tranquila intentando dormir en una habitación del búnker de la base de Peterson, había desayunado con el presidente, que le había dado instrucciones durante casi una hora, entre las llamadas del vicepresidente y diversos líderes extranjeros. Después, le había dicho que se fuera durante unas horas y que esperara a que «le volvieran a presentar» a Bennett.

Tenía una sensación extraña, puesto que, de repente, empezó a sentirse como en casa. La idea de formar parte del epicentro de una misión de alta prioridad para el presidente de Estados Unidos habría enorgullecido enormemente a sus padres. Tenía que esforzarse en mantener la tranquilidad y no dejarse vencer por las poderosas emociones que se le agolpaban en el interior. Sin embargo, no le resultaba nada fácil.

—Julie y yo conocemos a la pequeña Erin, bueno, que ahora ya no es tan pequeña, desde incluso antes de que naciera, ¡vaya por Dios! Hace poco que Julie se deshizo de una ducha para bebés de Janet en nuestra casa de Cherry Creek, pero no recuerdo cuándo fue exactamente.

—Me encantaba esa casa —dijo McCoy, mientras contemplaba el fuego.

—A mí también —dijo el presidente—. A mí también.

* * *

La unidad 212 de las IDF, Sayeret Maglan, es uno de los equipos más altamente cualificado y más secreto de las fuerzas especiales de Israel.

Tres pilotos y ocho miembros de un comando de operaciones especiales ya estaban en sus puestos. Los dos helicópteros armados Apache AH-64 de factura estadounidense y el helicóptero de escolta Sikorsky Blackhawk ya estaban en pleno funcionamiento y preparados para despegar.

La ultrasecreta base aérea, cuya mayor parte de extensión está enterrada bajo el desierto de Néguev, estaba en alerta máxima. Así que, cuando el capitán Yarkon salió a toda prisa por la puerta del centro de mando con las órdenes, su equipo ya estaba preparado para ponerse en marcha. Yarkon saltó a la parte trasera del Sikorsky e hizo una señal de aprobación con los pulgares hacia arriba. Al cabo de unos instantes, todo el grupo había despegado y desaparecido sin dejar rastro.

Volar sin luces, sin comunicaciones por radio y a baja altura (a veces tan sólo cinco metros por encima del desierto) resultaría aterrador para la mayoría de hombres. Pero no lo era para la unidad 212, puesto que sus integrantes habían practicado ese tipo de operaciones en montañas oscuras y umbrías y *wadis* del Néguev durante años y avanzaban con confianza.

En cierto sentido, de hecho, los tres pilotos no estaban pilotando: tan sólo supervisaban el ordenador, puesto que el aparato hacía todo el trabajo. Precisamente los israelíes habían perfeccionado el arte de volar con piloto automático para ocasiones como ésa.

Cada equis meses, por la noche, las Fuerzas de Defensa Israelíes hacen volar en secreto aviones teledirigidos por ordenador altamente sofisticados. Se trata fundamentalmente de pequeños aviones de reconocimiento sin tripulación que sobrevuelan las fronteras a una altura increíblemente baja y son guiados por control remoto hasta puntos concretos en el interior de países hostiles.

Estos artefactos recogen gran cantidad de información muy valiosa de cada centímetro del camino. Graban en vídeo todo el trayecto con un equipo de visión nocturna, de modo que los pilotos de las IDF más adelante son capaces de ver y volver a ver, una y otra vez, todas las rutas que algún día quizá realicen volando. Dicha estrategia permite a los pilotos aprender de memoria todas las grietas y todas las rocas, todos los árboles y todas las serpientes que se van a encontrar por el camino, hasta que pueden volar por estas rutas con los ojos cerrados o en sueños. De igual importancia, los aeroplanos teledirigidos también graban en la memoria todos los ascensos y descensos, todos los giros y todos los aumentos y disminuciones de velocidad.

A partir de ahí, los ordenadores de las Fuerzas de Defensa Israelíes procesan todos esos datos y los recalculan para dar cuenta de los pesos y los tiempos de respuesta diferentes para otros tipos de aparatos aéreos de las IDF, que son mucho más pesados y mucho menos ágiles que los minúsculos aviones teledirigidos. Lo que obtienen como resultado son CD de alto secreto que pueden reproducir el viaje a través de las líneas enemigas hacia destinos preseleccionados. Estos CD pueden cargarse rápidamente en los ordenadores del aeroplano para que el programa de software lo lea y lo reproduzca.

Esa noche, los tres helicópteros 212 supersilenciosos volaban gracias a los CD. Cruzaron el mar Rojo y pasaron a través de las montañas escarpadas e implacables de Arabia Saudí. No se trataba de un ejercicio de entrenamiento: era una operación real.

* * *

Ali Kamal estaba extasiado.

Había encontrado su destino, que no quedaba muy lejos de la autopista 10, en la sombría base de una duna de arena descomunal, de unos dieciocho metros de altura. Llegaba a tiempo, aunque tan sólo faltaban tres minutos para la hora prevista. Pero aun así llegaba puntual. Su equipo se movía rápido para prepararse.

La primera orden fue descargar el «camello alemán», que fue la tarea más difícil, intensa y que les llevó más tiempo. Si no hacían eso bien, el resto ya no importaba. Sin embargo, Kamal no estaba preocupado.

El equipo tardaba una media de 34 minutos y 18 segundos, seguidos de otros 4 minutos y 6 segundos más para acabar de completar otros procedimientos. El récord se había establecido en 1991, con una marca de 31 minutos y 12 segundos.

Hacía tres días, el equipo de Kamal lo había hecho en 29 minutos y 47 segundos, un nuevo récord y la razón por la que el general Azziz los había seleccionado para llevar a cabo esa misión.

* * *

—¿No hay noticias? —preguntó el primer ministro.

Volvió a entrar en el centro de mando del búnker a prueba de bombas después de realizar una serie de llamadas a diversos miembros del Gabinete desde el búnker que había al lado.

—Todavía no —contestó el ministro de Defensa, mientras daba un trago a un vaso de zumo de naranja recién exprimido con hielo—, pero no se preocupe. No tardarán demasiado.

El primer ministro, de sesenta y seis años de edad, se sentó, se puso las gafas de lectura y empezó a echar una ojeada a los informes de los servicios de inteligencia que les acababan de llegar desde Washington, Londres y París. Se estaba desatando una pesadilla y, si los estadounidenses no actuaban, deberían hacerlo ellos por cuenta propia.

* * *

Tal vez fuera el aire gélido de la noche.

Era medianoche en Iraq y las temperaturas del desierto continuaban bajando rápidamente. Quizá fuera el cansancio de una jornada tan larga de viaje desde Bagdad. Eso no había formado parte del entrenamiento del equipo, pero deberían haberlo incluido.

Quizá fuera el hecho de que las ojivas nucleares que les habían entregado esta vez pesaban bastante más que las que siempre habían utilizado para entrenarse en el pasado. Todos esos factores parecían haber provocado más ansiedad a sus hombres, que tardaban más de lo previsto y se movían demasiado despacio.

Tal vez fuera porque se trataba de la primera misión verdadera del equipo y había mucho en juego. Todos eran demasiado jóvenes cuando estalló la guerra del Golfo.

Fuera lo que fuese, finalmente acabaron, aunque no habrían ganado ningún premio, puesto que habían tardado 39 minutos y 21 segundos: un desastre total.

Ali Kamal corrió hacia el Range Rover y encendió el teléfono móvil. Diez segundos después, marcó un número de teléfono en Berlín, que automáticamente fue desviado a un número de Johannesburgo, en Sudáfrica, desde el que se desvió a un número de teléfono de São Paulo, en Brasil. A su vez, esa llamada fue reenviada digitalmente a un número justo a las afueras de Moscú, desde el que lo reenviaron a Tánger, Marruecos.

En ese punto, la llamada fue interceptada por la estación de Gibraltar, un escalón militar de escucha controlada por la Agencia de Seguridad Nacional de Estados Unidos en el peñón de Gibraltar, controlado por los británicos. Esa llamada se dirigía al Ministerio de Defensa iraquí, concretamente al centro de mando de Saddām Hussein, que estaba enterrado en el suelo de Bagdad.

—La carta ya tiene sello y está preparada para ser enviada —dijo Kamal en farsi, aunque su lengua natal fuera el árabe.

—Alabado sea Alá —respondió la voz al otro lado de la línea—. Continuad y enviad la carta.

Kamal apagó con rapidez el teléfono y lo volvió a dejar en el precioso Range Rover. Todas las miradas se dirigieron hacia él, así que les mostró cinco dedos que captaron toda la atención: tenían cinco minutos para calentar el misil Al Hussein R-17, un misil balístico de diseño soviético conocido en Occidente como Scud B, y esperar a que diera la señal para el lanzamiento.

No se trataba de ninguna misión humanitaria y Kamal y su equipo no trabajaban para Naciones Unidas, sino que, en realidad, habían asesinado a un equipo entero de ayuda de Naciones Unidas hacía algunos días, se habían desecho de los cuerpos en un lago y se habían apoderado de los vehículos precisamente para llegar a ese instante.

Kamal y su primer teniente subieron a cuatro patas por la duna para poder observar los alrededores con los prismáticos de visión nocturna desde arriba y asegurarse de que tenían vía libre. No estaban demasiado preocupados, puesto que, desde la guerra del Golfo, Estados Unidos y sus aliados habían lanzado más de veintiocho mil misiones de combate aéreo por encima de esos desiertos, pero nunca habían encontrado, ni mucho menos destruido, un lanzador de misiles móvil iraquí. Era prácticamente imposible, puesto que la parte occidental de Iraq estaba formada por más de cuarenta y seis mil kilómetros cuadrados de desierto crudo y horrible. Sería más fácil encontrar una aguja en un pajar que encontrarlos, especialmente por la noche.

Sabía con seguridad que los estadounidenses y los británicos habían encontrado y destruido algunas bases de lanzamiento de misiles fijas, pero no habían dado con ninguna móvil y estaban seguros de que así continuarían. Sería todavía más difícil que encontraran una escondida dentro de un transporte de comida y ayuda médica oficial de Naciones Unidas y, menos probable aún, por la noche.

El joven jefe de la sección no pudo evitar esbozar una sonrisa mientras se aproximaba a la cima de la duna, a pesar de tener los ojos y la cara completamente cubiertos de arena, lo que le escocía sobremanera. Quizá el mismísimo Saddām Hussein le otorgaría la medalla de honor.

Sintió que un escalofrío de emoción le recorría todo el cuerpo. Se dio la vuelta para comprobar que su teniente lo seguía unos veinte metros detrás: estaba bebiendo un poco de agua de una cantimplora e intentando quitarse la arena de la boca. Miró más abajo y vio a su equipo iluminado por los faros de los todoterrenos. Le hicieron una señal de «adelante», pues tanto el misil como ellos estaban preparados. Que empiece la historia.

Kamal se puso los prismáticos de visión nocturna y se tendió boca abajo en la duna, con la barriga rozando el suelo. Se arrastró con cautela hacia la parte superior del montículo y se quedó a casi dos metros. En el otro lado se abrían el valle del Jordán, Jordania, Palestina, Israel y el mar. El corazón latía fuerte por la alegría y el orgullo.

Y entonces lo oyó.

Kamal subió con cautela hasta la cima de la duna y encendió los binoculares.

El impacto de lo que vio lo dejó helado.

Si hubiera estado de pie, el Apache israelí que cortaba el aire tan sólo unos metros por encima de él le habría rebanado la cabeza de un solo golpe.

Instintivamente, Kamal se agachó, miró hacia abajo, a su equipo, e intentó gritar. Pero no pudo y, aunque hubiera podido, tampoco habría servido de nada, puesto que no le habrían podido oír por encima del estruendo del aparato israelí. Veía las expresiones de perplejidad de los hombres de su equipo: no era miedo, era incredulidad. Y eso significaba la muerte.

Las ametralladoras de 30 milímetros del Apache empezaron a disparar sin tregua y el fuego y el humo salían de ellas mientras las balas destrozaban a sus hombres y los convertían en restos sangrientos. Dos misiles Hellfire guiados por láser dieron contra su precioso Range Rover y contra el coche que había a su lado y les hicieron explotar en una enorme bola de fuego, lo que provocó que Kamal gritara y se retorciera de dolor al intentar desesperadamente quitarse los binoculares de visión nocturna de los ojos.

De repente, apareció otro Apache en medio de la nada. Dos misiles Hellfire hicieron volar por los aires los otros dos todoterrenos. Después, dos misiles más dieron contra el camión Daimler-Benz y éste también explotó con un estallido ensordecedor formando una gran bola de fuego, alimentada por centenares de galones de carburante diésel de reserva.

Cuando todos los hombres del equipo de Kamal estuvieron muertos, o muriéndose, el Sikorsky tomó tierra rápidamente y los ocho miembros del comando israelí y el capitán Jonah Yarkon salieron disparados por la puerta lateral y se apresuraron a llegar al Scud y quitarle la ojiva nuclear. Kamal todavía gritaba de dolor, pero nadie le oía por las explosiones y el zumbido de los tres helicópteros.

Kamal intentó a ciegas coger el arma que llevaba en el costado, pero justo en ese instante el piloto jefe de los Apaches dio un giro, buscando a posibles enemigos, y vio al líder de veintiséis años retorciéndose violentamente en la duna.

Con sólo pulsar un botón con una ligera presión del pulgar, el piloto de las IDF alivió el sufrimiento de Ali Kamal, aunque tenía serias dudas de que fuera a encontrarse en el paraíso en brazos de setenta vírgenes.

Los dos Apaches se retiraron, aumentando así el perímetro de seguridad para los soldados del comando que estaban en tierra, y conectaron los radares de alta potencia para ver si había más lanzamisiles Scud, o algún aparato aéreo, por la zona. No encontraron nada, todo estaba despejado.

Seis minutos después, los miembros del comando, vestidos con trajes especiales y anteojos, cascos y guantes protectores, desmontaron la ojiva nuclear del resto del misil, lo pusieron en lugar seguro en una caja fuerte sellada herméticamente y aislada y lo subieron al Sikorsky.

El helicóptero levantó el vuelo, se unió a los Apaches y juntos regresaron a toda velocidad rumbo a casa. Dejaron cargas explosivas preparadas con un temporizador para que explotaran y destruyeran así el resto del misil Scud B y el lanzamisiles segundos después de que las Fuerzas Aéreas israelíes hubieran abandonado la zona.

—Hemos puesto el granizado en hielo —comunicó el capitán Yarkon a través de un radioteléfono encriptado digitalmente en la única comunicación que hubo aquella noche.

La pregunta era de qué sabor era el granizado.

CAPÍTULO NUEVE

La duración del trayecto en tren de Viena a Moscú suele ser de unas cincuenta y cinco horas.

Sin embargo, es algo más que un simple viaje lento, pesado y tranquilo a través de los campos cubiertos por un manto de nieve y de las aldeas y pueblos de las montañas de los Cárpatos. Es un viaje de vuelta al corazón de las tinieblas.

Con una taza de té ruso caliente en las manos heladas, un poco de pan negro tibio y un plato de humeante *kashkavarnishka*, puedes sentarte en la pequeña mesa del coche cama y jugar a las cartas, fumar, perderte en una novela o, simplemente, contemplar el techo y no pensar en nada, o pensar en todo, o bien en un poco de cada. Sin embargo, si sientes la curiosidad de mirar a través de las ventanas mugrientas y borrosas del compartimiento claustrofóbico, verás una tierra triste y cansada por demasiadas guerras, marcada por la ocupación alemana y la asfixia soviética.

La travesía te arrastrará hasta Bratislava, la pobre pero orgullosa capital de Eslovaquia, una ciudad rica en comercio, conocimientos e historia, nacida de los romanos y los celtas, que finalmente fue ocupada por los eslavos en el siglo VIII y que en la actualidad alberga a una población de más de medio millón de habitantes.

Aquí se alcanzó un buen acuerdo para la paz cuando Napoleón y Francisco II firmaron el tratado de Presburgo en 1805, después de la batalla de Austerlitz.

También fue aquí donde se perdió por poco un rescate de un modo muy trágico. En 1942, los nazis, tal vez de un modo cínico o tal vez no, ofrecieron al rabino llamado Weissmandl y a una mujer llamada Gisi Fleischmann un tratado para cambiar a un millón de judíos que estaban en la prisión esperando ser enviados a las cámaras de gas por dos millones de dólares. Sin embargo, el rabino, Fleischmann y sus colaboradores no pudieron convencer a nadie de los países occidentales para que pagaran esa suma de dinero. Ya fuera por culpa de la indiferencia cruel de Occidente, por el temor de que los alemanes renegaran del trato y utilizaran el dinero para vencer a los aliados o por cualquier otra razón completamente diferente, la cuestión es que el dinero nunca llegó y un millón de almas nunca fueron liberadas.

A lo largo del trayecto hasta Moscú, también pasaréis por Lviv, la ciudad más importante de Ucrania occidental. Con un mercado al aire libre que crece descontroladamente y gran cantidad de iglesias rusas ortodoxas que se desmoronan pese a haber sobrevivido por poco la época del ateísmo, Lviv puede produciros la sensación de una ciudad atrapada en el pasado.

Cuando el clima es más benévolo, se puede ver en sus genuinos parques, unos lugares encantadores con los árboles alineados, a los abuelos jugando con sus nietos y a las madres jóvenes paseando a sus hijos con el cochecito. También se reúnen allí hombres mayores para jugar al ajedrez y al dominó. En general, en el aire flota un sentimiento familiar y lleno de fe que ha sido la clave para mantener unida a esta sociedad de siete siglos de antigüedad. Sin embargo, todo resulta monótono y apagado, como si se encontraran en los años treinta estadounidenses. Los coches y los camiones son antiguos y carecen de toda gracia, como ocurre con las películas en blanco y negro. Las fachadas de las tiendas son sencillas y carecen de atractivo, puesto que no hay ni luces de neón ni pequeños anuncios y tan sólo lucen carteles como «panadería», «droguería» o «carnicería», aunque haya pocos estantes, la mayoría estén casi vacíos y apenas haya marcas que poder escoger.

De algún modo, toda la ciudad transmite un aura que recuerda a la parte trasera de los platós de Hollywood en pleno rodaje de una película ambientada en plena Depresión. Lviv, como tantas otras ciudades y pueblos de la región, tiene una historia triste y un espíritu dañado.

También fue ocupada por los nazis, entre 1941 y 1944, y también vio como reunían a miles de judíos en campos de concentración, en los que las S. S. y la Gestapo consiguieron eliminar a casi toda la población judía. Por si eso fuera poco, el Ejército Rojo soviético entró para «liberar» la ciudad en nombre del comunismo y mató, mutiló y esclavizó a los ciudadanos que ya estaban traumatizados y sumió a toda la población en una nueva guerra, la guerra fría, que conllevó una nueva era de guetos y gulags. La ciudad ha cambiado de manos tan a menudo que, de hecho, tiene cuatro nombres diferentes: Lviv en ucraniano, Lvov en ruso, Lvuv en polaco y Limberg en alemán.

Finalmente, el viaje en tren te llevará hasta el final de la Ucrania devastada por los alemanes y los soviéticos y llegarás a la frontera rusa, donde una descomunal torre de vigía, unas vallas con alambres de espino y unos focos te darán la bienvenida. Unas cuantas docenas de soldados, todos con uniformes de lana verde y gorras también verdes con tiras rojas y chapas doradas dispuestas en su perímetro, con ametralladoras y pastores alemanes, hacen que la escena parezca sacada de la mismísima película *Sin novedad en el frente*.

Los soldados suben al tren para comprobar que los pasaportes y los visados estén en orden, así como para revisar todos los compartimentos, desde el primero hasta el último, y todos los pasajeros, de pies a cabeza, e incluso los motores y el cableado que hay debajo de los vagones, buscando artículos de contrabando, drogas, armas, bombas y, más recientemente, ántrax y todas las armas que van apareciendo constantemente.

Satisfechos de que todo esté correcto, los soldados conducen a todos los pasajeros hacia un edificio grande de aduanas al otro lado de la frontera, donde el aire está caliente y viciado porque hay mucha gente. Es la última oportunidad para comprar un periódico o realizar una llamada telefónica, comprar algo de comer o beber y utilizar un baño más o menos limpio, aunque el concepto de «limpio» sea algo bastante relativo y completamente distinto en Rusia. A la postre, llega la hora de volver a subirse al tren y atravesar los trescientos kilómetros aproximados de extensa «panera» rusa hasta la capital a orillas del turbio río Moscova.

Llegar a Rusia por tren, a diferencia de hacerlo por avión, supone cruzar unas fronteras donde la seguridad es sorprendentemente laxa tras la guerra fría, una aspillera que los «cuatro jinetes» explotaron con creces en esos momentos.

Las fronteras soviéticas fueron impenetrables durante un tiempo, pero ahora parecen hechas de emmental.

Viajar en avión significaba tener que pasar, ya fuera en la parte oriental u occidental, por el control de seguridad de los aeropuertos, que disponían de videocámaras y equipos de vigilancia de alta tecnología, como software de reconocimiento facial de última generación, así como expertos en lucha contra el terrorismo en estado de alerta constante, que comprueban minuciosamente el nombre de todos los pasajeros y los cotejan con listas de vigilancia del FBI, el FSB y la Interpol, que se actualizan a diario e, incluso a veces, cada hora. Realmente resultaba mucho más fácil pasar de incógnito por las fronteras más alejadas de Rusia, que pueden llegar a distar once franjas horarias y están dirigidas por soldados mal vestidos y peor pagados, que muestran más interés en emborracharse que en revisar a cada perdedor que no haya podido pagarse un billete de avión para viajar a Moscú.

Colar armas en el país ya era más complicado, pero colar a especialistas con ganas de utilizarlas, no. Además, el país tenía armas más que suficientes dentro de su frontera para realizar el trabajo, y eso es lo único que importaba.

Después de todo, la Federación Rusa comprendía casi dieciocho millones de kilómetros cuadrados de extensión, casi el doble del tamaño de Estados Unidos, y en una época de hambruna y miseria, de entre los casi ciento cincuenta millones de habitantes, a muy pocos les importaba demasiado descubrir quién quería entrar en su país, al menos en coche, camión o tren. Más bien pasaba lo contrario: la mayoría pensaba varias veces al día en cómo salir de allí. Y ése era uno de esos días.

* * *

—Señor presidente, tenemos que trasladarle de manera inmediata —dijo la agente Sánchez.

—¿Por qué? ¿Qué ocurre?

—Jaque Mate está al teléfono. Tiene al equipo del Consejo Nacional de Seguridad preparado y los acontecimientos se suceden a gran velocidad —informó Sánchez mientras, ayudada por los demás agentes, movía la silla de ruedas hacia la sala de reuniones vecina al despacho privado del comandante. Corsetti, Iverson y Black estaban allí esperándolos, al igual que el general David Schwartz, el comandante del Norad.

—Bennett, McCoy, entrad ahora mismo —gritó el presidente mientras Sánchez lo colocaba detrás de la mesa de roble para presidir la sala.

Cualquier rastro del banquete de Acción de Gracias había desaparecido hacía rato y, en su lugar, todas las paredes lisas, sin nada en ellas, estaban bajando para poner al descubierto diversas pantallas de vídeo, monitores de ordenadores y un mapa de alta tecnología en el que se indicaban las amenazas terroristas de todo el mundo. Bennett no había visto nunca nada parecido. El personal del Norad levantó con rapidez la parte superior de la mesa de reuniones y de allí debajo salieron cuatro filas de teléfonos seguros, uno para cada lado de la mesa, y ordenadores portátiles en red que permitían a cada comensal leer simultáneamente la información de las condiciones de amenaza en tiempo real y enviarse mensajes al instante entre ellos sin tener que decirlos en voz alta, en caso de que se encontraran en medio de una llamada telefónica.

Bennett observó los doce relojes digitales que quedaban por encima de las enormes pantallas de vídeo: cada uno indicaba la hora de las principales franjas horarias. En esos momentos eran las 19.13 en el Norad, las 21.13 en Washington y las 4.13 de una nueva mañana en Jerusalén.

—Es increíble —susurró Bennett a McCoy mientras los dos se sentaban al lado de Black—. ¿Habías visto alguna vez algo parecido?

—¿De dónde crees que saqué la idea para nuestro centro de mando de Londres? —le respondió McCoy en un susurro.

Bennett la miró un instante.

—Pensé que habías visto demasiadas pelis de James Bond.

Todos estaban preparados.

Exceptuando el presidente y el secretario Iverson, todo el Consejo Nacional de Seguridad estaba físicamente reunido en el Centro de Operaciones de Emergencia, el COE, situado debajo de la Casa Blanca. Estaban presentes, o representados, el vicepresidente, la asesora de Seguridad Nacional Marsha Kirkpatrick, el secretario de Defensa Burt Trainor, el secretario de Estado Tucker Paine, el director de la CIA Jack Mitchell, el secretario de Justicia, Neil Wittimore, el general Ed Mutschler, presidente de la Junta de Jefes del Estado Mayor, y los principales asesores de cada uno de ellos. Del mismo modo que el Destacamento Especial de la Lucha Contra el Terrorismo, los directores del FBI y del Servicio Secreto no estaban presentes, pero ambos estaban a la espera en sus despachos.

El vicepresidente comenzó inmediatamente.

—Señor presidente, en primer lugar, ¿cómo se encuentra?

—Bien, gracias. ¿Han recibido todos mi informe médico?

—Sí, señor. Chuck quiere saber si deberíamos hacerlo público a los medios de comunicación.

—Es absolutamente necesario. La gente tiene que estar al tanto de los hechos si queremos que entiendan a la perfección la dureza con la que contraatacaremos. Marsha, ¿está ahí?

—Sí, señor —dijo Kirkpatrick.

—Llame a Marcus Jackson del *Times*. Explíquele mi estado y envíele una copia del informe sólo a él, indicándole que se trata de una fuente de información de alto rango en el Gobierno. Quiero que parezca una filtración deliberada y calculada, un mensaje para el mundo entero que deje bien claro que consideramos estos atentados terroristas el preludio de la guerra.

—Sí, señor.

—Muy bien. Asegúrese también de que Jackson conozca la historia y que aparezca en portada con letras enormes. El *Times* lo pondrá en la página web hacia medianoche, hora vuestra. En cuanto aparezca en Internet, que Chuck comunique a la prensa de la Casa Blanca que está cerca de Peterson que dará una rueda de prensa acerca del estado del presidente, con todo lujo de detalles, a las cuatro de la madrugada, que serán las seis de la mañana de la hora del Este. Quiero que todos los programas de televisión y de radio hablen mañana por la mañana del grave estado del presidente y las declaraciones de las fuentes de información de alto rango del Gobierno, que anunciarán que van a tomar represalias.

—Señor, soy Tucker.

—Dígame, Tuck.

—¿Cree que eso es lo mejor? Debemos ir con mucho cuidado para no agravar la situación.

—Señor secretario, ¿puede verme? ¿Aparezco en la pantalla en estos instantes?

—Sí, señor.

—Entonces, con el debido respeto, ¿de qué coño me está hablando?

—Señor, esta situación no debe trasladarse a un terreno personal. No se trata de usted, señor.

—No, claro. Tiene razón, Tucker —replicó el presidente, realizando un sobreesfuerzo por mantener la calma, como percibió Bennett—. No se trata sólo de mí. Se trata de la presidencia de Estados Unidos. Se trata de la seguridad de nuestro Gobierno y de nuestros ciudadanos. Se trata de la familia real británica y del primer ministro canadiense. Se trata de la familia real de Arabia Saudí.

—Mi punto de vista, señor, es que...

—Ya sé lo que piensa, Tucker. Y no podría estar más en desacuerdo con usted. Señor secretario, no estamos agravando la situación porque ya es lo suficientemente grave por sí sola. Simplemente, daremos respuesta a una guerra que se nos ha impuesto. Y no se confunda al respecto: se trata de una guerra. Estamos en guerra y ya no se trata de guerra contra el terrorismo: es una guerra contra el país o países que han hecho esto. Golpearemos y lo haremos con dureza. ¿He hablado lo suficientemente claro?

Todos, excepto el secretario de Estado, movieron la cabeza afirmativamente sin decir una palabra.

Parecía que a Tucker Paine le acabaran de pegar un puñetazo en el estómago; se sentía avergonzado por el trato que le había dispensado el presidente, pero no se atrevía a abandonar la sala. A su parecer, todo se estaba desintegrando a gran velocidad, ya que las emociones estaban ganando la partida al razonamiento frío.

—Muy bien. Jack, ¿qué información tiene? —prosiguió el presidente.

Kirkpatrick se retiró un momento de la estancia para llamar a Marcus Jackson del *New York Times*, que se encontraba en Colorado.

—Señor, en la CIA estamos convencidos de que los acontecimientos de las últimas treinta y seis horas no son acciones terroristas —dijo Mitchell—. De hecho, son actos de guerra.

El director de la CIA acaparó la atención de todos los reunidos y empezó a repasar, de un modo metódico, todas las pruebas que había obtenido su equipo.

—Durante las últimas treinta y seis horas, los iraquíes han abatido tres aviones de reconocimiento. Están preparando diversas unidades mecanizadas, están movilizando las fuerzas de la Guardia Republicana, están enviando unidades de reconocimiento a las fronteras de Kuwait y Arabia Saudí y han puesto los bombarderos en espera. Bagdad parece una ciudad fantasma: ningún coche o camión ha abandonado esa localidad durante las últimas doce horas, exceptuando un convoy de ayuda humanitaria de Naciones Unidas, que debía volver a Jordania. Además, Saddām acaba de dar un discurso realmente portentoso que, si me permiten, voy a citar: «Queridos hermanos árabes. Si no podemos recobrar la gloria de Palestina desde el río hasta el mar, y desde el mar hasta el río, con su corona Al Quds, deberemos eliminar a los invasores sionistas de la faz de la Tierra. Haremos que la sangre que circula por las venas de los invasores sionistas, criminales y ocupantes, se quede helada y, finalmente, deje de circular. Tan sólo me dispongo a llevar a cabo lo que sea del agrado de Alá y otorgue la gloria a nuestra nación árabe. Alá no abandonará a la nación árabe. Triunfaremos. Alá es el más grande. Alá es el más grande. Alá es el más grande. Que los imperialistas y sionistas, enemigos de nuestra nación, se degraden. Que Alá condene a los judíos». Fin de la cita.

—Jack, ¿la traducción es de fiar?

—Del todo, señor. Nos acaba de llegar de la Agencia de Seguridad Nacional. Lo preocupante del caso es que el tono es casi el mismo que Saddām ha utilizado siempre en los discursos de la Liga Árabe, pero la diferencia principal que destacan mis hombres es que, en el pasado, Saddām hablaba de «liberar» Palestina, ahora habla de «eliminar» a los sionistas de la «faz de la Tierra».

—¿Y qué?

—Bueno, señor, todavía no estamos del todo seguros. Necesitamos algo más de tiempo para analizarlo. Pero no hay duda de que la retórica de Saddām está al rojo vivo y parece que el dedo del gatillo está empezando a picarle, lo cual no es demasiado bueno. Y mi equipo teme que Saddām esté moviéndose hacia una posición más irracional y desesperada.

—¿Y quién puede decirlo? —bromeó el presidente.

—Está bien, señor. Pero hay algunas pruebas inquietantes que hay que tener en cuenta. Hará un año y medio, los servicios de inteligencia británicos interceptaron una llamada telefónica entre el médico personal de Saddām Hussein y el padre del facultativo. Más adelante, hará unos nueve meses, el hijo mayor de Saddām, Uday, murió en un accidente de coche en las afueras de Tikrit. No sabemos hasta qué punto fue un accidente o no. El chico, bueno, no tan chico puesto que ya tenía cuarenta y ocho años, tenía un largo historial de coches y ligues rápidos. Pero no podemos estar seguros. Sin embargo, en pocas palabras, nuestros analistas creen que su muerte afectó sobremanera a Saddām, ya que había criado a Uday para que lo sucediera y muy bien podría ser que nos acusara a nosotros, o a los israelíes, de intentar matarle. En 1996, como tal vez recordarán, alguien (todavía no sabemos quién, aunque creemos que pudieron haber sido los iraníes) ya intentó asesinar a Uday. No lo consiguieron, pero ocho balas dejaron al joven paralítico de cintura para abajo.

—Continúe.

—Bueno, señor presidente, tal vez recuerde que dos meses y medio después de esos hechos el hijo menor de Saddām, Qusay, murió asesinado por la explosión de un coche bomba en el centro de Bagdad. Creemos que ese atentado fue obra de la facción rebelde curda, aunque tampoco tiene demasiada importancia. Sabemos seguro que, independientemente de quién fuera el responsable, Saddām le culpa a usted y al primer ministro israelí Doron. La conclusión de todo esto, señor, es que Saddām Hussein tiene setenta y tres años y se está muriendo. No tiene hijos ni nadie a quien traspasar su poder. Si realmente cree que se le está acabando el tiempo, nadie puede predecir qué puede llegar a hacer.

El presidente permanecía en silencio, con una expresión grave y distante.

—¿Qué pasa con el *Gulfstream IV*? —preguntó, cambiando de tema bruscamente—. ¿Hay alguna prueba de que Iraq esté detrás de eso?

—En realidad, sí que la hay, señor —respondió Mitchell—. Los canadienses acaban de encontrar a los dos pilotos que se suponía que estaban pilotando el *Gulfstream IV* que le atacó. Estaban heridos, amordazados y con diversos golpes en la cabeza y los habían abandonado en un contenedor cerca de un hotel de Toronto, cerca del aeropuerto.

—Dios mío.

—Asimismo, encontramos a los tres ejecutivos de la industria del petróleo que también se suponía que iban en el avión. Estaban igual: con golpes en la cabeza y tirados en unos bosques cerca del perímetro del aeropuerto.

—¿Así que no se trataba de un avión secuestrado?

—No exactamente.

—¿Alguna idea de quién se hizo con el aeroplano?

—Sí, señor, ya lo sabemos —añadió Mitchell—. Los matones aparecen en una cinta del sistema de seguridad.

—¿Quiénes son?

—Dos hombres, vestidos de piloto y copiloto del G4. Las imágenes son tan claras como un día soleado en el sur: una de las cámaras que enfoca a la puerta principal de la terminal privada y una de la cámara de detrás del mostrador mientras firmaban una tarjeta de crédito, robada, naturalmente, y pagaban el combustible.

—Quiero nombres, Jack.

—Hemos cotejado las cintas con las bases de datos. Y no va a creer quién ha salido a relucir.

—¿Quién?

—Daoud Malek y Ahmed Jafar. Ambos miembros de Al Nakba, que traducido a nuestra lengua significa «el desastre». Es un grupo chiita formado originariamente por los iraníes para ayudar a luchar en la guerra de Chechenia. La dirige un tipo llamado Mohamed Jibril.

—¿El mismo que parece que quiere robarle el puesto a Bin Laden? —preguntó el vicepresidente.

—El mismo.

—Muy bien, continúe —insistió el presidente.

Bennett no podía dar crédito a sus oídos. Se encontraba lejos de Wall Street, fascinado por la discusión y cada vez más ansioso por saber hacia dónde les llevaría. Se sirvió un vaso de agua y se ofreció a los demás para hacer lo mismo. Todos le dijeron que no, menos McCoy.

—Habíamos seguido la pista a Malek y a Jafar durante años y teníamos informes bastante sólidos que nos aseguraban que estaban escondidos en un campo de entrenamiento de los Urales, fuera de Moscú. Naturalmente, todavía no les habíamos dado caza.

—Obviamente.

—Aun así, sabemos de buena tinta que Saddām Hussein ha estado financiando a Mohamed Jibril.

—Pensé que había dicho que los iraníes lo habían estado financiando —dijo Kirkpatrick.

—Los iraníes cedieron el dinero inicial a Al Nakba para costear la guerra contra los rusos en Chechenia. Pero Al Nakba también recibía financiación de la facción ultranacionalista de Yuri Gogolov de Rusia.

—¿Ultranacionalista? Llámeles mejor fascistas fanáticos —dijo el secretario de Justicia.

—Es verdad.

—Que Dios nos ampare si Gogolov alguna vez llega a convertirse en zar de Rusia —añadió el secretario.

—Amén —dijo Kirkpatrick.

—¿Qué implicación tiene Gogolov en todo este asunto? —quiso saber el presidente.

—Bueno, señor, es algo complicado. Gogolov es ruso, pero odia al Gobierno ruso actual, dirigido por el presidente Vadim, al que considera un traidor. Demasiado permisivo con Occidente y demasiado amigo de Israel. También opina que es demasiado suave con los judíos rusos que emigran a Israel. Gogolov está furioso por la proximidad que ha habido durante los últimos años entre usted y Vadim y, en especial, que trabajáramos tan cerca para destruir a Al-Qaeda y al régimen talibán. Le interesa financiar a cualquier grupo rebelde o terrorista que pueda debilitar a Vadim, incluido Al Nakba.

—Muy bien, Jack. Ahora junta las piezas y dime qué significa todo esto.

—Señor, Mohamed Jibril y Al Nakba han recibido ayuda de diversas fuentes, incluidos los iraníes y Gogolov. Pero durante los últimos años, la mayor parte del dinero de Jibril, unos seis millones de dólares, provenía de Iraq, más concretamente de la mano derecha de Saddām Hussein, el general Jalid Azziz, el jefe de la Guardia Republicana. Lo que implica directamente a los iraquíes en el atentado contra su persona.

—¿Lo sabemos con toda seguridad?—preguntó Kirkpatrick.

—Bueno, señora, todavía no lo daría por comprobado, pero es bastante probable. Fotografiamos juntos a Malek y a Jafar en Berlín hace año y medio.

Las fotos de los dos hombres aparecieron en las pantallas de vídeo que tenían delante.

—Todavía no habían hecho nada malo, pero se reunieron con un tipo del servicio de inteligencia iraquí en Praga durante más de cuatro horas en el bar de un hotel.

Aparecieron más fotografías en la pantalla.

—Ese encuentro nos despertó bastante la curiosidad, así que los seguimos a Madrid, donde montaron la parada durante dos meses. Continuaban recibiendo transferencias desde Berlín y Praga, dinero blanqueado mediante un banco suizo de Basilea. Pero todo provenía de pagos realizados a partir de petróleo iraquí vendido ilegalmente en el mercado negro, a pesar del embargo de Naciones Unidas. Tenemos todo el papeleo relativo y de allí es de donde proviene la cifra de seis millones de dólares. Luego, Malek y Jafar se fueron de Madrid y se dirigieron a El Cairo. Creemos que se dirigían de vuelta a Bagdad cuando fueron detenidos por los egipcios.

—¿Por qué no los detuvimos nosotros mismos?

—No teníamos suficientes pruebas para detenerlos, señor. Pero usted acababa de poner a la ayuda económica externa de Egipto contra las cuerdas y les cogimos en un buen momento para que nos ayudaran.

—¿Y cómo se escaparon? —preguntó el presidente.

—¿De verdad quiere saberlo, señor?

—Jack.

—Señor, no le va a gustar nada.

—Ya no me gusta nada.

—Malek y Jafar fueron liberados el mismo día en que la última transferencia de ayuda económica externa de Estados Unidos fue depositada en la cuenta de El Cairo.

—Me está tomando el pelo.

—No, señor. Tuve una corazonada e hice que el jefe de la CIA en El Cairo realizara algunas llamadas telefónicas el día anterior a que se autorizara la transferencia. Ya sabe, para que supieran que estábamos controlándolos.

—¿Y qué ocurrió?

—Pues que no recibió ninguna llamada de respuesta hasta el día siguiente. De hecho, no fue hasta la noche siguiente. A esas horas, los dos ya se habían ido. Naturalmente, los egipcios dijeron que lo sentían muchísimo.

—Claro que sí. Bueno, ¿y adónde se dirigieron esos dos personajes, Malek y Jafar?

—Bueno, señor, no estamos seguros del todo, pero creemos que volvieron a Bagdad vía Jartam. Tenemos fotos de un *jet* Gulfstream que aterrizó en la capital de Sudán al día siguiente, repostó y continuó en dirección a Bagdad.

También esas fotos se mostraron en una de las pantallas para que el equipo del Consejo Nacional de Seguridad pudiera verlas.

—Un Gulfstream, ¿verdad?

—Sí, señor. De hecho, no vimos a nadie en el avión, no subió ni bajó nadie, se limitaron a repostar. No teníamos suficientes agentes en el lugar para actuar ni mucho menos la autorización para llevar a cabo ninguna acción si hubiera sido necesario.

El presidente se reclinó en la silla de ruedas e intentó ponerse cómodo.

—¿Y qué me dice de Londres, París y Riyād? ¿Qué sabemos de esas operaciones?

—Todavía nada, señor. Tenemos suerte de saber todo lo que sabemos.

El presidente asintió con la cabeza, repasó sus notas y bebió un sorbo de agua.

—Deja que lo resuma, Jack. Hemos identificado sin lugar a dudas a los dos tipos que intentaron matarme, ¿no es así?

—Correcto.

—Y sabemos con absoluta certeza que eran tenientes del más alto rango de las organizaciones de Jibril y Al Nakba, ¿verdad?

—Correcto.

—Estamos convencidos de que Al Nakba se fundó con dinero proveniente de los iraníes y de algunos ultranacionalistas rusos, pero que ha recibido su mayor financiación durante los últimos dos años aproximadamente de Iraq, ¿correcto?

—Sí.

—Y que Malek y Jafar se encontraban en Bagdad hace algunos meses.

—Correcto.

—¿Algo más?

—Señor presidente, nos preocupa un nuevo mensaje que ha interceptado la Agencia Nacional de Seguridad.

—¿Qué mensaje?

—La agencia acaba de interceptar una llamada telefónica a través de sus instalaciones militares en Gibraltar. Sabemos con bastante seguridad que provenía del desierto occidental iraquí.

—¿Quién llama por teléfono móvil en medio del desierto en plena noche?

—Precisamente ésa es la pregunta que nos hacemos. No tiene ningún sentido. Además, aproximadamente una hora antes de que interceptáramos esa llamada, uno de nuestros satélites militares registró una petición de GPS en la parte occidental de

Iraq, de un vehículo en la autopista 10 en dirección a Ammān. Lo único que sabemos es que en esa carretera había un convoy de ayuda humanitaria de Naciones Unidas, un gran camión y cuatro todoterrenos Range Rover, pero han desaparecido sin dejar huella.

—¿Qué dijeron en la llamada?

—Lo sabremos dentro de algunos minutos, señor.

—¿Qué está ocurriendo, según vuestra opinión?

—Francamente, señor, todavía no lo sé. Pero dadas las demás actividades detrás de las que están los iraquíes, tengo un mal presentimiento. Estamos intentando ponerlo todo en orden. Les iré informando a medida que reciba más datos.

El presidente cada vez sentía un dolor más intenso. Susurró algo al oído de la agente Sánchez y, acto seguido, se dirigió al grupo.

—Señores, discúlpenme. Me siento realmente incómodo aquí. Me parece que la medicación para el dolor ya ha perdido el efecto. Hagamos una pausa de unos minutos. Voy a consultar con los médicos y, dentro de unos minutos, retomaremos las cuestiones. ¿De acuerdo?

—Ningún problema, señor presidente —dijo el vicepresidente—. Convocamos la reunión para dentro de quince minutos.

* * *

Catorce minutos más tarde, Marsha Kirkpatrick volvía a entrar en el COE.

Un instante después, la agente Sánchez volvía a entrar al presidente en la silla de ruedas en la sala de reuniones. La puntualidad del presidente era legendaria y fundamentada, aunque estuviera bajo los efectos de una medicación fuerte. La reunión del Consejo Nacional de Seguridad volvía a abrirse.

—Marsha, deje que empiece con usted —dijo el presidente sin perder un segundo—. ¿Qué información puede darnos?

Kirkpatrick se sirvió una taza de café.

—Señor presidente, acabo de hablar por teléfono con Marcus Jackson, del *Times*. Se le hace la boca agua. La noticia será portada con grandes titulares.

—¿Qué pondrá?

—No me lo ha dicho, pero creo que le gustará.

El presidente lanzó una mirada al vicepresidente.

—Bill, ¿cuándo fue la última vez que me gustó una noticia de Marcus Jackson?

—No tengo ni idea.

—La reseña que le dedicaron después de la guerra del Golfo para el *Denver Post* —apuntó Bennett.

Todos lo miraron como si hubiera jurado ante la mismísima cara del Papa. Black y McCoy se estremecieron. Por un instante, nadie dijo nada, hasta que Kirkpatrick rompió el silencio.

—Señor Bennett, está usted aquí por cortesía, no como participante —dijo con un tono de voz que hizo que Bennett se sintiera como si su padre le hubiera castigado un mes sin salir.

—Es cierto, pero tiene razón —dijo el presidente—. Jackson me trató bien una vez. Desde entonces se ha comportado... bueno, se ha comportado como un idiota.

—Se le ha subido la fama a la cabeza —añadió el vicepresidente.

—Esta reunión es del todo segura, ¿verdad? —pidió el presidente.

—Más nos vale —respondió el vicepresidente.

Todos se rieron.

Bennett volvió a encerrarse en su cáscara. «Es mejor que te vean a que te oigan», se decía a sí mismo. Estaba ahora en primera división y tan sólo era un debutante.

—Muy bien. Volvamos al trabajo. Jack, volvamos a la llamada que habéis interceptado.

—Sí, señor. Ya tenemos la transcripción de la llamada por teléfono móvil iraquí que hemos interceptado.

—¿Y bien?

—Era en farsi.

—¿Qué decían?

—El que llama dice: «La carta ya tiene sello y está preparada para enviar». Entonces, el interlocutor dice: «Alabado sea Alá. Prosigue y envía la carta». Después se oye un chisporroteo y ya está.

—¿Y ya está? —preguntó el presidente—. ¿Y eso que puede significar?

—En un día normal, señor, no significaría nada —explicó Mitchell—. En un día normal no habríamos apuntado, ni transcrito y, mucho menos, traducido una llamada de tres segundos hasta al cabo de un par de semanas, como muy pronto. Hoy lo revisamos todo con más detenimiento.

—¿Y qué?

—Esto significa, señor, que me temo que se está tramando otra operación en alguna otra parte.

—¿Por parte de Iraq o de Irán?

—Por parte de Iraq.

—¿Y por qué razón utilizan el farsi?

—Por eso es por lo que, en parte, pienso que se trata de una operación. Señor, los iraquíes no están seguros de nuestra capacidad de interceptar llamadas. Y pensamos que creen que, aunque cojamos y grabemos una llamada tan breve como ésa, cosa que es poco probable y que, gracias a Dios, ha ocurrido, no podríamos seguirle la pista con precisión. Según ellos, podríamos pensar que proviene de Jordania, Arabia Saudí o Siria, pero no de Iraq. E incluso aunque pudiéramos localizarla con precisión, el farsi nos confundiría y haría que sospechásemos de Irán.

—Claro, pero...

—Pero, gracias al GPS que interceptamos una hora antes, nuestros analistas están seguros de que la llamada telefónica en cuestión se realizó desde uno de los Range Rover de Naciones Unidas que se perdieron en la autopista 10.

—¿Y qué significa eso?

—Eso significa que, de hecho, los vehículos de Naciones Unidas podrían formar parte de una operación militar o del servicio de inteligencia iraquí, no de un convoy de ayuda humanitaria.

—Burt, ¿qué opina usted? —preguntó el presidente.

—La intuición me dice que tiene carácter militar —opinó el secretario Trainor.

—¿Por qué razón?

—El ejército jordano selló su frontera minutos después del atentado contra usted, señor presidente. Nadie ni nada puede atravesar la frontera iraquí y no han visto nada que viniera de esa dirección.

—Una de esas carreteras se divide en dirección a Siria, ¿verdad, Burt? —preguntó Kirkpatrick.

—Es verdad. Pero los sirios insisten en que tampoco han visto nada.

—¿Debemos creerlos?

—Hemos contrastado esa información con los israelíes —contestó Mitchell—. Digamos que tienen intereses por la zona y afirman que no ha pasado ningún convoy por allí.

—¿Y Naciones Unidas qué dice? —preguntó Paine.

—La misión de Naciones Unidas de Ammān dice que no ha recibido noticias de su equipo en los últimos días. Ha pedido que se haga una investigación, pero todavía no ha obtenido ninguna respuesta del Ministerio de Asuntos Exteriores iraquí. Además, ningún miembro de su equipo habla farsi.

—¿Qué intentan decirme, señores? —preguntó el presidente.

Bennett adivinó que el presidente estaba realmente preocupado en ese instante.

—Señor, existen dos posibilidades —se explicó Mitchell—. La primera es que los iraquíes estén mandando a otro equipo terrorista encubierto hacia el desierto para cruzar en secreto la frontera jordana por algún punto, ya sea para atacar el reino hachemita, tal vez al mismo rey y a la misma reina, o para llegar a Cisjordania y, desde allí, a Israel para atentar contra el primer ministro Doron.

—¿Qué opinan los jordanos?

—Francamente, cuando llamé al jefe de sus servicios de inteligencia todavía no había oído nada de eso.

—¿Y qué hay de los israelíes?

—Bueno, señor, eso es harina de otro costal. Tres helicópteros militares despegaron de una de sus bases secretas en el Néguev hará algunas horas. Uno de nuestros satélites recogió el despegue. En un principio, pensamos que se proponían realizar una misión de reconocimiento en Arabia Saudí. Lo hacen constantemente, así que no le dimos demasiada importancia. Sin embargo, uno de nuestros expertos miró la imagen con más atención. Barry, ¿puedes poner esa imagen en todas las pantallas?

El presidente levantó la vista hacia una de las pantallas de vídeo que había en la pared e intentó discernir lo que les mostraba, al igual que Bennett.

—Dios...

—No me lo puedo creer —añadió el vicepresidente.

—Explícame exactamente qué estamos viendo, Jack —insistió el presidente—. No quiero extraer conclusiones precipitadas, pero parece realmente un helicóptero lleno de miembros de un comando especial.

—Eso es, señor. Está viendo la parte superior de dos Apaches de factura estadounidense y un Sikorsky que cruzan el golfo de Eilat a tan sólo unos treinta metros por encima del agua.

—¿Por qué?

—Con un Apache, yo diría que iban de reconocimiento. Con dos Apaches, diría que van a recoger a alguien o algo.

—¿Y el Sikorsky, para qué, Jack?

—Bueno, señor. Eso es lo que hace que el caso resulte interesante. Creo que planean llevarse algo o a alguien de vuelta a casa. Es lo que me preocupa.

—¿Qué significa eso?

Mitchell respiró hondo. Bennett miró a McCoy, que tenía una expresión dura como nunca le había visto. El presidente se frotaba la barbilla y miraba directamente al vicepresidente y a Kirkpatrick. Finalmente, miró a Mitchell.

—¿Y bien, Jack?

—Señor, no creo que nos encontremos ante terroristas iraquíes. Señor presidente creo que estamos ante algún tipo de operación iraquí de lanzamiento de misiles, bajo la tapadera de un camión de ayuda humanitaria de Naciones Unidas.

—Así pues, si asumimos que esto es verdad, ¿por qué los israelíes no envían una misión para eliminar los Scud? Ya sabes, con un par de aviones o de Apaches, los haces saltar en pedazos.

Mitchell guardó silencio. Bennett miró a Black y después al resto de las personas de la sala, sin acabar de entender muy bien qué ocurría. El presidente tampoco dijo nada, se limitó a inclinarse hacia delante, esperando la respuesta de Mitchell.

—¿Jack?

—¿Señor presidente?

Era Kirkpatrick. El presidente la miró a través de la pantalla.

—¿Qué? ¿Por qué no se limitan a borrar del mapa al Scud o a lo que sea?

—Tan sólo hay una explicación posible, señor presidente —dijo lentamente Kirkpatrick.

El presidente aguardaba. Bennett miró a Tucker Paine, quien, obviamente, no tenía la clave, como tampoco la tenía el secretario de Justicia. Sin embargo, tal como pintaban las cosas, Burt Trainor, lo sabía; también Mitchell, era obvio, y Kirkpatrick. McCoy apretó con suavidad la mano de Bennett por debajo de la mesa. Ella también lo sabía. Sorprendido, pero agradecido, le devolvió el apretón.

—Señor, los israelíes deben de creer que, sea lo que sea, es demasiado arriesgado eliminarlo.

La manera en la que Kirkpatrick lo dijo provocó que los colores de la exhausta cara de Bennett desaparecieran al instante; de repente sintió frío y un sudor gélido fue el testimonio de su miedo, igual que cuando había mirado a los ojos del hombre de la cicatriz en la celda del aeropuerto israelí y había visto en ellos el anuncio de su muerte inminente.

—¿Demasiado arriesgado? —insistió el presidente—. ¿Qué intenta decirme? No, no estará pensando que...

El presidente se quedó helado; estaba pálido y parecía mareado.

«¿Qué? —gritó Bennett en su interior—. ¿De qué hablan?» En ese instante el presidente se había hecho cargo de la situación. «¿No iba a decirlo nadie?» No se atrevía a preguntar. Por el momento, no, y menos después de la áspera reprimenda que le había dispensado Kirkpatrick. Con desesperación, se fijó en el vicepresidente, cuya cara extenuada y ya mayor mostraba una expresión lívida. El vicepresidente tenía la mirada clavada en los ojos angustiados y congelados de su amigo y mentor, el presidente James Michael MacPherson. Y un escalofrío atravesó el cuerpo de Bennett.

—Los israelíes —dijo pausadamente el vicepresidente de Estados Unidos— creen que Iraq está a punto de utilizar armas de destrucción masiva.

Bennett calculó el horror de esa afirmación durante un instante, del mismo modo que hicieron todos.

—¿Cuál sería la peor consecuencia? —pidió el presidente—. Explicádmela, por favor.

Nadie quería responder a esa pregunta y ahí se quedó, flotando en el aire un instante, mientras todos se imaginaban la pesadilla que se les avecinaba.

—Podría tratarse de un arma química —añadió el vicepresidente—. Podría ser biológica, como el ántrax, el sarín, el gas mostaza, el ébola o...

Se le cortó la voz. Todas eran demasiado horribles para imaginarlas de verdad. De repente, todas las miradas se dirigieron a MacPherson.

—O —continuó el presidente—, podría ser todavía peor, ¿no es así?

No terminó la afirmación, pero no era necesario. El equipo del Consejo Nacional de Seguridad entero sabía que pensaba lo que también pensaba cada uno por separado. Incluso Bennett lo comprendió: Iraq estaba a punto de utilizar armas nucleares.

CAPÍTULO DIEZ

Los «cuatro jinetes del Apocalipsis» habían llegado.

Entraron por la estación Kievsky, una de las ocho estaciones de tren principales de Moscú por la que pasaban más de dos millones y medio de pasajeros todos los días. Cada uno tomó un taxi por separado al abandonar la terminal de la plaza Kievsky situada a orillas del río Moscova, cerca del Ministerio de Asuntos Exteriores. Sin embargo, estaba claro que todos se dirigían al mismo destino, en ese caso, el hotel Nacional.

Construido en 1903 por el conocido arquitecto ruso Alexander Ivanov, con el coste desorbitado para la época de un millón de rublos, ese monumento histórico podía presumir de ser la primera sede tanto del primer gobierno soviético en 1918 como de Vladimir Lenin. De hecho, Lenin residió durante un tiempo en la habitación 107, hasta que se mudó al Kremlin, que quedaba justo al otro lado de la plaza Roja.

Completamente restaurado entre 1991 y 1995, cuando el Royal Meridien compró la propiedad, el hotel Nacional se convirtió entonces en uno de los hoteles más lujosos y caros de la ciudad. En el vestíbulo, cuatro enormes estatuas de mármol blanco de dioses griegos saludaban a los huéspedes. El suntuoso restaurante moscovita ofrecía la mejor *borscht* y el mejor bistec Stroganov de la ciudad. Parecía emanar el eterno sonido de un maravilloso piano del bar Alexandrovsky, una espléndida estructura de invernadero con un techo de cristal a dos aguas, con luz natural y exuberantes árboles y arbustos tanto dentro como fuera, que siempre estaba repleto de hombres de negocios y turistas hasta altas horas de la madrugada.

Pero los «cuatro jinetes» no prestaron ninguna atención al fantástico aspecto del hotel, tan sólo les importaba su ubicación, puesto que daba a la avenida Tverskaya y a los edificios de color amarillo pálido del Kremlin. Rápidamente entraron en las cuatro *suites* contiguas que habían reservado hacía meses y parecía que no hicieran más que poner la CNN todo el día, todos los días: no llamaban por teléfono, no pedían nada del servicio de habitaciones e incluso tampoco se atrevieron a salir a las zonas comunes del hotel y, ya no digamos, al exterior del edificio. Parecían contentos con sus habitaciones y, de ese modo, forzaron a los que los seguían a permanecer allí igual que ellos.

El problema para los vigilantes era que se encontraban en clara desventaja: los nuevos amos habían quitado todos los aparatos de escucha que la KGB había instalado en las paredes del hotel. Y con los ricos huéspedes que ocupaban las 224 habitaciones, lo mejor que podía hacer el equipo de vigilancia era mezclarse con el servicio de habitaciones, el de mantenimiento y hacerse pasar por turistas. Así pues, los agentes se infiltraron discretamente en el edificio mientras el jefe del equipo se instalaba en el centro de gestión de seguridad, con aparatos de la más alta tecnología, situado en los sótanos del hotel y llamaba a Langley para recibir instrucciones. Tenía a esos tipos rodeados y a tiro, tan sólo necesitaban el permiso para abatirlos.

* * *

Esperaba que no volvieran a ser ellos.

El busca por satélite SkyTel de Marcus Jackson se encendió con una serie de exasperantes pitidos agudos justo cuando acababa de dormirse. Maldijo su suerte mientras buscaba a tientas las gafas, el interruptor de la lámpara y el maldito busca, la ruina de su existencia, la correa electrónica omnipresente que le había mantenido atado todos y cada uno de los días de su existencia, a cualquier hora, a los editores de Nueva York.

Eran casi las tres de la mañana del viernes en la costa Este. Dos de sus editores ya habían hablado ampliamente con él acerca de ese asunto anoche antes de enviarlos a ambos, a él y la noticia, a dormir. ¿Es que no iban a dejarle que se echara un sueñecito, ni que fuera un momento? Había otros periodistas que trabajaban para ellos, y pensó que ya podrían darles un poco de su trabajo. Había sido el primero en contar al mundo la noticia más importante desde los atentados terroristas y los titulares en primera página esa mañana del *New York Times* reflejarían su golpe maestro: «EE.UU. prepara duras represalias inminentemente»; «Fuentes señalan a Saddām mientras Iraq abate tres aviones de EE.UU»; «El presidente, mucho peor de lo que se había dicho». Los malos no dan tregua, concluyó Jackson.

Después de los acontecimientos de los últimos días, el corresponsal de la Casa Blanca había perdido su fuerza física y emocional, estaba exhausto y echaba muchísimo de menos a su mujer y a sus gemelas. De hecho, acababa de arrastrarse hasta la cama y apagar las luces unas cuantas horas atrás, después de las nueve de Colorado, cuando la asesora de Seguridad Nacional del presidente lo había llamado con la exclusiva.

Luego le llegó el mensaje urgente del responsable de prensa de la Casa Blanca, Chuck Murray, seguido de una breve llamada del médico personal del presidente, seguida de un fax del centro de mando de la Casa Blanca, seguido de una llamada de una fuente de un alto cargo de la CIA, un asesor personal de Mitchell, que Kirkpatrick había amañado, dándole todos los detalles de lo que pensaba la Administración acerca de la aparente relación de Iraq con los ataques.

Al final, Jackson encontró las gafas y apagó el busca. No era de Nueva York, era Murray, 911. Buscó a tientas el interruptor de la lámpara y entró a trompicones en el baño, donde los dos teléfonos móviles estaban apagados, recargándose. Cogió uno, lo conectó y llamó al número personal del móvil de Murray, que contestó inmediatamente.

—Chuck, soy Marcus —dijo mecánicamente Jackson, con el cuerpo, la mente y el alma profundamente dormidos.

—Gambito se traslada. Tienes diez minutos.

—¿Qué? ¿Por qué? ¿Adónde vamos? —preguntó Jackson, de repente despierto porque le había subido la adrenalina.

—No te lo puedo decir. Recoge las cosas y baja al vestíbulo ahora mismo.

—¿Por qué? ¿Qué prisa hay?

—No te lo puedo decir por ahora. Únete al tropel de prensa delante del hotel. El autocar se va en diez minutos. El *Air Force One*, en quince. Sin excepciones.

* * *

Oficialmente, no existían.

Durante casi seis años, este equipo de primera se había estado entrenando para ese preciso instante. A lo largo de ese tiempo, el mismo primer ministro les había apodado «el comando fantasma» y, si cometían el más mínimo error, ese nombre se convertiría en una realidad.

La primera fase de la misión de las fuerzas especiales había finalizado. La operación Relámpago Fantasma había sido un éxito rotundo: habían neutralizado los operadores iraquíes del misil Scud y el misil, al que llamaban «granizado», había sido «puesto en hielo», en un lugar seguro y había sido devuelto a la base militar israelí de alto secreto, conocida con el cariñoso nombre de «Carnaval».

La segunda fase, la operación Cazafantasmas, estaba a punto de empezar y seguramente iba a resultar bastante más difícil. Un equipo de élite formado por 27 israelíes, entre los que se contaban ingenieros de misiles, especialistas de las brigadas de explosivos, científicos nucleares y expertos en armas químicas y biológicas, se amontonaban nerviosos en un centro de operaciones diseñado especialmente para la ocasión y enterrado a varios metros bajo el desierto de Néguev. Tenían una misión y disponían de diez minutos más para llevarla a cabo. Pasado ese tiempo, llamaría el primer ministro y se desataría el infierno.

* * *

El general Azziz intentaba mantener la compostura.

Los planes no estaban saliendo como habían previsto y necesitaba inmediatamente información detallada. Eran casi las once de la mañana en Bagdad. Había transcurrido una noche entera y gran parte de la mañana y a esas alturas Saddām Hussein esperaba impacientemente las noticias del ataque sobre Tel-Aviv-Jaffa.

Asimismo, pedía la comparecencia en persona del general Azziz para que le informara de lo que había fallado. Sin embargo, había un inconveniente: Azziz no tenía ni idea de lo que estaba fallando y, de hecho, no tenía ninguna certeza de si algo había fallado o no.

Era cierto que hasta entonces no habían tenido noticias de un ataque contra Israel, del mismo modo que era cierto que Kamal y sus hombres no habían vuelto; aun así, Azziz se resistía a llamar a su equipo, el Q17, o enviar aviones o helicópteros para ir en su busca. Todavía no. Resultaba demasiado arriesgado, puesto que podrían haber tenido problemas técnicos con el cohete, estarían escondiéndose de una expedición de búsqueda y reconocimiento jordana, israelí o estadounidense, o el camión con remolque podría haber sufrido una avería y la estarían reparando. Podrían haberse topado con infinidad de obstáculos, pero cabía la posibilidad de que continuaran adelante. Esa misión era demasiado importante y decisiva para fastidiarla o descubrirla ahora.

Azziz era consciente de que disponía de más cohetes, entre los que destacaba la joya de la corona. Pero no sabía cuándo debería desplegarlos. Era de día y el valor estratégico del factor sorpresa no volvería hasta al cabo de unas diez horas. Lo peor es que era probable que lo hubieran perdido para siempre. A esas horas, se suponía que Tel-Aviv-Jaffa debería estar temblando, el mundo debería estar estupefacto y los israelíes y los estadounidenses deberían estar pensando en contraatacar o no. ¿Y entonces qué?

Sin embargo, el principal problema que se le planteaba tenía un carácter mucho más inmediato: Azziz sabía que los posibles ataques israelíes o estadounidenses no eran la principal amenaza contra su supervivencia, sino el mismo Saddām Hussein. Necesitaba una solución inmediatamente.

* * *

Hacía frío, humedad y un tiempo de mil demonios.

El reluciente helicóptero *Marine One* de color verde y blanco, iluminado con focos desde el suelo, estaba preparado para partir en una de las tres plataformas en el exterior del túnel de las montañas Cheyenne. Otros dos helicópteros de transporte de la Marina estaban preparados y esperando, del mismo modo que seis Apaches sobrevolaban la zona y algunos F-16 surcaban el cielo. Soldados de las Fuerzas Aéreas vestidos de combate crearon un perímetro alrededor de las pistas de aterrizaje de los helicópteros y la zona de aparcamientos cercana; la agente Sánchez se comunicó por radio con todos los miembros de su equipo para realizar una última comprobación. Todos los sistemas funcionaban.

—Todo en orden, señor presidente —gritó Sánchez por encima del estruendo ensordecedor de los aparatos—. ¿Está preparado, señor?

—Sí. Tú, Fútbol, Jon, Erin y Deek. Vengan conmigo —respondió a gritos el presidente desde los confines de la silla de ruedas—. Pon al equipo médico y al resto de los hombres en los helicópteros dos y tres.

—Entendido, señor —fue la respuesta de Sánchez—. Vamos.

Sánchez y sus agentes trasladaron primero al presidente, levantándolo con cuidado del suelo, y fijaron la silla de ruedas en el hueco que había dejado su asiento habitual, que habían retirado previamente. Cerraron con celeridad la puerta lateral a prueba de balas. En cuanto Gambito estuvo a salvo dentro y Sánchez se hubo sentado en el asiento delante de él, otro agente volvió y guió a Bennett, a McCoy y al ayudante militar apodado Fútbol, que llevaba un maletín con los códigos de los lanzamientos nucleares, por la otra puerta lateral y se metieron rápidamente dentro.

Minutos antes, Bob Corsetti y el secretario Iverson acababan de partir en dirección a Peterson en otro helicóptero. En el mismo instante en el que la puerta se cerró, el aparato despegó.

Ni Bennett ni McCoy habían estado nunca en el *Marine One*, Black tampoco. El espacio era más reducido de lo que habían imaginado. Sin embargo, pronto bajarían de allí, puesto que tan sólo era un corto traslado hasta la pista de la base aérea de Peterson donde el *Air Force One*, dos C-130 de transporte con los restos de la caravana presidencial y seis F-16 armados con misiles aire-aire Sidewinder estaban poniéndose en marcha y preparándose para salir disparados.

No obstante, lo que más sorprendió a Bennett mientras miraba por la ventana a medida que descendían y se sostenían un instante en el aire fue la cantidad ingente de soldados y personal de seguridad que montaban guardia. Pudo ver a los tiradores de primera del Servicio Secreto en los tejados de los hangares cercanos, los equipos SWAT del Servicio Secreto rodeando el avión del presidente y los tanques, vehículos Humvee y furgonetas blindadas de personal que se alineaban en la pista.

Ninguno de esos hombres y mujeres que se encontraban allí sabía lo que les depararía el futuro, no sabían si se avecinaba otro ataque ni qué forma adoptaría.

¿Se habían incorporado a las fuerzas de seguridad realmente para eso? ¿Estaban verdaderamente capacitados para entregar sus vidas? ¿Por qué? ¿Por qué les merecía la pena cuando esos ciudadanos inteligentes, fuertes y cuerdos podrían dedicarse a cualquier cosa que les gustara?

Claramente formaban parte de algo importante, algo que amaban y en lo que creían profundamente. Estaban dispuestos a morir, si era necesario, para proteger al presidente de Estados Unidos y salvaguardar los principios que él y su país representaban, incluso aunque no le hubieran votado o no les cayera bien.

Francamente, Bennett no acababa de comprenderlo. Había crecido en una familia que odiaba las armas y desconfiaba de cualquier persona que tuviera una. No es que fuera pacifista, pero estaba a favor de ellos. Creía que una buena cantidad de dinero y un buen trago de algo fuerte podían solucionar gran parte de los problemas. Y tenía un miedo atroz a la muerte, aunque, no sabía por qué, tampoco pensaba mucho en ella. Simplemente, no le entraba en la cabeza qué podía motivar a alguien para estar dispuesto a morir por un desconocido o un amigo, y mucho menos, a morir por un país o una causa.

Aun así, por primera vez en su vida, se encontró recibiendo una lección de humildad y se sintió agradecido y conmovido por el sencillo patriotismo de esos soldados y agentes del Servicio Secreto, un patriotismo que a menudo había considerado trillado y poco sofisticado. En el instituto y en la universidad recordaba que se sentía superior a los tipos que se habían largado a arrastrarse por el fango y a «jugar a la guerra», puesto que, después de todo, él iba a convertirse en un pez gordo de Wall Street e iba a ganar un montón de pavos. Se convertiría en un trotamundos de Harvard que se pasaría la vida viajando en avión de Londres y Davos a Hong Kong y Tokio. Sentarse a ver la fórmula Nascar comiendo perritos calientes (a los que llamaba «palitos de grasa»), engullendo cerveza y cantando la canción de Lee Greenwood *I'm proud to be an American*,[1] siempre le había parecido de mal gusto y típico de la clase obrera. Nunca había querido ser así.

1. Título que significa «Estoy orgulloso de ser estadounidense». *(N. de la T.)*

Siempre había querido cursar el MBA, puesto que así trabajaría en Wall Street, cogería un ejemplar del *Journal* y del *Times* todas las mañanas y olería el reconfortante cuero de su maletín mientras se dirigiría al ascensor y subiría por dentro de la torre de acero y cristal hasta la cumbre del mundo. Y eso es lo que había hecho.

Creía que un nuevo orden del mundo era posible; creía en una arquitectura financiera global del siglo XXI, a la cual había elogiado de manera elocuente ante los compañeros de profesión de todo el mundo. Realmente creía que las redes de fibra óptica y el capital digital estaban provocando que las naciones-Estado se quedaran obsoletas. ¿Por qué no crear una inmensa zona comercial libre y global en vez de mantener todas esas barreras y complicaciones al comercio? A él le habría gustado prescindir de todas esas tasas de cambio, fricciones y especuladores de divisas que estaban ganando verdaderas fortunas al mismo tiempo que sembraban la confusión y causaban úlceras.

Sin embargo, Bennett ya no sabía qué pensar. Los hombres y mujeres que estaban en tierra tenían algo de lo que él carecía y, aunque no se atreviera a reconocerlo ante nadie, le resultaba atractivo. También lo tenía el presidente, si se paraba a pensarlo. Y McCoy. Todavía no estaba muy seguro de lo que era, pero cuando el *Marine One* tocó tierra en la base militar en estado de guerra, supo que tenía que descubrirlo.

El mundo cambiaba a pasos agigantados y de repente las constantes de su vida habían dejado de parecer estables. Allí estaba él, sentado al lado del hombre más poderoso del mundo, aunque Bennett no se había sentido tan impotente en toda su vida.

Diez minutos más tarde, el *Air Force One*, flanqueado por dos aviones de combate, rugió a lo largo de la pista y se dirigió hacia Washington.

* * *

El *Air Force One* y su flota aérea se estabilizaron a trece mil setecientos metros de altura.

Estaban muy por encima de las nubes y lejos de cualquier punto de referencia visual que pudiera permitir a alguien de dentro del aparato, sin información secreta, discernir adónde se dirigían.

El presidente y su familia se encontraban en los aposentos privados con el equipo médico de las Fuerzas Armadas.

Los periodistas del autocar de prensa estaban situados en la parte trasera del avión, confinados a sus asientos y sin permiso para realizar o recibir ninguna llamada telefónica. Como periodistas, sentían curiosidad por saber qué sucedía; pero, como ovejas acorraladas en un redil seguro y confortable, en el que Chuck Murray les había asegurado que no iban a obtener ninguna información al menos durante algunas horas, la mayoría sentía la necesidad de dormir. No tenían ni idea de qué pasaría después, así que mejor sería estar descansados.

Corsetti volvió a los asientos de los asesores personales y señaló a Bennett, a McCoy y a Black.

—Vosotros tres, vamos, levantaos y para la sala de reuniones.

—¿Qué ocurre? —preguntó Bennett.

—El presidente ha vuelto a reunir al Consejo Nacional de Seguridad por videoconferencia.

—¿Y a mí no me dices nada? —preguntó Murray.

—Chuck, duerme un poco, anda —le aconsejó Corsetti.

—Tengo que estar en la reunión —insistió Murray.

—No es necesario, de verdad. Te conviene más quedarte durmiendo.

Corsetti sonreía, pero Murray, no

—¿Qué pasa, Bob? —susurró Murray.

—Mejor no quieras saberlo.

* * *

Había nueve soldados de pie a mano izquierda y nueve a mano derecha.

Los 18 luchadores de élite, jóvenes, duros, bien afeitados y sin armas, los Q18 y Q19, llevaban uniformes de color verde y boinas negras, estaban del todo erguidos, con los brazos a los lados, en la zona donde se encontraban algunos barracones de hormigón esparcidos, sin ningún tipo de gracia, en la parte trasera del palacio presidencial.

Engalanado con el uniforme de gala militar, el general Azziz se sentó en una silla grande decorada y magníficamente pintada, que más bien parecía un trono y que quedaba al fondo, delante de la pared central. A su lado, tenía a sus cuatro guardias personales armados hasta los dientes. En el momento en el que Azziz se puso en pie, los 18 soldados se dejaron caer de rodillas e inclinaron la cabeza hasta tocar el polvoriento suelo de cemento. Azziz observó el gesto de respeto y, al instante, gritó una orden en árabe y los hombres volvieron inmediatamente a ponerse en pie, erguidos como un palo.

—¡Oh, poderosos guerreros de nuestro salvador y señor, el rey más elevado, el redentor de nuestro bendito pueblo! —exclamó Azziz—. ¡Oh, poderosos guerreros de la única esperanza verdadera de nuestro pueblo, el presidente y el descendiente directo de nuestro gran rey Nabucodonosor, que reinó nuestra tierra con mano férrea y corazón de oro! ¡Oh, poderosos guerreros de Su Excelencia Saddām Hussein!

—¡Alabada sea Su Excelencia! —gritaron todos al unísono, incluida la guardia personal del general—. Alabado sea su más excelente nombre.

—Poderosos guerreros, habéis sido elegidos por nuestra redentor, nuestro protector, para la más gloriosa de las misiones y no podéis defraudar a Su Excelencia.

—Nunca fallaremos a Su Excelencia —gritaron los jóvenes soldados—. Nunca fallaremos a Su Excelencia.

—Poderosos guerreros, quienes han ido antes que vosotros, no lo han logrado. Han fallado y han sido destruidos por los repugnantes y perversos sionistas, los infieles que profanan, contaminan y envenenan la Tierra y todo lo que hay en ella.

Los hombres se quedaron en silencio, pero Azziz miró hacia la derecha y pudo ver como los ojos de sus hombres se abrían más y las manos se tensaban.

—Esos hombres juraron ante mí, ante Alá y ante Su Excelencia que no fracasarían. Y aun así, no lo consiguieron y el pago por eso ante el más excelso no ha hecho más que empezar.

Los barracones permanecieron en silencio, exceptuando la voz del general, que retumbaba y hacía eco.

—¡Esos hombres, débiles y repugnantes, han muerto! Lo único que me reprocho es no haber podido matarlos yo mismo. Ahora, sus mujeres morirán. Ahora, sus hijos morirán. Ahora, sus padres morirán. Ahora, sus primos, tíos y abuelos morirán. Todos morirán a manos de la rápida y terrible espada del ejecutor, el defensor de Su Excelencia.

—¡Alabada sea Su Excelencia! —gritaron todos los hombres al unísono.

—¡Coronel Shastak! —gritó el general.

—¡Sí, señor!

—¡Preséntese!

—¡Sí, señor!

El coronel Shastak, comandante del Q18, avanzó rápidamente hacia el centro de esa sala y se inclinó hasta casi tocar el suelo ante el general.

—Póngase en pie.

El comandante se irguió, estirado y orgulloso. El general le llamaba, le estaba otorgando el honor de dirigir las nuevas fuerzas en la batalla más importante contra los sionistas. Él no fracasaría como lo habían hecho esos hombres depravados que le habían precedido, los depravados a los que había llamado camaradas y amigos hacía tan sólo veinticuatro horas. Él sería un motivo de orgullo para su país y para su hermosa esposa y sus pequeñas cuatro hijas. Jamás fracasaría.

De hecho, tampoco iba a tener nunca la oportunidad de hacerlo. El general sacó la pistola que llevaba en un costado, chapada en oro y del calibre 45, un regalo que le había entregado Su Excelencia hacía un año, y apuntó con ella a la cara del coronel Shastak, que tenía a menos de metro y medio. Los ojos del hombre se abrieron y explosionaron en una nube de sangre y humo.

—Poderosos guerreros, que os sirva de lección a todos y cada uno de vosotros —dijo el general, mientras todos contemplaban cómo su compañero sin vida se desplomaba en medio del charco que formaba su propia sangre, que cada vez se hacía más grande—. Dejad que la muerte del coronel Shastak sea una inspiración en vuestras vidas. ¡Vosotros no fracasaréis! ¿Me habéis comprendido?

* * *

—Señor presidente, tenemos a todo el equipo reunido —informó el vicepresidente.

Bennett, McCoy, Black y el fotógrafo oficial de la Casa Blanca se encontraban a un lado de la mesa de roble, Corsetti e Iverson, en el otro, y el presidente presidía la estancia, sentado en su silla de ruedas. La agente Sánchez estaba de pie justo a su espalda. Sin embargo, todas las miradas se dirigían a las pantallas de vídeo que había al otro extremo de la pequeña sala de reuniones aérea.

—Muy bien, empecemos. Jack, ¿alguna novedad?

—Me temo que sí, señor —contestó Mitchell—. Un par de cosas. En primer lugar, acabo de recibir una llamada urgente de Chaim Modine, el ministro de Defensa de Israel.

—¿Qué se cuenta Chaim?

—Nada bueno, señor.

—Explíquenoslo, por favor.

—Teníamos razón. Los israelíes lanzaron un ataque aéreo al oeste de Iraq hará algunas horas. Atacaron a un equipo con un Scud B y se quedaron con el misil, bueno, de hecho, se quedaron con la ojiva. Hicieron volar el resto del cohete. Chaim incluso consiguió algunas imágenes.

—¿De verdad? —preguntó el presidente, sorprendido por la noticia—. Muy bien, veámoslas.

Corsetti atenuó las luces con un mando a distancia que había encima de la mesa de reuniones. Lo que sucedió en la pantalla número dos dejó a Bennett totalmente atónito, tanto por las secuencias como por la tecnología que las hacía posibles. Unas inquietantes imágenes térmicas de visión nocturna en negro y verde tomadas desde el Apache israelí a la cabeza mostraban cómo se desarrolló el ataque, incluida la muerte brutal de Ali Kamal, aunque nadie de los allí presentes, naturalmente, sabía su nombre.

—Bueno, Chaim Modine no tiene por costumbre mostrarnos vídeos de las misiones que llevan a cabo sus comandos —comentó el presidente—. ¿Qué ocurre, Jack? ¿Y qué quiere?

Bennett pudo ver cómo Jack Mitchell se movía incómodo en su asiento a través de la pantalla de vídeo que tenía delante. No era normal que el director de la CIA se hiciera el remolón a la hora de contestar.

—Señor, han examinado la ojiva —empezó a explicar con tacto Mitchell.

—Por favor, dígame que es normal.

Mitchell negó con la cabeza.

—¿Química?

Mitchell repitió el mismo gesto.

—¿Biológica?

Por tercera vez, Mitchell negó.

La estancia se estremeció, pero sin emitir ningún ruido. Con el rabillo del ojo, Bennett miró hacia Sánchez, que se llevó la mano a la boca en un gesto que denotaba horror. Parecía que el presidente no tenía ganas de hablar, como si, al no decir nada, de algún modo pudiera no ser verdad. Sin embargo, lo era. Y lo sabía. Todos lo sabían.

—Los iraquíes han desarrollado ojivas nucleares —afirmó finalmente el presidente.

—Señor, los israelíes nos están enviando por fax todos los datos que su equipo ha recogido acerca de la ojiva. Nos están enviando fotografías y las lecturas de los contadores Geiger. Vaya, cualquier cosa que podamos necesitar. Incluso están dispuestos a dejar que nuestro embajador y el agregado de Defensa lo vean si queremos que así sea. Pero deberíamos actuar con rapidez.

—¿Conclusión? —preguntó el presidente.

—La ojiva es bastante sofisticada, a decir verdad, y muy mortífera. Los científicos israelíes opinan que habría funcionado correctamente. Si hubiera chocado contra Tel-Aviv-Jaffa, digamos en el Dizengof, en el núcleo antiguo...

—¿El centro comercial?

—Sí, señor. El Mossad calcula que se habrían calcinado más de un millón de personas en tan sólo una milésima de segundo. Y otros dos o tres millones habrían muerto durante los siguientes meses.

—Que Dios se apiade de nosotros —cuchicheó el presidente.

—La pregunta que debemos plantearnos es si hay más —opinó el vicepresidente.

—Francamente, los israelíes no tienen ni idea —dijo Mitchell—, pero todos los analistas del Mossad, del mismo modo que los miembros de la inteligencia militar, están de acuerdo: Saddām Hussein no se la habría jugado con una única arma nuclear. Tiene más y seguro que está preparado para usarlas a cualquier precio, y no sólo contra Tel-Aviv-Jaffa, sino también contra Washington o Nueva York si tiene la oportunidad. Recordad que estamos hablando de un tipo que ya ha utilizado antes armas de destrucción masiva. Utilizó armas químicas para matar unos cien mil ciudadanos de su país durante los años ochenta y noventa. Así que debemos estar preparados para enfrentarnos a cualquier cosa.

—¿Y qué quiere Modine que hagamos? —volvió a preguntar el presidente.

—No es sólo Modine, señor. El gabinete de seguridad de Israel al completo acaba de realizar una votación en una sesión de emergencia.

—¿Y cuál ha sido el resultado?

—Señor. Disponemos de una hora. O lanzamos un ataque nuclear contra Bagdad o...

Mitchell se calló de repente.

—¿O qué? —le interpeló el presidente, con los ojos inyectados en sangre, cansados y ansiosos, como Bennett no había visto jamás.

—Si no lanzamos el ataque nuclear nosotros, lo hará Israel.

Bennett se quedó petrificado. La mente le trabajaba a marchas forzadas intentando encajar las piezas. Los israelíes acababan de frustrar un ataque nuclear inminente por parte de Iraq y estaban preparados para atacar Bagdad con sus propias armas nucleares, armas de las que no se tenía conocimiento oficial. Sin embargo, comprendía claramente las consecuencias. En esos momentos no disponían de pruebas contundentes que mostrar al resto del mundo y justificar sus acciones y, por esa razón, no habrían gozado del favor del público. En realidad, todavía no habían sufrido ningún ataque y no habían perdido a un millón de personas en una milésima de segundo. Todavía no.

Aun así, si Iraq disponía de más armas terroríficas de ese tipo, los israelíes se enfrentaban a un holocausto nuclear inminente tan horrible como todos los horrores nazis juntos, si no peor. Unos seis millones de judíos habían muerto durante la segunda guerra mundial en los campos de concentración nazis y las cámaras de gas. Actualmente, unos seis millones de judíos vivían en todo el estado de Israel. Cada uno de ellos corría grave peligro y por esa razón los israelíes pedían a Estados Unidos que lanzara un ataque nuclear contra Saddām Hussein, dentro del plazo de una hora.

«Después de todo —pensaba Bennett— tenemos razones y estamos en posición de hacerlo.

»Unos terroristas iraquíes han estado a punto de asesinar a nuestro presidente.

»Los misiles tierra-aire iraquíes han abatido nuestros aviones.

»Las Torres Gemelas y el Pentágono sufrieron el ataque brutal y repentino, aquí, en nuestro territorio.

»Los objetivos también habían sido la Casa Blanca y el Capitolio.

»Estados Unidos había liderado la coalición global para erradicar el terror de la faz de la Tierra.

»Y nuestro presidente sería el único que tendría alguna posibilidad de convencer al resto del mundo de que Iraq constituye una amenaza letal y existencial contra la paz y la prosperidad mundiales.

»Ya habíamos informado al mundo de que Iraq formaba parte del "eje del mal", junto con Irán y Corea del Norte. Pero, por diferentes razones, unas políticas y otras estratégicas, no habíamos emprendido acciones militares serias para neutralizar ese eje.

»¿Daría la orden el presidente para empezar ese ataque? ¿Sería capaz? Por otra parte, ¿podía no darla?»

* * *

El teléfono negro sonó sólo una vez.

Los agentes de la CIA en el despacho de seguridad de los sótanos del hotel Nacional contestaron en inglés. «Mira el correo electrónico», dijo el mensaje, y la línea se cortó. En efecto, miraron el correo, lo leyeron y el agente a la cabeza lo borró inmediatamente. El equipo disponía de la autorización para obtener la colaboración de las fuerzas especiales rusas y moverse en cuanto fuera oportuno.

El agente se dirigió a sus hombres con tranquilidad: estad preparados en quince minutos.

* * *

Ya estaba hecho.

El primer ministro David Doron estaba sentado delante de sus dos asesores militares más importantes. El ministro de Defensa acababa de hablar con el director de la CIA y el secretario de Defensa de Estados Unidos y esperaban la respuesta del presidente en cualquier momento. Sin embargo, no podían esperar, puesto que debían prepararse para el ataque y ser capaces de llevarlo a cabo de manera inmediata, incluso antes de la hora prevista, si fuera necesario. Doron se dio la vuelta hacia el ministro de Defensa Modine y el general Uri Zeev, el jefe del Estado Mayor de las IDF, y asintió con la cabeza.

Entonces, Zeev descolgó el auricular, pulsó cuatro números y leyó poco a poco los primeros nueve números del código de lanzamiento nuclear de Israel, que autorizaba la recarga de los misiles, pero no el lanzamiento todavía.

—Proceded a la operación Justicia Cósmica, ¡ahora!

* * *

El secretario de Estado finalmente rompió el silencio.

—Señor, soy Tucker.

—Dígame, Tuck.

—¿Podría ser que los israelíes se estuvieran marcando un farol?

—¿Qué quiere decir?

—Señor, poseen armas nucleares. ¿Sería posible que nos estuvieran dando información errónea para provocar que lanzáramos un ataque que neutralizaría la amenaza iraquí de una vez por todas?

—¿Está de broma? —preguntó el presidente incrédulo—. No, no lo creo. Jack, ¿qué opina usted? ¿Sería posible?

—Señor, sería posible, pero es muy poco probable. Acabamos de confirmar el ataque contra el lanzamisiles Scud. Tendré las fotos realizadas por el satélite listas para mostrárselas dentro de unos minutos. Pero sabemos que atacaron al misil Scud y que recuperaron algo. Nuestros analistas piensan que Modine está jugando limpio. Tenía a cuatro de mis mejores hombres escuchando la llamada y cribando todos los datos. Teniendo en cuenta la coyuntura mundial actual, parece cierto.

—Burt, ¿cuál es su opinión?

El secretario de Defensa Burt Trainor no dudó ni un ápice.

—Señor, yo estuve presente en la llamada de Jack y su equipo y me temo que tengo que estar de acuerdo. Mi equipo y yo creemos que es de fiar y que va en serio.

—¿Marsha?

—Bueno, sinceramente, señor, no creo que los israelíes se atrevieran a jugar con nosotros. Y respecto a lo que hagamos nosotros...

—Señor, soy Tucker otra vez.

—Espere un momento. Bill, ¿qué opinión le merecen todos estos hechos?

—Me parece un tanto surrealista, señor, como una pesadilla —opinó el vicepresidente—. Pero estoy de acuerdo con Marsha: no se trata de ningún juego. Saddām ha intentado desarrollar armas nucleares durante los últimos treinta años. Lo sabemos, así como también sabemos que estuvo a punto de conseguirlo antes de invadir Kuwait en 1990. También sabemos que la UNSCOM encontró pruebas de un programa extremadamente agresivo para desarrollar armas de destrucción masiva, a saber, químicas, biológicas y nucleares. Diablos, Jack llegó a ayudar a dos de sus científicos nucleares más destacados a desertar, aunque uno acabó volviendo. Así pues, hemos sabido durante mucho tiempo que este momento iba a llegar. Tal vez los hombres de Jack y de Burt tuvieran razón hace un par de años y deberíamos haber ido a por Saddām desde el principio de esta guerra contra el terrorismo. No lo sé. Ahora es agua pasada. De lo que no cabe ninguna duda es de que ahora debemos actuar. El problema es saber de cuántas armas nucleares dispone Saddām. No tengo la más remota idea. ¿Qué será lo próximo que haga? ¿Se está muriendo de verdad y está desesperado? Tampoco lo sabemos. Lo único que sabemos ahora es que no tenemos demasiado tiempo y que los israelíes lanzarán un ataque si no actuamos con rapidez.

—¿En Osirik?

—Naturalmente, señor. Los israelíes atacaron y destruyeron el reactor nuclear iraquí de Osirik en 1981. Y debo decir que no nos avisaron aunque, por mi parte, doy gracias a Dios de que actuaran. No existe razón alguna para creer que el primer ministro Doron no ordene un ataque dentro de una hora si no lo hacemos nosotros. La pregunta más importante que debemos plantearnos es si tiene la intención de esperar ese lapso de tiempo, teniendo en cuenta el holocausto inmediato al que se enfrenta su pueblo.

—Bill, ¿insinúa que deberíamos atacar? —preguntó el presidente—. ¿Deberíamos ser los primeros en atacar?

—Señor presidente —gritó Paine—, dígame que no está considerando ni un instante la posibilidad de lanzar un misil balístico intercontinental[1] nuclear contra Bagdad, ¡por el amor de Dios!

Parecía que todos los que se encontraban en la sala de reuniones del *Air Force One* y en el Centro de Operaciones de Emergencia debajo de la Casa Blanca rehuyeran pronunciarse. La idea de utilizar un arma nuclear estadounidense por primera vez desde Hiroshima y Nagasaki en 1945 resultaba casi demasiado irreal como para contemplarla. Sin embargo, pensaba Bennett, eso era precisamente lo que estaban haciendo y, durante ese proceso, estaban agotando el tiempo.

—Bueno, dado que ahora mismo no disponemos de demasiadas opciones, ¿qué tiene usted en mente, señor secretario de Estado?

—Señor, se lo ruego, por lo que más quiera, respire hondo. Trate de ver las cosas con perspectiva. No deje que ese pensamiento tan siquiera le pase por la cabeza.

1. Los misiles balísticos intercontintentales son conocidos también con las siglas ICBM. *(N. de la T.)*

—Señor secretario, me parece que es un lujo que ahora no me puedo permitir.

—No se trata de ningún lujo, señor. Estamos hablando de la vida tal y como la conocemos. Señor, ¡piénselo! Más de cuarenta y cinco mil personas murieron en Hiroshima sólo el primer día. Durante los siguientes meses siguientes, veinte mil más. Eso era un cuarto de la población que la ciudad tenía en esa época, señor. En Nagasaki, si lo recuerdo con exactitud, murieron más de veintidós mil personas el primer día y otras veinte mil durante los meses siguientes. Y se trataba de ciudades pequeñas. Bagdad es algo completamente diferente. Estamos hablando de...

—De unos cinco millones de habitantes —observó el secretario Trainor.

—Cinco millones de personas, señor. Cinco millones de almas. No puede hacerles pagar por los actos de un loco.

La cara pálida del secretario de Estado se había puesto roja. Ya no se trataba de política, era algo personal.

—Tucker, le comprendo a la perfección. No tengo nada en contra del pueblo iraquí. De hecho, lo compadezco por lo que le ha hecho Saddām. Pero ¿qué debo decirle al primer ministro de Israel? ¿Qué le digo? Él tiene el deber de proteger a seis millones de personas. Él mismo fue un superviviente del Holocausto y fue prisionero de guerra en Líbano cuando era joven. Les puedo asegurar que no va a quedarse sentado y con los brazos cruzados. ¿Y qué dicen de mí? ¿En cuántos actos conmemorativos del Holocausto y reuniones religiosas he hablado y he dicho «nunca más»?

—No —volvió a gritar Paine—. No. Podemos ordenar a cabo algunos bombardeos. Podemos enviar inspectores de armas otra vez. Podemos hacerle pagar por todo lo que ha hecho. Pero no podemos, bajo ningún concepto, atacar a una potencia extranjera, aunque se trate de Iraq, con armas de destrucción masiva. No es la naturaleza de nuestro pueblo, señor. No es para lo que Dios puso a esta nación en la Tierra.

Bennett observó como el presidente reflexionaba sobre las opciones de las que disponía. No eran buenas, y todos lo sabían. Pasaron diez minutos y nadie dijo nada. Aun así, todos sabían que si el presidente no tomaba una determinación pronto, los israelíes lo harían por propia cuenta. Por su parte, Bennett apoyaba la tesis del secretario de Estado: pensaba que utilizar un arma nuclear, sobre todo contra la capital de un país, era abominable. Paine podía dárselas de refinado, pero eso no implicaba que no tuviera razón. Disponían de opciones bélicas convencionales lo suficientemente agresivas, pero dudaba de que el presidente estuviera pensando en ellas. ¿Se estaba dejando llevar por las extremas emociones de esos instantes? Estaba claro que Saddām Hussein había ido más allá de lo permitido; aun así, ¿era del todo cierto que la opción nuclear era la única?

—Stu, ¿qué opina? —quiso saber el presidente, mirando a Iverson.

—Sinceramente, señor. No creo que tenga otra alternativa. No me gusta nada, pero creo que es necesario.

—¿Cómo reaccionarán los rusos?

—Creo que si expone la situación al presidente Vadim antes de atacar, será reacio, pero le comprenderá.

—Jack, ¿y usted qué cree?

—Bueno, señor, creo que debemos hacerlo. Pero si optamos por actuar, tenemos que proceder bien.

—¿Qué quiere decir?

—Quiero decir que tiene que actuar igual que Harry Truman, señor presidente. Cuando llegó la hora de zanjar el tema de los japoneses en la segunda guerra mundial, puesto que implicaban una amenaza mortal para nuestro pueblo y nuestros intereses, Truman no sólo atacó una ciudad enemiga con la bomba, sino dos. Actualmente, Iraq es el régimen más temible del planeta. Personalmente, también incluiría a Irán en esta evaluación, pero no han estado directamente implicados en ninguno de estos acontecimientos. Aun así, le garantizo que constituirán un grave problema en el futuro, especialmente si continuamos emprendiendo acciones contra sus vecinos. Habiendo dicho esto, necesitamos centrarnos en el problema inmediato que tenemos planteado: Iraq. Es el epicentro del mal de la era moderna. Es un criadero de terroristas y ha estado haciendo todo lo posible para comprar, construir o robar armas nucleares, por no mencionar las químicas y las biológicas. Reclutan a científicos rusos y amenazan con «incinerar» Israel. Es fundamental que nos libremos de Saddām y de su arsenal de armas de una vez por todas. El mundo necesita saber cuál es el precio de declararnos la guerra. «Si probáis trucos como ésos, os liquidaremos.» Si va a atacar, señor presidente, hágalo con contundencia. Como Truman. Un golpe uno-dos.

—¿Dónde más atacaría, Jack?

—En Tikrit, una pequeña ciudad a unos ciento cincuenta kilómetros al norte de Bagdad, a orillas del río Tigris. Es la ciudad natal de Saddām y el lugar en el que se encuentra el palacio presidencial. Sacó a patadas a los inspectores de la UNSCOM cuando buscaban sus armas de destrucción masiva allí. Creemos que tiene almacenes enormes subterráneos de materiales químicos, biológicos y nucleares. También hay un lugar cerca de allí, Al Alam, muy conocido porque fabrica motores de misiles. Si atacamos Bagdad y Tikrit el mundo sabrá que vamos muy en serio.

Paine estaba fuera de sí, pero intentaba aplacar su fuego. El presidente escuchó atentamente, reflexionó un instante y se dirigió al secretario de Defensa, Trainor.

—Burt, ¿cuánto tardaría uno de nuestros ICBM en caer sobre Bagdad y Tikrit?

—Señor presidente, por el amor de Dios. Le ruego que no lo haga —insistió Paine—. Es una insensatez.

No le sentó nada bien, pero el presidente intentó no desviarse.

—¿Burt? —insistió el presidente.

Bennett veía cómo el presidente pasaba de estar enfadado con Paine a sentir una profunda rabia, no sólo por la posición del secretario sino también por el aire petulante y de superioridad moral que mostraba con su actitud. Eso preocupaba a Bennett, principalmente porque estaba de acuerdo con la posición de Paine, o al menos compartía la misma línea de pensamiento. Si el secretario perdía su credibilidad, como Bennett sospechaba que acababa de suceder o que estaba a punto de hacerlo, desaparecería un punto de vista crítico importante y se crearía un grave vacío.

—¿Un Minuteman lanzado desde uno de nuestros silos subterráneos? —continuó Trainor—. Unos veinticinco o treinta minutos.

—¿Y desde un submarino?

—Señor, tenemos varios submarinos nucleares Sea Wolf en el océano Índico en este instante. Diría, tal vez, ocho o nueve minutos, hasta llegar a ambas ciudades —manifestó Trainor.

—¿Qué hay del impacto?

—Bueno señor, Iraq tiene cuarenta millones de habitantes. Como ya he dicho, hay unos cinco millones en el área metropolitana de Bagdad. Tikrit es bastante más pequeño, pero es estratégicamente importante porque, como dice Jack, es el lugar donde nació Saddām, su ciudad natal, y donde se esconden la mayor parte de búnkeres subterráneos de seguridad. Pero el centro de población no es demasiado grande. Así que un ataque a ambas ciudades dependería del tamaño y el tipo de arma utilizada. Creo que estaríamos hablando de entre uno y tres millones de muertes al final de la primera semana. Como mínimo.

—Dios mío —dijo Paine.

—¿Como mínimo? —preguntó el presidente.

—Eso me temo, señor.

Tucker Paine se puso en pie.

—Señor presidente, no puedo formar parte de...

—Señor secretario, ¡siéntese! En caso contrario, será relevado de sus responsabilidades —dijo bruscamente el presidente—. Tengo en cuenta sus discrepancias y se lo agradezco, del mismo modo que lo agradezco a los demás, si las comparten. No obstante, necesito sus consejos, no sus rabietas, señor secretario. Y no le voy a tolerar ninguna más. ¿Me he expresado con claridad?

—Señor presidente, yo...

—¿Me he expresado con claridad? —requirió a gritos el presidente con fuego en los ojos.

El secretario Paine continuó de pie, pero sin decir nada.

—¿Señor vicepresidente? —llamó MacPherson.

—¿Sí, señor presidente?

—Quiero que acudan dos agentes más del Servicio Secreto a su sala ahora mismo. El secretario se sentará, escuchará y participará, pacíficamente. En caso contrario, se lo llevarán, lo encerrarán y tendrá que enfrentarse a acusaciones federales. ¿Ha quedado claro?

—Como el agua, señor.

Bennett pudo ver en el monitor como dos agentes más entraban en la estancia y tomaban posiciones al lado del secretario de Estado. Totalmente perplejo, Paine volvió a sentarse, rojo como un tomate y luchando por contener sus emociones.

* * *

Todos llevaban chalecos antibalas de Kevlar.

Dos docenas de miembros de los comandos especiales estadounidenses y rusos tomaron posiciones en la quinta planta y en el tejado del hotel Nacional. Todos iban de negro de los pies a la cabeza y equipados con un arsenal capaz de hacer estallar una pequeña guerra, resultado que no quedaba más lejos de su intención, puesto que ésta era evitarla.

Los jefes de los equipos estadounidenses y rusos llevaron a cabo las comprobaciones necesarias y sincronizaron sus relojes. Había llegado la hora. Agachados en el hueco de la escalera, a unos metros de las puertas que estaban a punto de tirar al suelo, se hicieron la señal de aprobación y susurraron órdenes en inglés y ruso respectivamente a través de los auriculares. Al instante, ocho soldados descendieron en *rapel* por la fachada principal del hotel y lanzaron granadas de luz en todas las ventanas de las cuatro *suites*. Las explosiones ensordecedoras hicieron temblar el edificio y aterrorizaron a los viandantes.

—¡Vamos, vamos, vamos! —gritó el jefe del equipo estadounidense.

Él y su homólogo ruso irrumpieron en el pasillo con una docena de hombres más. Segundos más tarde, habían derribado las cuatro puertas y habían entrado en las habitaciones llenas de humo, lanzando más granadas de luz y ráfagas con la ametralladora. Las órdenes eran explícitas: atrapar a los «cuatro jinetes», vivos o muertos. Dado el historial de asesinatos y barbaries de esos diablos, se decidió neutralizarlos de inmediato, sin darles la menor oportunidad.

Tan sólo hubo un problema: cuando el humo se desvaneció, los jefes de los equipos pudieron comprobar, asqueados, que aunque las luces estaban encendidas allí no había nadie.

La CNN todavía estaba puesta, pero los «cuatro jinetes» se habían esfumado.

CAPÍTULO ONCE

—¿Qué significa que los habéis perdido?

Mitchell daba vueltas y gritaba por los auriculares en el Centro de Operaciones Globales enterrado bajo los cuarteles generales de la CIA, en Langley, Virginia.

—Señor, asaltamos las habitaciones y no se encontraban allí —dijo el jefe del equipo estadounidense por el teléfono vía satélite seguro desde el pasillo del cuarto piso del hotel Nacional.

—¡Bueno! ¿Y adónde coño se fueron? —aulló Mitchell.

—Señor, no tengo ni idea.

—¿Así que se supone que tengo que llamar al presidente y decirle que mis hombres acaban de perder el rastro de los terroristas más peligrosos de todo el mundo? —el director de la CIA estaba fuera de sí.

—Bueno, señor, es que...

—¡Encontradlos! ¡Despertad al presidente Vadim! ¡Haced que movilice al Ejército Rojo y removed toda la ciudad hasta que los encontréis! ¿Entendido?

—Sí, señor.

—Entonces, ¡manos a la obra! ¡Ahora mismo!

* * *

Bennett se echó agua fría en la cara y se miró en el espejo del baño.

El presidente se encontraba en su despacho aéreo privado, hablando por teléfono con el primer ministro israelí. Corsetti y el resto del equipo de Seguridad Nacional también hablaban por teléfono, intentando reunir más información y barajando las diversas opciones. Bennett se frotó el cuello y, discretamente, se tomó un Valium. Tenía el corazón acelerado y notaba un ligero martilleo en la cabeza; le dolía el cuello y la espalda y tenía los ojos inyectados en sangre. Por si fuera poco, estaba empezando a notar cómo la fiebre le subía. Tan sólo pensaba en encontrar algún rinconcito donde poder acurrucarse y dormir.

Minutos después, volvió a entrar en la sala de reuniones del avión y se sirvió una taza de café, con doble de leche y de azúcar. Una azafata entró con una bandeja de bocadillos, trocitos de verduras y salsa para mojar, bolsitas de Ruffles y Fritos y una gran bandeja de galletas de avena con pasas. De repente, Bennett se sintió famélico.

Sintió una punzada de culpabilidad al querer comer en un momento como ése, pero cogió y engulló un bocadillo de jamón dulce y emmental con lechuga, tomate y mostaza de Dijon y una galleta todavía caliente, grande y gruesa.

Black se sumó rápidamente, pero en vez de un bocadillo, cogió dos, el mismo número que de latas de Coca-Cola *light*, también se hizo con algunas galletas.

McCoy estaba sentada en una esquina, masticando zanahorias y apio y bebiendo pequeños sorbos de una botella de Evian.

* * *

—Bob, soy Jack —dijo el director de la CIA—. Tengo malas noticias.

El jefe del Estado Mayor de la Casa Banca apretó contra la oreja el auricular del teléfono seguro vía satélite que le tendía un especialista en comunicaciones de las Fuerzas Aéreas, mientras miraba hacia el presidente.

—¿Qué noticias tienes, Jack?

—Necesito al presidente.

—¿Por qué? ¿Qué pasa?

—Los hemos perdido.

—¿A quiénes?

—¿Cómo que «a quiénes»? A ver si lo adivinas, Bob.

Tardó un momento, pero de repente Corsetti salió del aturdimiento inducido por la fatiga y se percató de lo que ocurría.

—¿Habéis perdido a los «cuatro jinetes»?

—Necesito hablar con el presidente, ¡ahora!

* * *

Diez minutos más tarde, el presidente, Iverson y Corsetti volvían a entrar en la sala de conferencias.

El presidente regresó a su sitio en la silla de ruedas, a la cabeza de la mesa. No parecía nada contento. Todos volvieron a sus asientos y se conectaron de nuevo con el Centro de Operaciones de Emergencia del presidente.

—Acabo de hablar con Doron —empezó el presidente—. Me ha informado de todo lo que saben. Tienen a muchos agentes en tierra buscando cualquier rastro de misiles Scud acercando posiciones. Todavía no tienen nada. Y ahora Jack me dice que acaban de perder a los «cuatro jinetes» en algún lugar de Moscú.

Todo el mundo se estremeció. Las cosas empeoraban a gran velocidad.

Corsetti cruzó la mirada con Bennett un instante. Nunca habían sentido demasiado apego el uno por el otro. Corsetti siempre había sido demasiado conservador a los ojos de Bennett y, por su parte, Bennett siempre había tenido demasiadas ganas de ganar dinero para el presidente o el partido a los ojos de Corsetti.

«No me imagino qué haría Corsetti si alguna vez le confesara que he votado a Dukakis, a Clinton dos veces y a Gore —pensó Bennett para sus adentros—. Me tiraría del avión a mitad del vuelo con sus propias manos. —El Don de Denver no toleraba demasiado bien a los disidentes—. Y debería ser así», pensó Bennett. Él conocía Wall Street, mientras que Corsetti conocía Washington. Ambos eran leales al presidente. Una pareja ideal. ¿Quién dijo que la diversidad era mala?

—¿Marsha?

—Sí, señor presidente —respondió Kirkpatrick.

—Hable con la Agencia Nacional de Seguridad. Dígales que quiero cobertura por satélite completa de cada centímetro cuadrado de Iraq, ahora mismo. Quiero que tomen fotografías de todos los hangares, todas las casas y todas las cabañas iraquíes, de todos los tanques, camiones y de todos los triciclos también, a cada minuto, todas las horas y todos los días hasta que sepamos dónde esconden los misiles y podamos atacarlos y destruirlos. ¿Entendido?

—Sí, señor.

—No me importa lo que tengan que hacer. Si tienen que reprogramar los pájaros, que lo hagan. Si necesitan refuerzos de las Fuerzas Aéreas, como U-2, SR-71, Blackbirds, Predators o aviones teledirigidos Global Hawk, lo que sea, que se lo concedan. Doron está muy nervioso, como os podéis imaginar. Está preparado para atacar Bagdad ahora mismo. Me ha dicho que, mientras hablábamos, estaban cargando el combustible de los misiles. Le he implorado que no efectuara ningún movimiento y le he comunicado que estábamos preparados para actuar, con decisión, y que estamos movilizando nuestras fuerzas. Le he informado de que el Consejo Nacional de Seguridad estaba reunido en ese momento y que le comunicaríamos nuestra decisión dentro de una hora.

—¿Qué ha respondido, señor? —preguntó el vicepresidente.

—Ha sido muy conciso. Me ha anunciado que disponía exactamente de 55 minutos y 27 segundos, ni un segundo más ni uno menos.

* * *

Iverson no podía creer que se encontrara allí.

Por muchas razones, la idea de estar en el *Air Force One* con el presidente de Estados Unidos en medio de esa crisis nuclear global era la última cosa que quería hacer en esos momentos. No hacía demasiado que ocupaba su cargo y se estaba desatando un verdadero infierno.

Sin embargo, habiendo dicho esto, no importaba cómo se lo mirara, Iverson no podía sacarse de la cabeza cuánto odiaba al hombre al que había ayudado a que eligieran presidente. Acababan de arrancarle de las manos todo por cuanto había trabajado, todo lo que había planeado, todas las estrategias que había diseñado durante los últimos años.

Nunca había querido ser el secretario del Departamento del Tesoro. Él quería ser milmillonario y aparecer en la lista de *Forbes 400*, en primer lugar, si fuera posible.

En ese instante, sus planes bien trazados se estaban haciendo trizas. El presidente le había forzado a aceptar el cargo, después de haber filtrado la noticia de su inminente nombramiento al *Wall Street Journal* y de haber provocado que Corsetti avivara el fuego de la aprobación pública y política hasta un punto en el que Iverson no tenía la posibilidad de rechazarlo. Aun así, él habría querido decir que no y es lo que debería haber hecho. Convertirse en el secretario del Tesoro implicaba tener que deshacerse de las participaciones de GSX y la Joshua Fund, justo en el momento en el que iban a convertirle en un hombre más rico de lo que nunca hubiera imaginado.

Por supuesto ya era muy rico, pero el acuerdo con Medexco le habría multiplicado exponencialmente esa riqueza pero, en tan sólo cuestión de meses, todo se había ido al traste. Todo. Ni el presidente ni Corsetti podían imaginar la rabia que sentía Iverson. Pero era verdadera y ardía con un vigor que no podría esconder durante mucho más tiempo.

Súbitamente, Iverson notó que el BlackBerry que tenía a la altura de la cadera vibraba. Miró hacia abajo para leer el último correo electrónico que acababa de recibir y no dio crédito a sus ojos.

Eran ellos. No estaban contentos y querían respuestas. Pero ¿cómo osaban enviarle un correo electrónico en ese lugar?

Rápidamente eliminó el mensaje del BlackBerry, se esforzó en no perder la compostura y volver a incorporarse a la discusión del Consejo de Seguridad Nacional.

* * *

—Secretario Trainor —dijo el presidente con firmeza.

—Dígame, señor.

—Necesito una recomendación rápida.

—Bueno, señor presidente, permítame que le diga, en primer lugar, que si decide llevar el plan adelante, le recomendaría que no ordenara utilizar un ICBM.

El presidente estaba visiblemente desconcertado.

—¿Por qué no?

El secretario de Defensa habló con tranquilidad y prudencia, especialmente a raíz de la confrontación que acababa de mantener con el secretario de Estado.

—Señor, creo que todas nuestras fuerzas nucleares estratégicas están en la misma línea, pero...

—Pero ¿qué ocurre?

—Pero le voy a plantear las siguientes situaciones: ¿qué ocurriría si intentáramos lanzar un Minuteman o un Peacemaker y no funcionara? ¿Y si explotara en el silo o mientras se encuentra en la atmósfera dirigiéndose hacia el objetivo, como ocurrió con la lanzadera espacial *Challenger*, o bien se desintegra en la estratosfera? Otro caso, señor: ¿qué ocurriría si el ICBM funciona a la perfección pero nos equivocamos e impacta en otro país?

—Burt, ¿qué intenta decirme? ¿Me está diciendo que no podemos confiar al 100 por ciento en las fuerzas de misiles nucleares estratégicas?

—No, señor. Le estoy diciendo que no quiero ser yo quien lo descubra, así como tampoco quiero que el resto del mundo lo averigüe. Creo que funcionan bien, pero no tengo ningún interés en fallar en una cuestión de tal magnitud. Las consecuencias podrían ser catastróficas, tanto en términos de pérdidas de vidas humanas como de la pérdida absoluta de nuestro poder de disuasión nuclear estratégico. Además, incluso aunque todo funcione perfectamente, y estoy seguro de que así sería, se trata de un potencial exagerado.

El presidente respiró hondo e hizo una señal a Corsetti, que rápidamente le llenó el vaso de agua.

—Así que usted está de acuerdo con el secretario de Estado. No lanzaría un arma nuclear contra Bagdad.

—No, señor, no he dicho esto.

—Entonces, ¿qué está diciendo?

—Quiero decir que no lanzaría un ICBM.

—¿Qué haría usted?

—En caso de que decidiera atacar con un golpe nuclear, y repito «en caso de», le recomendaría que utilizara un arma nuclear táctica. Un misil de crucero.

—Explíquese, señor secretario.

—Señor, siguiendo sus órdenes, podemos lanzar bombarderos invisibles B-2 desde la base de las Fuerzas Aéreas de Whiteman, cerca de Kansas City. Podrían llevar misiles de crucero convencionales, pero también AGM-129A, misiles de crucero aire-tierra que vuelan a ochocientos kilómetros por hora con un alcance de unas doscientas millas náuticas y pueden llevar consigo una ojiva nuclear W-80-1 con una precisión milimétrica.

—Ilústreme acerca de los W-80.

—Bueno, señor, los W-80 son unas ojivas nucleares para misiles balísticos de subbase. El W-80-1 es una ojiva nuclear diseñada para utilizar en misiles de crucero lanzados desde el aire. Se trata de un arma de implosión con radiación a dos niveles. Mide un metro de largo y pesa casi ciento cuarenta kilos cada una. Tiene un rendimiento de unos ciento cincuenta kilotones. Señor presidente, básicamente eso equivaldría a detonar ciento cuarenta millones de kilos de dinamita en el mismo lugar.

De repente, Bennett sintió náuseas. El secretario Trainor continuó.

—Fueron diseñados por primera vez en Los Álamos en 1976 y se utilizaron por primera vez en 1981. La producción se finalizó en el año 1990: construimos unos setecientos. Después de las conferencias de START II, tendremos aproximadamente unos cuatrocientos todavía en *stock* en estos momentos.

—¿Señor presidente?

Era la asesora de Seguridad Nacional Marsha Kirkpatrick.

—¿Sí, Marsha?

—Pongamos por caso que ordene un ataque como ése. No puede llevarlo a cabo unilateralmente, puesto que necesitaría consultarlo con las autoridades del Congreso, con los aliados y con Rusia.

—Y con Doron —añadió Mitchell con una inflexión de urgencia—. El primer ministro espera impaciente.

—Ya lo sé, ya lo sé. Bill, dime qué opina.

—Señor, no se trata sólo de eso. La pregunta principal que debemos plantearnos es qué haríamos después. Quiero decir que eso constituiría un capítulo sin precedentes en la historia de la humanidad. Pienso que deberíamos tener una idea clara de cuál sería el siguiente paso que deberíamos dar y explicárselo al Congreso y a los aliados.

—Muy bien, entramos en ese tema ahora mismo. Pero antes, Bill, ¿cómo recomendaría que actuáramos?

El vicepresidente era un buen hombre. Bennett le respetaba muchísimo. Tenía una experiencia mucho más dilatada en el gobierno que MacPherson, concretamente en lo que respetaba a política federal y seguridad nacional. Además, siempre estaba tranquilo, sereno y no perdía la compostura ante las crisis.

Lo que resultaba todavía más interesante a los ojos de Bennett es que el vicepresidente era un estratega. Durante los años ochenta, había sido una pieza clave de la alianza del Senado a favor del presidente Reagan para intentar aventajar y superar tácticamente el imperio del mal. Durante los años noventa, se había erigido como defensor acérrimo de las defensas de misiles estratégicas así como de la modernización de las fuerzas nucleares. También había aplicado su impresionante peso intelectual para la redefinición del papel de Estados Unidos en el escenario posterior a la Unión Soviética.

Ese hombre tenía la capacidad de jugar al ajedrez en tres dimensiones, pensaba Bennett, puesto que era capaz de calcular y valorar todos los movimientos posibles, todas las preguntas y las respuestas a dichas respuestas, ya fuera sobre cuestiones de política interior o exterior. Y siempre ganaba. Por eso el Servicio Secreto le llamaba Jaque Mate. El nombre le iba como un guante.

—¿Entre uno y tres millones de personas? —el vicepresidente negaba lentamente con la cabeza—. ¿Y la mayoría civiles inocentes? ¿Convertir Bagdad y Tikrit en lugares inhabitables durante décadas?

—Bill, ya lo sé, resulta inconcebible. Te planteo tan sólo la siguiente pregunta: ¿eliminaría de una vez por todas la amenaza del terrorismo patrocinado por Iraq y la amenaza inminente del uso de armas de destrucción masiva por parte de Saddām Hussein?

—Lo haría, señor.

—¿Quedaría claro para las demás naciones que estuvieran considerando, aun de manera remota, la posibilidad de lanzar un ataque contra Estados Unidos o nuestros aliados con armas de destrucción masiva, que tenemos los medios y la voluntad de eliminarlos definitivamente?

—Sí, señor. El mensaje sería claro.

—Según su punto de vista, ¿implicaría cincuenta o cien años más de paz en el mundo?

—No estoy del todo seguro. Pero, básicamente, supongo que sí. El instinto me dice que sí lo haría.

—¿Tenemos otras opciones inmediatas, que resulten viables y efectivas?

El vicepresidente reflexionó un instante. Naturalmente, ése

era el meollo de la cuestión. Bennett imploró en silencio a ese hombre que se le ocurriera alguna alternativa mejor.

—En la próxima media hora, no.

Bennett veía el tren salir de la estación y él quería bajarse.

—¿Podríamos invadir Iraq occidental, desde allí llegar hasta Bagdad, ocupar la ciudad, encontrar a Saddām y matarle en un plazo de seis a nueve meses? Sí, pero ¿estaríamos dispuestos a perder entre diez mil y veinte mil soldados estadounidenses como mínimo o tal vez más? Seguramente. ¿La opinión pública de Estados Unidos lo aprobaría? Es poco probable. ¿Resistirían nuestras alianzas, especialmente las del mundo árabe? Terminantemente, no. ¿Podría convertirse en nuestro próximo Vietnam? Seguro. Usted estuvo allí, Jim, señor presidente. Sabe cómo es. ¿Quiere volver a pasar por esa situación?

—Así pues, ¿qué intenta decirme, Bill? —urgió el presidente—. Explíqueme su conclusión.

—Estamos ante una situación de lo más caótica.

—Ya lo he notado.

—Señor, lo que digo es que no estoy a favor del ataque con armas nucleares. Bajo ningún pretexto...

Todas las miradas se centraron en el vicepresidente. McCoy se mordió el labio y Bennett aguantó la respiración. El presidente se irguió.

—Bajo ningún pretexto, excepto bajo las circunstancias actuales.

Bennett sintió como si le succionaran el oxígeno del cuerpo: se había quedado sin aliento y tenía frío y miedo.

—En abstracto, resulta horrible y del todo grotesco, es algo que roza la barbarie —continuó el vicepresidente—. Pero en términos de nuestras opciones militares inmediatas y la amenaza que supone para la seguridad nacional de Estados Unidos y de los aliados, se hace necesario, incontenible, decisivo. Y sí, creo que ganaremos cincuenta o tal vez cien años de paz mundial, como mínimo.

—¿Merece la pena, entonces? —preguntó el presidente.

—Bueno, señor, puede que sí. Sin embargo, quiero insistir en volver a mi pregunta anterior acerca de lo que haremos después. ¿Hacia dónde nos dirigiremos luego?

—El Eclesiastés.

—¿Perdone, señor?

—Hay un tiempo de matar y un tiempo de curar, un tiempo de destruir y un tiempo de edificar, un tiempo de amar y un tiempo de aborrecer, un tiempo de guerra...

Las palabras flotaron en el aire un instante.

—... y un tiempo de paz.

—Sí, señor. Eso sería un buen modo de decirlo. No podemos pensar tan sólo en destruir a nuestro enemigo. También tenemos que pensar en cómo reconstruir un nuevo mundo, un mundo de paz y prosperidad.

Bennett veía que el presidente quería levantarse y empezar a caminar. Eso es lo que acostumbraba a hacer en las reuniones estratégicas de GSX cuando se ponía manos a la obra para empezar un nuevo acuerdo.

Sin embargo, se encontraba atrapado en una silla de ruedas, sin poder dormir y se veía forzado a tomar una decisión acerca del uso de armas nucleares en mitad de la noche, a más de trece mil metros de altura y a mil quinientos kilómetros de distancia de sus principales asesores de seguridad nacional.

Al no poder caminar, el presidente optó repentinamente por rezar. Sin decir nada a nadie, se limitó a inclinar la cabeza, cerrar los ojos y juntar las manos. Bennett no podía parar de mirarle.

Los instantes siguientes pasaron muy despacio y Bennett se sintió furioso contra su amigo y mentor por estar perdiendo ese tiempo valioso cuando disponían de tan poco para empezar. No había tiempo para cuentos de hadas, estaban obligados a pensar con lógica y tomar decisiones ajustadas a ella. El destino del mundo estaba en la balanza.

* * *

Carrie Downing era una mujer de treinta y dos años inteligente y elegante.

Había sido una de las estrellas más valiosas de Excite@Home, la que una vez fue la empresa proveedora de acceso a Internet más importante del mundo, hasta que presentó una petición de protección contra la bancarrota del capítulo once de la Ley Federal en octubre del 2001.

El sueño de Downing de abrirse camino entre las aguas del punto com y convertirse en millonaria se había hundido más rápido que el *Titanic*. Echaron por la borda a un montón de empleados, entre los cuales se encontraba ella, justo cuando los terroristas de Al-Qaeda colisionaban contra el Pentágono y el World Trade Center y la economía estadounidense se hundía rápidamente en una grave recesión.

Así que Downing hizo lo que cualquier aspirante a trabajador del software de correo electrónico hubiera hecho cuando su cargamento de opciones de compra de acciones cayó en picado de los cien dólares la acción en abril de 1999 a unos míseros trece centavos la acción tan sólo dos años y medio más tarde: se unió al FBI.

Formada en poco tiempo como especialista electrónica en contraespionaje y lucha contra el terrorismo, rápidamente causó buena impresión a sus superiores. La habían asignado a un equipo y a un proyecto de alto secreto conocido por el resto del mundo como Farol Mágico.

El software de última generación que había generado una gran controversia formaba parte de lo que el FBI llamaba «Plan del Proyecto Carnívoro Procesado».

Estaba diseñado para engullir el máximo número de bocados enjundiosos de correos electrónicos. Podía instalarse en secreto en la unidad de disco duro de un ordenador de un enemigo potencial de Estados Unidos, o enviarse de incógnito como un virus a esa persona, adjunto a un correo electrónico de aviso o de anuncio aparentemente inocuo.

Una vez instalado, permitía al FBI leer ficheros encriptados e incluso grabar las diferentes teclas que pulsaba el usuario, como por ejemplo las contraseñas y, de este modo, tener acceso a la información financiera y organizativa secreta de los criminales más escurridizos y las organizaciones mafiosas. Asimismo, también podía pasar inadvertido por el software de antivirus más sofisticado del mercado.

Sin embargo, incluso la mejor tecnología está limitada por el uso que de ellas hacen las personas y ésa estaba en manos de agentes como Downing, cuya misión era invadir el ordenador escogido, robarle los datos y cribarlos rápidamente sin que le detectaran, a la búsqueda del tipo de información que pudiera ayudar a sus compañeros de tierra a descifrar el más difícil de los casos. Y Downing era buena, muy buena. Había ayudado a descubrir tantos casos durante los últimos años que el director del FBI, Scott Harris, había empezado a tomarla en consideración y en el departamento la habían apodado «la reina carnívora».

Eso no significaba que pudiera escaparse del turno de noche, naturalmente. Después de todo, era el momento del día más ajetreado y más productivo para el equipo del Farol Mágico. Además, tampoco le importaba porque, a pesar de su belleza, unos deslumbrantes ojos azules y una risa alegre y contagiosa, no había salido con nadie desde que entró a trabajar por primera vez en el equipo de @Home. Tal vez tuviera algo que ver el hecho de trabajar entre doce y catorce horas todos los días, le decían sus compañeras de piso. Sin embargo, la falta de vida social estaba haciendo que envejeciera más rápido y era la causa de que todavía trabajara más.

Sin embargo, en ese instante, Carrie Downing se quedó petrificada. Los signos de fatiga o de autocompasión se evaporaron de repente: se quedó mirando el mensaje de correo electrónico que acababan de interceptar, pero no tenía ni idea de qué hacer con él. Sabía quién lo había recibido. El objetivo, Stuart Iverson, el secretario del Tesoro de Estados Unidos, y su cuenta privada de AOL era una de las 63 cuentas de correo electrónico de altos cargos administrativos que el director del FBI personalmente les había autorizado para supervisar. Pero no fue el nombre de Iverson lo que le atrajo la atención, no en el primer momento, sino el nombre del remitente, que le heló la sangre.

Rápidamente, siguió el rastro y comprobó el sistema, volvió a verificar los resultados. Un escalofrío involuntario le sacudió el cuerpo. Todo lo que hasta la fecha había hecho para el FBI había sido divertido y clandestino, pero la situación acababa de cambiar y era muy consciente de ello. Notaba el corazón acelerado y las gotitas de sudor que se le formaron en el labio superior. Descolgó rápidamente el auricular del teléfono que tenía delante y marcó el número del comandante de guardia en el Centro de Operaciones de lucha contra el terrorismo que estaba debajo.

Era una información de lo más importante y el alcance quedaba muy por encima de su rango.

* * *

El presidente volvió a levantar la cabeza y empezó a hablar con tranquilidad y confianza.

—Muy bien, escúchenme con atención. No digo que sea lo que vayamos a hacer, pero quiero saber qué les parece esta opción.

Bennett miró el monitor que enfocaba directamente a Tucker Paine. No podía evitar sufrir por ese hombre, que parecía estar afligido. El presidente puso en orden sus pensamientos y continuó hablando.

—Pongamos por caso que vuelvo a llamar por teléfono al primer ministro Doron cuando acabemos esta reunión. Me resisto a responder a su petición y, sencillamente, le informo de que voy a lanzar un ataque aéreo a gran escala contra Iraq inmediatamente. Además, le comunico que, según unas informaciones de última hora que resultan de lo más alarmantes, Estados Unidos va a declarar inminentemente la guerra contra Iraq. Desataremos toda la furia de nuestro poder militar sobre el régimen de Saddām Hussein. Y le digo que en el curso de los próximos días, tal vez, repito *tal vez*, nos veamos forzados a utilizar una o más armas de destrucción masiva contra Iraq. ¿Creen ustedes que su Gobierno y su país apoyarían a Estados Unidos si ejecutáramos a cabo esa serie de acciones?

En ese instante Bob Corsetti entró en escena por primera vez.

—Me parece bien. Prométale la guerra, pero no le prometa que vaya a ser nuclear. Empecemos una campaña aérea de inmediato. Bombardeemos copiosamente Bagdad y Tikrit y enviemos la Octogésima Segunda hacia los desiertos occidentales de Iraq para cazar cualquier lanzadora móvil de misiles Scud. Con eso ganaremos tiempo. Si necesitamos llegar hasta el final, tendremos tiempo para decidir. Con un poco de suerte, no será necesario. Pero en ningún caso podemos admitir que Israel nos ha pedido que actuemos. Si lo hacemos así, deberemos actuar sin la huella israelí.

—Eso es verdad —resonó la voz de Kirkpatrick—, pero deberíais hacer que Jack, Burt o yo misma (aunque la mejor opción sería Jack) llamáramos al ministro de Defensa Modine inmediatamente después de que el presidente llamara al primer ministro israelí e insistiéramos personalmente en que los israelíes de ningún modo atacarán primero ni permitirán jamás que se filtre ninguna palabra de la acción del comando especial. Así también les podemos informar de que necesitamos tener la ojiva en Washington a las siete de la tarde, hora del Este.

En ese instante, el vicepresidente irrumpió en la conversación.

—Exactamente. Usted tiene que dar un discurso a la Nación a las nueve de la noche de hoy. Tiene que explicar que Estados Unidos acaba de frustrar un intento por parte de los iraquíes de lanzar un misil nuclear contra el Estado de Israel. Puede anunciar que considera este acto un ataque contra Estados Unidos de América. Tiene que explicar que las acciones que hemos llevado a cabo hasta la fecha han borrado del mapa la mayoría de células terroristas del mundo, pero debe dejar absolutamente claro a todas las personas que ya no se trata de una lucha contra los terroristas y que el Gobierno iraquí nos ha declarado la guerra y ha hecho peligrar así nuestra existencia. Debe contar al mundo que nuestras fuerzas, no, concretamente «los Apaches fabricados en Estados Unidos», entraron en acción, desarticularon un equipo iraquí con un Scud y capturaron la ojiva. Tendría que mostrar las fotografías al mundo y explicar la amenaza biológica, química y nuclear que supone Iraq, así como también tendría que hacer hincapié en que, si no tomamos medidas contundentes de inmediato, nadie estará a salvo de las armas de destrucción masiva de Saddām Hussein.

—Así pues, señor presidente —añadió Kirkpatrick—, tendrá que declarar la guerra. Afirmará que «las valientes fuerzas de la libertad se impondrán a las cobardes fuerzas del mal» y que los estadounidenses y «todos los pueblos del mundo que aman la libertad deben prepararse para el momento más oscuro de nuestra historia como civilización». Prepare a todo el mundo para lo que vamos a realizar y explíqueles el porqué. También podría pedirles que rezaran con usted por las Fuerzas Armadas durante ese momento de gran peligro nacional.

—Y finalmente acaba el discurso —añadió Corsetti— dirigiéndose a los iraquíes: «Que Dios se apiade de vuestras almas, puesto que nosotros no tendremos compasión».

—No —rechazó el presidente levantando la mano en señal de oposición al comentario de Corsetti—. No acabaremos con una frase de venganza, por mucho que se la merezcan.

—Señor presidente, yo...

—No, Bob, ya sé lo que quiere decir. Pero la respuesta es no. Mire, es necesario que justifique la guerra contra Iraq, así que seré claro, conciso y del todo convincente. Aun así, también necesitamos empezar a hablar de una nueva coyuntura: una situación de paz y prosperidad que empiece en el Oriente Próximo. Pero no voy a hablar de eso en el discurso de esta noche, sino que debemos discutirlo entre nosotros, los israelíes y los palestinos.

—Señor, ¿de qué está hablando? —preguntó el secretario Paine.

—Estoy hablando del mundo después de Saddām. Hablo de acabar con la amenaza de guerra y violencia en Oriente Próximo de una vez por todas. Hablo de reunir a israelíes y palestinos aquí, en la Casa Blanca. Hablo de un tratado de paz y del acuerdo petrolero en el que ha estado trabajando Bennett. ¿Por qué? Pues para permitir que todos los judíos y todos los árabes saquen un provecho y una prosperidad personal si aceptan vivir juntos en paz. Para ofrecer al mundo un futuro y una esperanza, planes para el bien y no para el mal.

Una ola de intensa ansiedad mezclada con una curiosidad lacerante azotó a todos los asistentes, incluido al secretario Paine. El tiempo se les acababa y no terminaban de comprender hacia dónde se dirigía el presidente.

—Muy bien, ahora no tenemos demasiado tiempo, pero prestadme atención unos instantes —prosiguió el presidente—. Necesitamos un final de la historia, ¿verdad? Muy bien. Pensad en ello. Si el mundo está al borde de una pesadilla, debemos estar preparados para ofrecerles un sueño como contrapartida: el sueño de la paz árabe-israelí. No sería una paz en la que se amaran unos a otros porque sí, sino que se trataría de una paz resultante del elevado precio de la guerra y los lucrativos beneficios de la concordia.

—¿Qué significaría eso, señor? —insistió Paine.

—Bueno, mi opinión es la siguiente.

El presidente efectuó una pausa para beber un trago de agua y aclararse las ideas.

—En el momento en el que finalice la guerra contra Iraq, empezaremos inmediatamente, junto con israelíes y palestinos, a transformar Medexco en una empresa pública. Los directivos de la empresa serán tan inmensamente ricos como nunca habrían soñado. Sin embargo debemos insistir básicamente en que se entregue a todos los israelíes y a todos los palestinos acciones de la empresa desde el principio, desde la oferta pública inicial.

—Del mismo modo que hizo Thatcher en el Reino Unido —agregó Bennett, sin que ni Kirkpatrick ni nadie le reprendiera, afortunadamente.

—Más o menos —respondió el presidente—. Todos los habitantes de Israel y Palestina poseerían sus propias acciones de la compañía. La Joshua Fund proporcionaría los mil millones de dólares de capital de riesgo. Este trato ya se ha llevado a cabo. Todos los inversores de la Joshua Fund mantienen sus acciones, pero al transformarse en un ente público, israelíes y palestinos se convertirían en personas ricas al instante y como por milagro.

—¿Está hablando de verdad de formar parte del acuerdo de Bennett? —preguntó Kirkpatrick.

—Naturalmente —dijo el presidente—. Todos conocéis la idea fundamental, ¿no es así?

—Sí, señor —respondió Kirkpatrick—, pero no estoy segura de las implicaciones que tiene en este caso.

El corazón de Bennett latía aceleradamente y su mente trabajaba a marchas forzadas, pero nunca en la vida había tenido las ideas tan claras. El presidente lo miró y sonrió, acto seguido, prosiguió.

—La mayoría de personas desconoce por completo la importancia del lugar en el que se asientan israelíes y palestinos en términos de petróleo y gas. Tal vez algunos de vosotros tampoco lo sepáis, aunque hayáis leído el documento. Pero es casi inimaginable. Al principio pensamos que se trataba sólo de gas natural, sin embargo el año pasado descubrimos petróleo, una cantidad increíble de petróleo. Para que os hagáis una idea, podría compararse con Arabia Saudí que, naturalmente, es el mayor productor mundial de petróleo y posee una cuarta parte de las reservas mundiales de petróleo conocidas. Los saudíes extraen unos ocho millones y medio de barriles al día, ¿verdad? De modo que, cuando el petróleo está a veinticinco o treinta dólares el barril, ganan unos doscientos millones de dólares al día, lo que supone entre ochenta mil y noventa mil millones de dólares al año, tal y como están los precios. Ahora bien, Bennett, McCoy y su equipo creen que cuando la perforación y la maquinaria de refinería estén preparadas y se alcance el rendimiento óptimo, Medexco podría convertirse rápidamente en una de las empresas petroleras más grandes del mundo. Podría acabar extrayendo entre cinco y seis millones de barriles al día, lo que resultaría, a la baja, entre cincuenta mil y sesenta mil millones de dólares al año tan sólo en ventas de crudo y gas, por no hablar de todos los demás productos refinados y las ventas al por menor que podrían realizar.

—¿Realmente hay tanto petróleo y tanto gas allí? —quiso saber el vicepresidente.

—Sí —dijo el presidente—. De hecho, cuando contabilicemos el *factoring* de todos los demás productos y fuentes potenciales de ingresos para los que hemos (bueno, yo ya no), para los que GSX y la Joshua Fund han desarrollado un plan de negocio detallado, Medexco, en poco tiempo, llegaría a un nivel de ventas anuales brutas del orden de ciento ochenta mil o doscientos veinte mil millones de dólares al año.

—Es más de todo el PIB de Israel actual —apuntó el vicepresidente.

—Cierto. Ésas son las magnitudes de las que estamos hablando. El PIB de Israel es de unos ciento veinte mil millones de dólares anuales en la actualidad. Este acuerdo petrolero significaría un cambio global. Y no sólo eso: el acuerdo convertiría a Medexco en una de las empresas petroleras más grandes del mundo, del orden de, digamos, ExxonMobil, que factura un cuarto de billón de dólares bruto al año en ventas.

—La empresa valdría una fortuna inconcebible —dijo el secretario Paine entrecortadamente, que no había acabado de comprender qué había estado preparando Bennett.

—Naturalmente —prosiguió MacPherson— ahora todas esas cifras son suposiciones al alza basadas en una violencia de baja intensidad en la región, pero no la guerra. Obviamente, esas plataformas de perforación de gas y petróleo descomunales y las instalaciones de refinería serían un blanco demasiado vulnerable y haría que la inversión no tuviera valor alguno a los ojos de los inversores si la región sufriera continuos ataques terroristas agresivos o se sumergiera en una guerra.

—¿Por eso Bennett lo tuvo relativamente tan fácil? —preguntó el vicepresidente.

Bennett volvió a mirar al presidente, que asintió con la cabeza, cediéndole la palabra.

—Es verdad, señor —dijo Bennett—. ¿Recuerdan la pequeña inversión de John D. Rockefeller en la Standard Oil en 1862? Tan sólo invirtió cuatro mil dólares de la época, pero siete años más tarde...

—... ya poseía el 90 por ciento de la empresa —acabó el vicepresidente— y tenía una mina de oro bajo los pies.

—Exactamente —dijo Bennett—. Y el resto ya lo conocen. Por esa razón GSX recomendó tan firmemente que la Joshua Fund invirtiera mil millones de dólares en este proyecto de manera inmediata, puesto que no habría muchas otras empresas que se arriesgaran en esa zona. Naturalmente, si ahora hubiera un clima de paz...

—Quiere decir, básicamente, si borráramos a Iraq de la faz del planeta —corrigió el secretario Paine.

Bennett no quiso morder el anzuelo.

—... si hubiera paz, una paz verdadera y duradera, todos esos cálculos serían discutibles, o conservadores, como menos. El valor real de la empresa podría ser muchísimo mayor, y el cambio se produciría casi de un día a otro.

—¿Y cuál sería el siguiente paso? —quiso saber el vicepresidente.

Bennett buscó al presidente para que lo orientara, pero éste no le detuvo.

—Me da la impresión de que seríamos capaces de apalancar la inversión inicial por medio de una OPI y conseguir así los miles de millones de dólares en forma de capital necesarios para completar todas las infraestructuras necesarias más rápido de lo esperado. Veríamos la creación de enormes puertos comerciales en Gaza y los egipcios rápidamente se apuntarían a la fiesta. Supongo que estarían interesados en construir grandes refinerías en el desierto del Sinaí.

—¿Y qué pasaría con Jordania? —preguntó Paine.

—Creo que Jordania estaría encantada —opinó Bennett con una sonrisa en los labios—. ¿Erin?

—Naturalmente —empezó McCoy—. Jon y yo hemos hecho un estudio de previsión. Creemos que los jordanos podrían invertir en Medexco directamente (o construir refinerías y cosas por el estilo en su territorio) o bien, algo que Jon cree más probable, rápidamente podrían desarrollar zonas residenciales de lujo, complejos turísticos y campos de golf. Su ventaja competitiva es que disponen de terreno suficiente y de una buena mano de obra. Se tratará de invertir una gran cantidad de dinero en ese país y esperar. Nuestra previsión es que Gaza, Cisjordania y el Sinaí se convertirán seguramente en las nuevas Arabia Saudí de la zona, de manera que se centrarán sobre todo en la perforación, el refino y el desarrollo industrial del petróleo. Creemos que Israel se convertirá en el nuevo Silicon Valley y la nueva Suiza, puesto que podrá emerger como uno de los núcleos de alta tecnología, bancarios, de servicios financieros y de asistencia sanitaria más importantes del mundo. Sospechamos que Jordania podrá convertirse en el nuevo Palm Springs o Phoenix de la región: ya saben, turistas, comercio, complejos turísticos, balnearios de lujo, etcétera.

—¿Un mundo de Biltmores y Ritz-Carltons? —preguntó el vicepresidente.

—Algo parecido, sí —asintió McCoy.

Entonces MacPherson volvió a participar en la conversación.

—Las oportunidades serían extraordinarias —dijo el presidente—. Israel y cualquier entidad palestina o Estado que surgiera a raíz de una negociación final de paz podrían convertirse potencialmente en países más ricos y económicamente más poderosos que muchos de los otros países de la OPEP juntos.

Bennett se percató de que el secretario de Estado, entre otros, manifestaba un profundo interés por lo que estaba escuchando.

—Y una Medexco pública —intercedió Bennett—, con la gran mayoría de acciones participadas, al menos inicialmente, por ciudadanos israelíes y palestinos, salvo que escojan vender, sería una bendición del cielo para las personas que viven en ese territorio, especialmente para las familias árabes, la mayoría de las cuales vive en la más absoluta pobreza.

—¿Cuál es la mejor previsión, Jon? —preguntó el presidente.

Bennett dirigió su mirada a McCoy.

—¿Erin?

—Señor presidente, nuestras previsiones indican que cada israelí y palestino, un año después de la OPI, podrían poseer acciones por un valor entre medio millón y un millón de dólares por familia.

—¿Habla en serio? —exclamó el vicepresidente.

—Dentro de un par de años —añadió McCoy—, si la paz continuara y todo saliera como está previsto, y si todos los habitantes de la zona se guardaran las acciones y no las vendieran justo después de la OPI, con el período dilatorio subsiguiente, podrían multiplicar fácilmente ese valor.

—Para que se hagan una idea —añadió Bennett—, una familia palestina media gana hoy día menos de mil quinientos dólares al año. Convertiríamos a la mayoría de ellos en multimillonarios de la noche a la mañana.

—Es increíble —comentó Kirkpatrick, mientras calculaba rápidamente el análisis coste-beneficio al mismo tiempo—. Los alicientes para la paz, una paz verdadera, duradera y segura, serían extraordinarios.

—¿Qué implicaría todo eso para Estados Unidos, según sus cálculos, Jon? —quiso saber el vicepresidente.

—Bueno, señor, creo que sería mejor que contestara el presidente a esa pregunta —dijo Bennett, volviéndose hacia MacPherson.

—Gracias, Jon —dijo el presidente, que ya estaba formulando su respuesta—. Supongo, Bill, que eso reactivaría en gran medida la economía global y evitaría el desmoronamiento de la confianza de los consumidores y los inversores que pronto veríamos si no actuamos contundentemente en determinados frentes. Diría que la pura conmoción física de neutralizar el mal más importante del planeta y, después, en este orden, anunciar el descubrimiento y el desarrollo de petróleo y gas en Tierra Santa, seguido de la ceremonia principal del tratado de paz en el jardín sur de la Casa Blanca, electrizaría a inversores y consumidores de todo el mundo. De repente, cualquier cosa parecería posible y la paz y la prosperidad serían la carta que definiría el nuevo milenio. Creo que la confianza volvería al consumidor de manera apabullante e instantánea. Sería lo nunca visto.

—O no —añadió Mitchell.

—Es verdad —admitió el presidente—. O no. Tenemos la oportunidad de hacer que resulte bien. Si la aprovechamos, el resto del mundo tendrá la posibilidad de recuperarse, pero si, por el contrario, nos estrellamos, tanto nosotros como el resto del mundo nos encontraremos ante una situación extremadamente grave.

Todos pudieron contemplar la grandeza de las decisiones que iban a tomar, aunque el ánimo y el momento estaban dando un giro claro y espectacular.

—Obviamente, podría estar muy equivocado en todo este asunto —añadió el presidente—. Aun así, como ya saben, el instinto me ha sido de gran ayuda durante todos estos años.

—Lo corroboro, señor presidente —afirmó el vicepresidente.

—Pero, señor —interrumpió el secretario Paine—, todavía estamos hablando de utilizar armas nucleares para conseguir ese objetivo.

—Es verdad.

—Así pues, señor presidente, debo repetir otra vez que no merece la pena. Se lo ruego. Se lo imploro. Por favor, no lo haga.

—Señor secretario, tengo en cuenta todo lo que dice, se lo aseguro.

—¿Cómo puede tan siquiera plantearse incinerar a varios millones de almas pulsando un botón en un abrir y cerrar de ojos? No podemos ponernos a la misma altura de los bárbaros contra los que nos ha tocado luchar. El fin nunca justifica los medios, nunca. Es la lección que aprendimos de Hiroshima y Nagasaki, también en Vietnam. También fue la lección que aprendieron los soviéticos en Afganistán. Dios mío, cómo puede...

—Señor secretario, eso es una gran mentira —se defendió el presidente, con firmeza y dureza—. No es verdad. La lección de Vietnam fue que no hay que meterse en una guerra justa, una guerra contra el imperio del mal y sus apoderados que tan sólo buscan esclavizar a la humanidad, a menos que se tenga la intención de ganar. La lección de Afganistán fue no luchar en una guerra en la que no haya nada que ganar. Y la lección de Hiroshima y Nagasaki, señor secretario, fue que un presidente no debe nunca, jamás, dejar de utilizar todos y cada uno de los medios necesarios para impedir la masacre total de los ciudadanos estadounidenses y de nuestros países aliados.

—Señor, eso es pagarles con la misma moneda y así tan sólo acabaremos convirtiéndonos en la esencia de lo que queremos combatir.

—No, de ningún modo. No es así. Se trata de detener el mal de una vez por todas.

—¿Cómo? ¿Utilizando los instrumentos del mal, los instrumentos de guerra?

—Los instrumentos de guerra no son el mal en sí mismos, señor secretario, a menos que estén en manos de quienes se sirven de ellos para cosechar el mal. Impedir la matanza de estadounidenses inocentes no es ejecutar el mal. Es absolutamente moral e inherentemente justo.

—¿Señor presidente? ¿Se está escuchando? ¿De verdad? Imaginemos que invadamos Iraq. Tal vez, y repito «tal vez», perdamos cincuenta mil soldados estadounidenses. Sin embargo, puede que no sea así, puesto que se trata de una previsión pesimista. Pero en el otro caso estamos hablando de matar cincuenta veces ese número, con toda seguridad, y con civiles incluidos.

—¿De qué parte está, Tucker?

Paine parecía perplejo.

—Esta pregunta me resulta ofensiva.

—A mí también —continuó el presidente—. Juré respetar y salvaguardar la Constitución de Estados Unidos y proteger y defender a los ciudadanos estadounidenses de todas las amenazas, tanto extranjeras como nacionales. No juré proteger y defender a todos los hombres, mujeres y niños de todo el mundo. No soy Dios y no soy responsable de todas las personas del planeta. Soy responsable de asegurarme de que nuestros inocentes, los inocentes estadounidenses, no sean asesinados a manos de Saddām Hussein, de Mohamed Jibril o del próximo Osama bin Laden que aparezca. Soy el responsable de que no los mate nunca nadie. Fin de la historia. Yo no he llevado la situación al límite de una guerra nuclear, señor secretario. Lo ha hecho Saddām. Pero lo que de ningún modo voy a hacer es enviar a diez mil, veinte mil o cincuenta mil estadounidenses, ni siquiera a quinientos, a una muerte segura en una prolongada guerra terrestre en Iraq y menos cuando sabemos seguro que Saddām tiene armas nucleares, ántrax, gas sarín y VX. Especialmente a sabiendas de que Saddām se está muriendo, está desesperado, que nos odia y podría pensar que no tiene nada que perder. No voy a hacerlo sabiendo que el carnicero de Bagdad podría sacrificar tranquilamente a nuestros ciudadanos. Eso, señor secretario, sería el mal. Y no quiero formar parte de él, así como usted tampoco debería quererlo.

Por primera vez, Bennett se alegró de que esos dos hombres no se encontraran en la misma sala, porque habrían llegado a las manos, independientemente del mal estado del presidente. Sin embargo, a pesar del gran respeto que sentía hacia su mentor y que lo que decía tenía sentido, Bennett no podía evitar en su fuero interno ponerse de parte de Paine.

No sabía lo que iba a hacer el presidente una vez hubiera lanzado los ataques aéreos. Pero sabía que, bajo ninguna circunstancia, no debía echar mano de las armas nucleares. Y en el fondo, Bennett estaba convencido de que no importaba la defensa acérrima y apasionada que estaba llevando a cabo MacPherson, puesto que al cabo de unas horas se tranquilizaría y cambiaría de opinión. No tenía ninguna duda al respecto.

—Yo no quiero formar parte de esto —respondió el secretario, igual de encendido—. Está hablando de pulsar el botón y después perforar en busca de petróleo y hacer que todos los israelíes y palestinos sean felices y ricos. Está hablando de una quimera, la empresa Medexco. Y estoy de acuerdo en que resulta sumamente persuasivo y atractivo. Y bajo cualquier otra circunstancia sería perfecto. Sin embargo, ahora mismo y aquí, no cuela. No puede matar a millones de iraquíes inocentes con un arma nuclear y después realizar una OPI. No es correcto, señor presidente, es absolutamente erróneo y constituye una conducta impropia de usted y del pueblo estadounidense.

—Está un poco fuera de lugar, señor secretario —declaró el presidente—. Déjeme ser totalmente claro. Si Estados Unidos decide utilizar armas nucleares contra enemigos mortíferos no será con la finalidad de llevar la paz y la prosperidad a Israel y a los palestinos, no. Será para proteger la vida y los intereses nacionales vitales de nuestro pueblo y de nuestros aliados, así como para liberar a la civilización de una amenaza letal para su supervivencia. Punto. Lo que me han preguntado, señor secretario, es lo que vendría después; me han preguntado cómo podríamos actuar una vez tomada esa decisión horrible y espantosa. Y lo que estoy exponiendo es una posible respuesta, no «la» respuesta, no se trata de la panacea. Aun así, es una respuesta entre tantas. Sí, el mundo continuará teniendo problemas, puesto que todavía tendremos que lidiar contra Corea del Norte, China y Sudán, contra el sida, el cáncer, la pobreza, el racismo y todos los demás pecados, enfermedades y plagas que ya existían hace una semana y hace un mes. Pero lo que estoy diciendo es que sería uno de los muchos rayos dorados que podríamos seguir ante una nube oscura. Sería como el sueño de un día soleado ante la tormenta que se avecina. Estoy hablando de eso, señor secretario. Y me molestan sumamente las implicaciones que sugiere de lo contrario.

* * *

A Bennett le dolían sobremanera la espalda y el cuello.

Estaba encorvado, tenía los músculos agarrotados y se sentía profundamente ansioso ante el rumbo que estaba tomando la discusión.

—Señor presidente, tan sólo faltan dieciocho minutos.

Era Mitchell. El tiempo se estaba acabando.

—Señoras y señores —dijo el presidente—, necesitamos empezar a poner las cosas en marcha. Ya tendremos tiempo de tomar una decisión definitiva. Sin embargo, hay cuestiones que necesitamos resolver ahora mismo.

Bennett buscó instintivamente la mano de McCoy debajo de la mesa y la apretó con suavidad. Ella le miró y le devolvió el apretón.

—Secretario Trainor.

—Sí, señor.

—Por todo lo discutido, le ordeno que empiece la operación Ciclón Inminente de manera inmediata. Proceda a realizar bombardeos masivos contra Bagdad, Tikrit y todas las bases aéreas iraquíes. Utilicen tan sólo municiones convencionales. Envíen los bombarderos: los B-52, los F-18 y los F-111. Todo el equipo. Utilicen misiles de crucero convencionales y Tomahawks de los portaaviones para empezar, y asegúrense de acertar en objetivos importantes.

—Sí, señor presidente.

—Que la Octogésima Segunda y la Delta Force tomen tierra y se hagan con esos misiles Scud. ¿A cuánta distancia se encuentran ahora mismo?

—Ya casi han llegado, señor. Han volado toda la noche desde Estados Unidos.

—Muy bien. Que el equipo seis de SEAL y los hombres del Equipo de Búsqueda de Emergencia Nuclear se suban a un helicóptero y se dirijan hacia Bagdad. Quiero que entren en escena tan rápido como sea posible. En cuanto olisqueemos el tufillo de otro posible lanzamiento nuclear, les enviaremos como el Comando Fantasma israelí para inutilizar el misil y recuperar la ojiva. No obstante, sobre todo hay que tener en cuenta que disponemos de poco tiempo y que hay que mantener al margen de esta guerra a los israelíes y a los saudíes. ¿Comprendido?

—Sí, señor.

—Muy bien. Entonces enviad a los B-2 desde Whiteman a Incirlik, en Turquía, tan rápido como sea posible. Allí se quedarán, cerrados bajo llave y cargados con esos misiles nucleares tácticos. Y que tengan preparado el conjunto de objetivos para Bagdad y Tikrit, por si acaso. No hace falta decirlo, pero quiero que, de todos modos, se lo comunique personalmente, señor secretario: esos pilotos tan sólo lanzarán los misiles nucleares en cumplimiento de mi petición directa y con los códigos de autorización de lanzamiento de armas nucleares adecuado. Todavía no he tomado la decisión definitiva, pero quiero que estén preparados en el lugar por si acaso. Recemos para que no tengamos que recurrir a ellos.

—Sí, señor.

El secretario de Defensa cogió una línea segura para llamar a la Junta de Jefes del Estado Mayor del Pentágono y comenzar a ejecutar las órdenes.

—¿Sánchez?

—Sí, señor presidente.

—Que entre Fútbol y se ponga a mi lado tan rápido como

sea posible. Que llame al Centro de Mando Militar Nacional del Pentágono y que les informe de la situación.

—Ahora mismo, señor.

—Bien. Bill, póngase al aparato y hable con todos los líderes del Congreso. Ya sé que están repartidos por todo el país, pero necesito tenerlos al habla tan rápido como pueda tenerlo dispuesto.

—Sí, señor.

—Bob, póngame con el primer ministro Doron por teléfono de inmediato. Después póngame por una línea separada con el presidente Arafāt. Y vaya a buscar a Chuck Murray. Que organice todas las emisiones para esta noche y que empiece a coordinar algunas filtraciones. Póngase en marcha, Bill. No podemos permitirnos fastidiarlo todo ahora.

—Sí, señor.

—Luego llame a Shakespeare en la Casa Blanca. Que prepare el borrador del discurso de esta noche. Y hable con relaciones públicas, quiero conocer los detalles del acto conmemorativo y asegurarme de comunicárselos a la primera dama también. Me gustaría saber si Franklin Graham puede venir y dar un pequeño discurso. Llámele usted mismo, Bob. Dígale que le llamaré en cuanto pueda.

—Así lo haré, señor.

Corsetti se acercó al otro extremo de la sala de reuniones, cogió el auricular de un teléfono seguro y habló con el telefonista de la Casa Blanca para empezar a mover los hilos.

—Marsha, póngame a todos los aliados al teléfono. Empiece por Londres y después con el presidente Vadim, en Moscú.

—¿Señor presidente?

Era el secretario Paine. Le estaban dejando claramente fuera de juego, pero ya no parecía estar enfadado. Sin embargo, el presidente continuó hablándole en un tono formal.

—Dígame, señor secretario.

—Una pregunta.

—Usted dirá.

—Señor presidente, está desatando la ira de los dioses y, con él, la ley de consecuencias no planeadas. ¿Quién puede saber lo que ocurrirá? ¿Qué pasaría si Moscú decidiera que necesita utilizar algún día armas nucleares? ¿O Pekín, Pyongyang, India o Pakistán? Dios mío, señor presidente, ¿qué ocurriría si Teherán alguna vez decidiera lanzar un ataque nuclear contra Israel? ¿Qué sucedería entonces? ¿Qué haríamos nosotros? ¿Qué podríamos argumentar cuando nos miraran directamente a los ojos y dijeran «Perdonad, pero empezasteis vosotros»?

El silencio era casi estremecedor.

—Señor secretario, dispongo de menos de quince minutos. No vivimos en un mundo perfecto y supongo que me veré forzado a cruzar esos puentes cuando llegue el momento. Por ahora, tengo trabajo pendiente y voy a terminarlo.

El presidente hizo una señal con la cabeza a Corsetti y se cortó la transmisión. La videoconferencia había terminado. El debate había concluido. Había llegado la hora del trabajo difícil: encerrar a Saddām antes de que Iraq pudiera lanzar un misil nuclear. Y el tiempo apremiaba.

* * *

David Doron miró a sus compañeros, respiró hondo y cogió la llamada.

—Señor presidente, confío en que tendrá una respuesta.

—Señor primer ministro, le llamo para informarle de que Estados Unidos acaba de declararle la guerra a la República de Iraq.

El exhausto primer ministro israelí respiró aliviado.

—Nuestros misiles de crucero están volando —prosiguió MacPherson—. Nuestros bombarderos están despegando mientras hablamos. Estamos desplegando las fuerzas terrestres tan rápido como podemos. Tiene mi palabra: encontraremos a Saddām Hussein y neutralizaremos su engranaje militar, cueste lo que cueste.

—Son muy buenas noticias, amigo mío.

—A las nueve de la noche, hora del Este, haré un discurso televisado desde el despacho oval, explicando los acontecimientos que nos han conducido a esta situación. Explicaré por qué razón la seguridad nacional, los intereses vitales y los amigos y aliados de nuestro país corren grave peligro. Y también describiré las medidas que tomaremos. Sin embargo, David, como amigo, necesito saber algo.

—¿Sí, señor presidente?

—¿Si considero necesario ordenar el uso de un arma de destrucción masiva contra Iraq, puesto que no encontramos ninguna otra medida efectiva para neutralizar las fuerzas de Saddām lo suficientemente rápido, contaríamos con el apoyo de su Gobierno públicamente y ante la ONU?

—Naturalmente —contestó de inmediato Doron—. ¿De qué otro modo podríamos colaborar?

—Puede retirar el estado de alerta de sus fuerzas nucleares, David —dijo MacPherson con suavidad pero con firmeza al mismo tiempo.

Se produjo una larga pausa.

—Por favor, no me pida eso —fue la respuesta de Doron.

—Tengo que hacerlo. Ya será suficientemente pernicioso para Estados Unidos utilizar estas armas. Pero no se equivoquen: si su país las utilizara, las repercusiones internacionales serían terribles. Se lo aseguro.

—Señor presidente, soy plenamente consciente de los riesgos a los que nos enfrentamos ante la opinión internacional, incluso ante el comercio internacional. Pero nos encontramos ante una situación extrema, señor: estamos hablando de la supervivencia de la raza judía tal y como la conocemos. Mi Gobierno les desea mucha suerte en esta campaña militar, pero déjeme que le diga que, en caso de que tuviéramos el menor indicio de que Iraq vuelve a preparar esas armas catastróficas, actuaríamos y lo haríamos de manera decisiva. Actuaremos con armas contundentes y sin avisar.

—Debo instarle a reconsiderar su posición —respondió MacPherson, cuya mente intentaba buscar un argumento coherente, o cualquier argumento, para disuadir al líder israelí.

—No puedo hacerlo.

—Así que será mejor que mi país remate bien la faena, para que ustedes no tengan que tomar cartas en el asunto.

CAPÍTULO DOCE

Era una tormenta extremadamente violenta, en el lugar y el momento equivocados.

Era de día en Oriente Próximo, pero parecía noche cerrada. Los vientos soplaban en el Mediterráneo, así como en Líbano, el norte de Siria y el norte de Iraq, con ráfagas de 45 nudos.

Las enormes cortinas de agua se desplazaban horizontalmente y los relámpagos iluminaban la oscuridad y el cielo inquietante, iluminando las monstruosas olas, que llegaban a los diez o doce metros de altura, a quien fuera lo suficientemente valiente o inconsciente como para estar en la cubierta inclinada y ajetreada de los dos portaaviones nucleares estadounidenses.

No era el momento más indicado para iniciar una guerra, pero los soldados, los marineros y los hombres de las Fuerzas Aéreas no tenían otra elección cuando entraban en combate.

El mensaje de correo electrónico breve había llegado proveniente del Comando Central y estaba al rojo vivo. Lo descodificaron con rapidez, lo imprimieron y lo metieron en un sobre negro con la marca de «confidencial», rápidamente lo entregaron a los capitanes de los dos barcos. Minutos después, a pesar de la violenta tormenta, empezaron a catapultar docenas de cazas de las cubiertas del U.S.S. *Theodore Roosevelt* y del U.S.S. *Ronald Reagan*, los dos portaaviones más nuevos de la clase Nimitz, de noventa y siete mil toneladas y equipados con la última tecnología, que patrullaban por el Mediterráneo.

El comandante general había hablado: Estados Unidos acababa de declarar la guerra. Y el hombre que estaba en la mira de sus armas era Saddām Hussein.

* * *

—Downing, no me maree.

Sam Maxwell, el comandante de turno de la lucha contra el terrorismo que estaba sentado detrás de una hilera de dieciséis ordenadores y cinco pantallas de televisión gigantes en la quinta planta del Centro de Operaciones 2 del FBI, no podía creer lo que oía por teléfono.

—No estoy de humor para bromas.

—No es ninguna broma, señor. Se lo estoy diciendo, acabo de recibirlo y lo he verificado. Es verdad.

—¿Intenta decirme que el secretario del Departamento del Tesoro, Iverson, acaba de recibir un mensaje de correo electrónico de Yuri Gogolov?

—Sí, señor.

—¿Y lo ha leído?

—Sí. Se reenvió desde la cuenta personal de AOL al BlackBerry, ¡y lo leyó desde el mismísimo *Air Force One*! Después lo borró. Y eso también resulta extraño, no lo acabo de entender y no sé muy bien qué hacer. Pensé que usted y el director deberían verlo inmediatamente.

—Ha hecho bien, Downing. Quédese quieta en su lugar y no diga nada a nadie. Ahora voy para allá.

* * *

El presidente finalizó la llamada telefónica con Doron y se volvió hacia Bennett.

—Jon, tan pronto como lleguemos a Andrews, quiero que tú, Erin y Deek volváis a subir al avión y regreséis a Israel. Os informaré de todo mientras estéis en el avión. Sin embargo, cuando aterricéis, necesitaréis juntaros con Galishnikov y Sa'id e informarles de nuestros planes acerca del tratado de paz. Entonces necesitaréis reuniros personalmente, pero por separado, con Doron y Arafāt. Tendréis que presentarles este escenario de plan de paz poco a poco, paso a paso. Doron está muy susceptible en estos instantes. No se lo echo en cara. Pero necesitamos que su equipo y él mismo comiencen a pensar en la vida una vez hayamos eliminado a Saddām. Tienen que empezar a pensar en el final. Arafāt es diferente: tal vez ya no sea más que un líder decorativo y haya dejado de ser el verdadero líder de la Autoridad Palestina elegido debidamente, pero desengáñate porque él y sus partidarios continúan dirigiendo con eficacia la zona. Debes convencerle y la clave para lidiar con Arafāt es dejarle clarísima una cuestión: o firma este tratado (un tratado que les convertirá a él y a los palestinos en un pueblo más rico de lo que nunca se hubieran atrevido a imaginar) o tanto él como sus amigotes desaparecerán del mapa.

Esas palabras atroces flotaron en el aire. Los ultimátums no eran el estilo de MacPherson, pensó Bennett. Pero volvió a recordarse a sí mismo que la guerra nuclear tampoco lo era.

—Cortaría todas las ayudas de Estados Unidos a su pueblo —continuó el presidente—. Le enviaría Rangers y la Delta Force para dar caza a sus terroristas. Y después iríamos a por él. Personalmente, ya he tenido suficiente con Arafāt y toda su panda corrupta. Ya es hora de que lideren algo, sigan los planes o bien desaparezcan de en medio. Si tengo que limpiar Iraq, créeme que empezará la acción para instaurar la paz en toda la región o las consecuencias para el liderazgo palestino serán muy graves.

Bennett miraba a su amigo el presidente con incredulidad.

—¿Hay algún problema, Jon?

—No, señor presidente. Tan sólo...

—¿Tan sólo qué?

—Lo siento. Quiero decir que hace tan sólo una hora trabajaba en Wall Street. Ahora quiere que vaya a Israel a negociar un plan de paz con Yāsir Arafāt mientras Saddām Hussein nos acribilla a misiles.

—En primer lugar, Iraq no va a tener la oportunidad de volver a lanzar ningún otro misil, sea del tipo que sea. En segundo lugar, ¿a quién voy a enviar? ¿A Tucker Paine? Ya sabes cómo está la situación. También conoces el acuerdo. Y a mí. Eres la persona perfecta, Jon. Haz tu trabajo y te garantizo que yo haré el mío. No voy a permitir que Iraq utilice armas nucleares contra Israel. Y punto.

Los argumentos del presidente no resultaban del todo convincentes y ni mucho menos reconfortantes, pensó Bennett. La perspectiva de morir en un holocausto nuclear en un país que conocía tan poco y que le importaba menos casi paralizó al imperturbable Bennett, pero no tenía otra elección. Ya habían repartido las cartas y había una cosa segura: no podía permitirse perder el juego.

* * *

La plena luz del día no era la mejor opción para volar hacia el corazón de las tinieblas.

Pero no tenían otra opción

En Arabia Saudí, el problema al que se enfrentaban no era una tormenta rugiente con aparato eléctrico, sino una tormenta de arena cegadora que reducía la visibilidad y hacía aumentar el peligro. Sin embargo, Estados Unidos se encontraba en estado de alerta máxima, hubiera temporal de nieve o no.

Así pues, sin previo aviso, 22 F-15 Strike Eagles, parte de la Cuatrogésimo Octava Ala de Combate (que había recibido el mote de «Ala de la Libertad» durante la Administración Eisenhower) tronaron al salir de la base aérea Prince Sultan, cerca de Al Jarj, en Arabia Saudí, a una hora al sudeste de Riyād, y se dirigieron hacia el norte a toda velocidad y a poca altura, cruzando el desierto en dirección a Iraq.

Las órdenes provenían directamente del Comando Central

ubicado en Tampa: eliminar las instalaciones de defensa aérea de Iraq, establecer la superioridad aérea absoluta de Estados Unidos y, después, dar caza y destruir las lanzadoras de misiles móviles.

Dar caza a los misiles Scud era como buscar una aguja en un pajar a mil quinientos metros de altura y a una velocidad de vértigo, pero para empezar necesitaban dominar los cielos y todos los pilotos y oficiales de sistemas de armas estaban preparados para conseguirlo. Aun así tardarían algún tiempo y, precisamente, tiempo era de lo que no disponían.

Iba a ser un juego supersónico del gato y el ratón, con una pequeña diferencia, que el ratón podía ser nuclear.

* * *

Había perdido el factor sorpresa.

No obstante, todavía le quedaban algunas cartas por jugar.

El general Azziz, sentado solo en su centro de mando privado, que daba a un banco de pantallas de ordenadores que le proporcionaban las últimas actualizaciones sobre los movimientos de las fuerzas de élite de la Guardia Republicana y sus agentes en el extranjero, sabía que todavía podía golpear con dureza. La única duda era cuándo.

Escribió rápidamente tres mensajes de correo electrónico crípticos. El primero era para los «cuatro jinetes», que se apresuraban a salir de Rusia para tomar posiciones con la máxima rapidez con la misión de asesinar a Dimitri Galishnikov, el «sucio judío», tal como había gritado Saddām, e Ibrāhīm Sa'id «ese asqueroso traidor al pueblo», había añadido el líder iraquí. Después, lanzarían una sangrienta campaña de atentados suicidas en Jerusalén, Tel-Aviv-Jaffa, Haifa y Eliat. El segundo mensaje de correo electrónico era para sus «hombres de confianza» fuera de Moscú, Gogolov y Jibril, que tenían que activar otra fase de campaña del terror. El tercer mensaje iba dirigido a su informante, el «señor C», que se encontraba en Estados Unidos.

A continuación, Azziz cogió el teléfono y gritó órdenes en árabe al segundo oficial, que se encontraba en el centro de mando y control que había debajo, en el vestíbulo.

—Envía una alarma general. En menos de una hora deberíamos tener a los aviones estadounidenses sobrevolando nuestras cabezas. Que todas las fuerzas estén preparadas para entrar en combate. Y sellad el búnker. La batalla está a punto de empezar.

* * *

Finalmente el *Air Force One* aterrizó en Andrews a las 4.30 de la madrugada del viernes.

Habían pasado tan sólo tres días desde el atentado kamikaze inicial contra el presidente y la caravana en Denver. Aun así, ya nada era igual.

El presidente, Corsetti, Fútbol y un equipo de agentes del Servicio Secreto, liderado por Jackie Sánchez, subieron al *Marine One* y tomaron rumbo hacia la Casa Blanca para que les pusieran al corriente de la marcha de los primeros ataques aéreos. Iverson pidió a sus guardias personales que le llevaran a casa, ya que necesitaba ducharse, afeitarse, cambiarse de ropa y encargarse de algunos asuntos urgentes antes de volver al departamento a trabajar para intentar dirigir la crisis.

Bennett, Black y McCoy, mientras tanto, cogieron el equipaje y se instalaron en una sala de espera de oficiales hasta que su G4, que había estado escoltando el *Air Force One* toda la noche, hubo repostado y estuvo preparado para llevarlos de vuelta a Israel.

El largo viaje de día hacia la noche iba a durar más de lo esperado.

* * *

Hacia las cinco de la madrugada, Iverson se encontraba de nuevo en la descomunal mansión de Georgetown que se acababa de comprar.

La guardia personal del Servicio Secreto tomó las posiciones normales alrededor de la casa y en el interior, en la puerta principal y trasera. Iverson se dirigió de inmediato hacia su dormitorio, que se encontraba en el primer piso, puso el canal de noticias de última hora de la CNN, que cubría la crisis militar que se estaba extendiendo con rapidez por Oriente Próximo y encendió el ordenador portátil encima de la mesa de despacho que había al lado de la antigua cama con dosel. Cuando hubo acabado de tomar una ducha rápida y caliente y ponerse un traje de Brooks Brothers, el ordenador ya había accedido a la cuenta de AOL y estaba descargando los mensajes de correo electrónico. Hacía mucho que no consultaba la cuenta de correo electrónico.

«Tiene mensajes nuevos», dijo una agradable voz, que oían más de cuarenta millones de veces al día, más de veintisiete mil veces cada minuto, todos los abonados a AOL de todo el mundo.

La mayoría de los mensajes era basura. Excepto uno. El último. Lo había recibido unos minutos antes, como si el remitente supiera que iba a volver a casa, aunque no había manera de saber que así fuera. Iverson tuvo miedo al abrirlo. Estaba marcado discretamente como «Oferta especial/pedido urgente». Pero supo al instante de qué se trataba, de quién era, quién se lo había reenviado y qué diría.

«Señor I. Debe RESPONDER AHORA a la OFERTA ESPECIAL. Envíenos la entrada y DÍGANOS EL PRECIO. Recordatorio: si no recibimos noticias de usted dentro de veinticuatro horas, la oferta será nula y no tendrá ninguna validez. Y el señor C, el siguiente de la lista, podrá quedárselo. No deje que eso ocurra. HÁGALO HOY.»

Iverson sabía muy bien de qué se trataba y, de hecho, lo había estado esperando. Aun así, ahora que le había llegado, se quedó mirándolo incrédulo. Era una prueba del horror que todavía estaba por llegar. A menos que les enviara el plan que tan brillantemente había concebido el sábado por la mañana, alguien (no sabía quién) iba a poner en marcha el plan de los enemigos para asesinar al presidente de Estados Unidos. Y sería pronto. Especialmente si Estados Unidos empezaba a bombardear Bagdad y a reducirlo a la Edad de Piedra.

No tenía ni idea de quién era el agente infiltrado, ese tal señor C, como tampoco tenía ningún modo de ponerse en contacto con él, sobre todo, tratándose del secretario del Departamento del Tesoro y mucho menos ahora que supervisaba el Servicio Secreto de Estados Unidos, la organización responsable de la seguridad del presidente. Nadie había esperado que ocurriera eso, y menos él. Pero allí estaba: si quería continuar con el plan, todavía sería más fácil, dado el nuevo papel que el destino le había deparado.

¿Qué ocurriría si decidía echarse atrás? Todavía sería peor puesto que no podría informar al director del Servicio Secreto, Bud Norris, acerca de un agente espía del que no sabía nada y tampoco podría justificar exactamente cómo sabía que se iba a producir inmediatamente un atentado contra el presidente sin implicarse.

Los acontecimientos se sucedían a gran velocidad. Cuando había conocido a Gogolov hacía algunos años, no tenía ni idea de dónde se estaba metiendo o hacia dónde le conduciría esa relación. ¿Cómo habría podido sospecharlo? Iverson se detuvo y reflexionó un instante si eso era cierto. Se preguntaba si realmente le había sorprendido y llegó a la conclusión de que, tal vez, no.

Nacido el 23 de enero de 1940 en un pequeño pueblo de los Alpes suizos, Iverson era el único hijo de una poderosa familia de banqueros. Su madre, también hija única, forzó un divorcio amargo y doloroso en la primavera de 1948, al descubrir que su marido la engañaba con su secretaria. La batalla que se produjo a continuación por la custodia del niño fue especialmente desagradable, puesto que se convirtió en una puja frenética y degradante por parte de sus padres para que el pequeño decidiera.

En cuanto se hubo asegurado la custodia exclusiva, su madre utilizó rápidamente sus contactos y su considerable fortuna personal, que sumaba unos sesenta y nueve millones de dólares heredados después de la muerte de sus padres, para emigrar a Estados Unidos y empezar una nueva vida en Nueva York. Le negó a Stuart la oportunidad de volver a ver a su padre y, al cabo de poco, lo envió a una serie de internados en Delaware y Massachusetts, con el objetivo de que pudiera estudiar en Harvard, primero una licenciatura y después un MBA, y con la esperanza de que se dedicara a la banca, donde sus padres y todos sus antecesores habían cosechado sus fortunas.

Pero el problema era que a Stuart no le interesaban los bancos, al menos no tanto como para trabajar en ellos. Como hablaba correctamente francés, alemán y ruso, entró en el Departamento de Estado, en la División de Servicios Extranjeros y, después de abandonar Harvard, se fue al extranjero a trabajar en diversos puestos en Hong Kong, Praga, París y Bonn, antes de llegar a Moscú como agregado económico el verano de 1973. En esa época le presentaron a Yuri Gogolov, un ex comandante de la Spetsnaz que se había convertido en el director de la seguridad del Banco Central de Rusia; entonces fue cuando su carrera empezó a dar un giro radical e inesperado.

Tal vez los agentes de contraespionaje de Estados Unidos deberían haberlo visto venir. Rico, inquieto y sin ninguna atadura personal, profesional o financiera con Estados Unidos, Iverson era el típico personaje que el espionaje soviético solía reclutar. La excepción era que no lo reclutó la KGB para espiar a Estados Unidos, sino que lo reclutó Gogolov para espiar a la Unión Soviética.

Iverson trabajó durante dos períodos en Moscú: primero, como agregado económico, antes de ser transferido de vuelta al Departamento de Estado para supervisar los asuntos económicos soviéticos y, después, como embajador de Estados Unidos en Moscú a partir de 1989. A medida que la amistad entre Stu y Gogolov se fue afianzando, entre 1973 y 1979, el primero acabó descubriendo que el ruso en realidad era un topo dentro del Banco de Rusia. Sin embargo, no trabajaba para ningún servicio de inteligencia extranjero, sino para sí mismo. Como nacionalista ruso acérrimo, Gogolov se oponía con fervor a la presencia del régimen comunista soviético en su patria y sentía una rabia feroz por la creciente corrupción del Politburó, que veía de cerca cada día desde su puesto de trabajo en el Banco de Rusia.

El sueño de Gogolov, que de hecho se había convertido en el sentido de su vida, era debilitar el Kremlin desde dentro, reclutar y construir un cuadro enorme y subterráneo de insurgentes nacionalistas con el fin de reclamar la «Rusia para los rusos» y enterrar a los comunistas del mismo modo que Nikita Serguéievich Jruschov había amenazado con enterrar a Occidente.

Cuando la Unión Soviética invadió Afganistán en 1979, Gogolov, por aquel entonces responsable de la seguridad de todos los oficiales del Banco Central que residían en Moscú, creyó que sería el principio del final. Afganistán iba a convertirse en el Vietnam de los soviéticos. Kabul sería el Hanoi de Moscú. Cuantos más soldados rusos de dieciocho o diecinueve años morían a manos de los muyahidines, más apoyo ganaba Gogolov para su causa.

Así las cosas, Iverson hizo su aparición. El verano de 1981, en un complejo turístico del mar Negro donde los dos se encontraban de vacaciones, Gogolov dio el paso. Le pidió a Iverson que empezara a invertir una pequeña parte de sus fondos personales —seguros y fuera del control del FBI que tenía en una cuenta anónima de un banco de Basilea, en Suiza—, en una trama complicada pero al mismo tiempo fascinante.

Al principio, empezarían juntos a «construir» la lealtad de los oficiales políticos y militares soviéticos más prometedores que ocupaban puestos en diversas repúblicas soviéticas. Después, empezarían a financiar una unidad paramilitar nueva que Gogolov estaba desarrollando y que dirigiría un agente sombrío de Teherán, que tenía por nombre Mohamed Jibril. Los contactos de Gogolov en la Spetsnaz ya estaban llevando a cabo la tarea de identificar a hombres de confianza para que se unieran a la causa. Pero necesitaban cierta cantidad de dinero para sellar los acuerdos y proporcionar incentivos a todos los nuevos reclutas para que convencieran todavía a más miembros.

El objetivo, le aclaró Gogolov, no era dañar los intereses de Estados Unidos, sino ir más allá, puesto que, mediante un poco de capitalismo de riesgo para desestabilizar el imperio soviético desde dentro, Estados Unidos acabaría siendo la única superpotencia del planeta. Iverson no estaba del todo convencido de que Gogolov persiguiera ese último resultado, como tampoco lo estaba de los motivos. Aun así, no importaba demasiado. El juego parecía divertido y mucho más emocionante que la vida de burócrata que llevaba, por no hablar de la vida de un banquero.

El 2 de agosto de 1981, Iverson se unió a la causa con una única petición como contrapartida para su nuevo socio: quería que le proporcionaran la información secreta económica y política más detallada acerca del sector inmobiliario de la Unión Soviética que llegara manos de la red clandestina que Gogolov estaba tejiendo.

Cuanto más supiera Iverson acerca de los trabajos del imperio soviético, especialmente acerca de los puntos fuertes y débiles, y muy especialmente en el área de recursos naturales como el gas y el petróleo, más valioso sería para sus superiores del Departamento de Estado y para los amigos que tenía en la Casa Blanca.

De esta manera Iverson se encontraba en una situación privilegiada para predecir el futuro. Sabía que los días de la Unión Soviética estaban contados y veía la oportunidad estratégica para sacar tajada y destacarse de todos los chupatintas que le rodeaban y que creían que Reagan era un lunático porque predecía que la Unión Soviética pronto acabaría formando parte de la historia. Entre Gogolov e Iverson reinaba la ley del hoy por ti, mañana por mí, que era de las más viejas del mundo, y aunque el riesgo era elevado Stuart llegó a la conclusión de que el precio era el correcto.

Sin embargo, debió de haber previsto que un jugador de ajedrez del calibre de Yuri Gogolov no quedaría satisfecho con convertirse en amigo de un estadounidense como él. Albergaría otras ambiciones, más elevadas y mortales.

Gogolov y Jibril, por ejemplo, creían que podrían acabar estableciendo una nueva alianza estratégica ruso-pérsica que uniera el poder nuclear de Moscú y las reservas de gas y petróleo de Teherán y los puertos de agua tibia con un gran valor estratégico del golfo Pérsico y el océano Índico. Una alianza ruso-iraní crearía la alianza entre el Norte y el Sur más rica y poderosa del planeta y Gogolov ofrecía a Iverson la oportunidad de comprar antes de tiempo.

Tan sólo había un obstáculo en ese camino: Iraq.

Si podían neutralizar a Iraq o, lo que todavía sería mejor, borrarlo de la faz de la Tierra, el sueño de Gogolov y Jibril de la alianza ruso-pérsica podría empezar a ser casi una realidad.

La cuestión era cómo neutralizar Iraq. Una guerra entre Bagdad y Teherán habría provocado millones de muertes pero no habría dejado ningún vencedor. Así que la guerra entre los dos países no era una buena opción. Iraq era un estado cliente de Rusia, de modo que no existía la posibilidad de que Moscú iniciara una guerra contra Bagdad. Eso dejaba tan sólo dos naciones capaces de reducir Iraq a escombros: Estados Unidos e Israel. ¿Cómo podían actuar para que esos países declararan una guerra nuclear contra Iraq?

Entonces llegó la guerra contra el terrorismo de Estados Unidos.

En enero de 2002, el entonces presidente George W. Bush atribuyó a Iraq, Irán y Corea del Norte el apelativo de «eje del mal». Y también ese año a Gogolov y Jibril se les ocurrió una idea que requeriría tiempo, planificación cuidadosa, mucho dinero y algo de suerte. No obstante, si conseguían mover las figuras con habilidad, podrían conseguir abrirse camino con las buenas relaciones con Saddām Hussein, convertirse en sus supuestos aliados y ofrecerle ayuda para destruir Estados Unidos, el «gran Satán», e Israel, el «pequeño Satán».

Podían ofrecerle a Saddām científicos nucleares y materiales para las armas nucleares. También le ofrecerían la información secreta de Tel-Aviv-Jaffa, Jerusalén, Londres y Washington y, si fuera necesario para cerrar el trato, llegarían a ofrecerle a Saddām la asistencia de Stuart Iverson, el mejor amigo y confidente del presidente estadounidense.

Entonces, cuando menos lo esperara Saddām, darían el chivatazo a Israel y a Estados Unidos y provocarían la desaparición definitiva de Iraq. Una vez ese país hubiera desaparecido, una nueva alianza ruso-iraní se convertiría en el jugador más poderoso del tablero geopolítico y empezaría la diversión.

Al menos, ésa era la teoría. Cualquier cosa podía fallar, pero, por el momento, por lo que a Gogolov y Jibril concernía, todos los sistemas estaban en funcionamiento y no sabían la mitad de lo que sabía Iverson. En realidad, el presidente estadounidense se estaba preparando para un ataque nuclear contra Saddām Hussein e Iverson lo azuzaba cuidadosamente.

Convertirse en el secretario del Tesoro no había entrado nunca en los planes personales de Iverson, pero Gogolov y Jibril se quedaron encantados al escuchar la noticia. Aun así, Iverson odiaba la idea, puesto que sabía demasiado bien que eso acarrearía riesgos nuevos y difícilmente sostenibles, como investigaciones exhaustivas sobre su pasado, sesiones de confirmación en el Senado, protección constante del Servicio Secreto y cobertura sin tregua de los medios de comunicación. También implicaba tener que deshacerse de lo que más quería, una parte de las acciones financieras de los grandes negocios que estaba ayudando a tramar en la sombra.

Pero en esos momentos no había vuelta atrás, pensaba Iverson. Había sellado su destino hacía tiempo.

Fue en 1981, cuando empezó a desviar fondos en secreto para Gogolov y su círculo.

Fue en 1995, cuando ayudó a Gogolov a escapar por los pelos a la frenética caza de topos de Yeltsin.

Fue en 1999, cuando reanudó el contacto con Gogolov en un

hotel de Praga y empezaron a discutir de cuán beneficiosa resultaba para los planes del ruso la Administración Clinton-Gore y no una nueva Administración republicana insensata y dura.

Fue el mes pasado, cuando había accedido, aunque a regañadientes, a cometer traición y ayudar a asesinar al presidente de Estados Unidos. Todo lo había hecho para convertirse en un jugador en un mundo de peones, si conseguía salir de ésa.

Iverson borró rápidamente el correo electrónico, sin responder. Borró todos los correos electrónicos de su cuenta de AOL y MSN, con el Microsoft Outlook. Hizo clic en «Herramientas», bajó hasta «Vaciar fichero de elementos borrados» y eliminó lo que guardaba en la papelera. Acto seguido se desconectó, apagó el ordenador portátil y se dirigió hacia la limusina Lincoln que le esperaba fuera. No estaba preparado para responder a Gogolov, que después respondería a Azziz. No estaba preparado para darles una respuesta. Todavía no.

El tiempo se agotaba, pero necesitaba estar seguro. Estaba cansado, tenía hambre y sentía que la cabeza le iba a estallar. No podía permitirse dar ningún paso en falso.

* * *

Maxwell y Downing no tardaron demasiado tiempo.

Especialmente a esas horas de la madrugada. El destino tiene un extraño modo de reunir a las personas competentes en su trabajo ante los que ostentan el poder y tienen sabiduría para utilizarlo. Los dos jóvenes agentes estaban de pie en la gruesa moqueta azul del séptimo piso de una *suite* ejecutiva, mirando por encima los retratos de Teddy Roosevelt, Bobby Kennedy y Martin Luther King, Jr., ante Scott Harris, que lucía un semblante serio y parecía algo dormido.

Sin duchar y sin afeitar, el director llevaba tejanos y una sudadera gris con el logo del FBI, así como una gorra de béisbol azul marino con las letras de ese organismo bordadas en la parte frontal.

Le miraban en silencio mientras leía los dos correos electrónicos de Gogolov que habían interceptado y que iban dirigidos al secretario del Departamento del Tesoro Iverson; el primero lo había recibido y borrado el estadounidense en el *Air Force One* y el segundo lo había recibido y borrado en su casa hacía menos de veinte minutos. Harris hojeó el fajo de documentos adicionales del expediente confidencial que acababan de reunir y que estaba encima de la mesa.

Cogió la taza del FBI, llena hasta arriba del todo con café Gevalia negro acabado de preparar, y dio varios sorbos antes de levantar la mirada y hablar con los dos directamente.

—¿Están absolutamente seguros de que ambos mensajes son de Gogolov?

—Sí, señor —se apresuró a contestar Downing, con pleno conocimiento de las implicaciones espeluznantes que eso comportaba.

—Agente Maxwell, ¿coincide con ella?

—Sí, señor. He comprobado el trabajo y es sólido.

—¿Han hablado con alguien más de esto?

—No, señor —contestó Downing.

—¿Y qué hay de los demás mensajes de correo electrónico? —preguntó Harris a Downing.

—Señor, una vez hube interceptado el primero, consideré la posibilidad de que hubiera recibido más mensajes como ése en el ordenador personal de casa del secretario antes de que lanzáramos la operación Farol Mágico. Basándome en la orden de registro que nos entregó según la directiva del presidente, me introduje en la unidad de disco duro del secretario y empecé a reconstruir todos los mensajes de correo electrónicos enviados y recibidos durante los últimos años.

—Y encontró estos nueve mensajes, además del que acaba de recibir.

—Sí, señor. Siete recibidos del señor Gogolov y tres que le había mandado el secretario. Las fechas están indicadas en cada uno de ellos, señor. El del principio del expediente lo envió el señor Iverson a Gogolov precisamente un mes antes del atentado aéreo contra el presidente. Recibió la respuesta de Gogolov tres días más tarde. El siguiente que recibió el señor Iverson llegó el día después del ataque. Y el resto ya lo conoce.

—Así pues, Iverson inició el contacto.

—Bueno, señor, no estoy segura de que ésa sea la única conclusión. Obviamente, ambos se conocían antes de comenzar a enviarse correos electrónicos. Y también sabían las direcciones de correo personales. Pero es verdad que los últimos mensajes del señor Iverson sugieren que no es un jugador pasivo en todo este asunto.

—Y usted no cree que haya contestado a los dos últimos mensajes de Gogolov.

—Al menos no lo ha hecho desde su ordenador personal. El señor Iverson los borró inmediatamente y después intentó eliminar cualquier prueba de que le hubieran llegado.

—¿Y qué pasa con éste, Max? —preguntó Harris, cogiendo un mensaje determinado del conjunto de hojas—. Menciona un viaje. ¿Habéis comprobado la fecha para saber si Iverson fue a alguna parte?

—Sí, señor. Todo cuadra. Gogolov dice que se encontrarán en un café de Praga el 2 de agosto de 1999. Hemos podido confirmar que Iverson compró un billete en la British Airways que salía de Denver, Colorado, el 1 de agosto de ese mismo año, que hacía escala en Londres y llegaba a Praga. La vuelta a Denver fue vía Basilea, en Suiza, el 4 de agosto.

Harris se reclinó en la silla y se quitó el sueño de los ojos, frotándoselos.

—Así pues, hablando con franqueza, Max. Necesito una valoración clara y franca. ¿Cree que el secretario Iverson y Yuri Gogolov son cómplices del atentado contra el presidente?

—Sí, señor, eso parece. Aunque añadiría que lo más probable es que no estén solos, naturalmente. Como ya sabe, señor, Gogolov trabaja conjuntamente con Mohamed Jibril. Ambos han financiado las operaciones del servicio de espionaje iraquí, incluidas las de los «cuatro jinetes» en el pasado.

—¿Qué valoración hace de este último mensaje de correo electrónico?

—Eso es lo que más me preocupa señor. Temo que tengamos que enfrentarnos a otro atentado contra el presidente en el lapso de una semana aproximadamente, sobre todo ahora que estamos en guerra contra Iraq. Lo más alarmante es la referencia a ese «señor C».

—Sí. ¿Qué opina al respecto? —preguntó Harris mientras tomaba otro trago rápido de café.

—Dudo de que el secretario Iverson sepa quién es el «señor C». Pero parece ser que es algún tipo de agente infiltrado, que ya se encuentra aquí, en Estados Unidos, preparado para atacar en cualquier momento, si el secretario no sigue su propio plan de asesinato.

Harris temía que estuviera en lo cierto. Cogió el teléfono y llamó abajo para ver si Doug Reed, el jefe de la División de la Lucha Contra el Terrorismo del FBI, había llegado ya. Resultó que acababa de sentarse en la silla de su despacho.

—Reed, venga inmediatamente. ¡Ahora!

* * *

El teléfono de Corsetti sonó antes de las seis. Era Chuck Murray.

—Chuck, ¿qué hay de nuevo?

—Drudge ya lo tiene.

—¿Qué?

—Conéctate y compruébalo tú mismo.

—¿De qué me hablas?

—Drudge informa de que estamos en guerra. Ya lo sabe todo y me están matando a llamadas. La prensa está furiosa. No sólo porque no sabían que íbamos a entrar en guerra esta mañana, sino también porque Drudge se les ha adelantado. Ya están fuera de plazo y no tienen información. Están totalmente descontrolados, Bob, y necesito saber qué puedo decirles. Rápido.

—Muy bien, muy bien. Tranquilízate. Haz correr la noticia de que habrá una rueda para explicar toda la evolución en la sala de prensa a las siete. Infórmales de que un alto cargo dará explicaciones.

—¿Quién?

—Todavía no lo sé. Si lo supiera, te lo diría. Limítate a decirles que será alguien importante. Ya veremos quién. Y empieza a filtrar que el presidente dará un discurso a la Nación a las nueve de la noche. No descubras todo el pastel todavía, Chuck, pero haz saber a la gente que eso es lo que hay. La situación es adversa y empeora cada vez con más rapidez.

Corsetti colgó repentinamente el auricular, encendió el ordenador y entró en la página web del Informe Drudge.

Efectivamente, allí estaba.

¿Cómo se lo montaba ese tipo, nada más y nada menos, desde Palm Beach?

XX INFORME DRUDGE XX 26 NOV. 2010 XX 05.49.59 AM
HORA ESTE XX

JACKSON, NEW YORK TIMES: La CIA acusa al régimen de Saddām Hussein de los intentos de asesinato
WOODWARD, WASHINGTON POST: El presidente planea una guerra desde el *Air Force One*
WALL STREET JOURNAL: Israelíes y palestinos encuentran petróleo: un hallazgo descomunal amenaza a la OPEP

¡GUERRA!
ALERTA MÁXIMA
AVIONES DE COMBATE DE EE.UU.
ATACAN IRAQ

*****EXCLUSIVA MUNDIAL*****
(INCLUID EL NOMBRE DE DRUDGE CUANDO CITÉIS.)

El presidente James MacPherson ha ordenado en un santiamén la condición uno de las Fuerzas de Defensa de Estados Unidos, la guerra, y ha autorizado un ataque aéreo masivo contra Iraq, informan las fuentes gubernamentales a INFORME DRUDGE. Los aviones estadounidenses empezaron a bombardear las bases militares, los radares y las bases de misiles tierra-aire iraquíes aproximadamente a las cuatro y media de la mañana, hora del Este. Las tropas estadounidenses también se dirigen hacia la región.

«Olvidaos de ataques quirúrgicos —dijo un oficial de alto rango—. Los iraquíes han intentado matar al presidente. Ésta es nuestra respuesta: la guerra. Y Saddām está acabado. Punto.»

DESARROLLO
Distribuido por Matt Drudge
Los informes se traducen cuando las circunstancias lo justifican
http://www.drudgereport.com para ver las actualizaciones

Doug Reed llevaba dieciocho años trabajando en el FBI. Había sido el jefe adjunto de la sección de contraespionaje de ese organismo y también había servido como jefe de la sección de terrorismo internacional y como jefe de la unidad en Iraq de la División de la Lucha Contra el Terrorismo. Asimismo, era el supervisor directo y el mentor de Dietrich Black, aunque esos días no se vieran demasiado.

Reed cerró el expediente y levantó la mirada.

—Señor, la buena noticia es que parece que acaba de cazar al espía de más rango de toda la historia de nuestro país.

—¿Y qué?

—Y un cómplice en la conspiración para intentar asesinar al presidente.

—¿Y cuál es la mala noticia?

—La mala noticia es que el tipo que quiere matar al presidente es el jefe del Servicio Secreto. No sabemos con quién trabaja. Puede que no sea el único infiltrado dentro de los altos cargos del Gobierno estadounidense. Hay un asesino suelto llamado «señor C» que aparentemente planea rematar el trabajo si Iverson no lo hace. La intuición me dice que Iverson seguramente no tiene la menor idea de quién es ese tipo. Y no disponemos de demasiado tiempo para hacer suposiciones. Del mismo modo, tampoco sabemos por dónde empezar a buscar. Y, para colmo, tampoco sabemos en quién podemos confiar. El «señor C» podría ser cualquiera, empezando por el jefe del Estado Mayor de la Casa Blanca.

—¿Corsetti?

—O el responsable de prensa de la Casa Blanca.

—¿Murray?

—«Chuck» Murray. Supongo que la lista podría ser muy larga.

—Necesito un plan —presionó Harris—. Y lo necesito para ayer.

* * *

A doce mil metros de altura, los cielos son soleados y azules y no hay nubes.

Aunque el mundo esté en guerra unos cuantos kilómetros por debajo.

Con el coronel Frank Oakland y su copiloto, el teniente coronel Nick Brindisi —a los que Bennett apodó sus «chóferes particulares»— al mando, el G4 volaba hacia Tel-Aviv-Jaffa casi a la velocidad del sonido. McCoy cargó en el ordenador toda la información nueva de Langley mientras Black hablaba por teléfono intentando concretar los detalles del transporte terrestre y de su seguridad. Bennett se bebió de un solo trago el tercer café mientras esperaba la llamada desde Washington.

* * *

Los estatutos eran más claros que el agua.

Rezaba el título 18, parte I, capítulo 37, sección 794: «Quienquiera que se considere que, con la intención de causar algún daño a Estados Unidos o de favorecer a alguna nación extranjera...».

Eso no sería suficiente para probarlo. Las acciones de Iverson claramente iban a causar algún daño (concretamente, matar) al líder de Estados Unidos para favorecer a Iraq.

«... comunica, entrega o transmite o intenta comunicar, entregar o transmitir...»

Harris tenía en su posesión los mensajes condenatorios: verdaderas pistolas humeantes.

«... a cualquier gobierno extranjero o a cualquier facción, partido, fuerza militar o naval de un país extranjero, ya esté reconocido o no por Estados Unidos, o a cualquier representante, funcionario, agente, trabajador, sujeto o ciudadano, ya sea directa o indirectamente...»

Eso iba a ser más difícil. Sin embargo, en ese punto, Mitchell de la CIA iba a resultarle de ayuda, puesto que necesitaba poder probar que durante la época en la que se escribieron los mensajes de correo electrónico Gogolov de algún modo operaba como una facción del servicio de espionaje militar iraquí y con el mismo presidente de Iraq. Harris no disponía de esa información en ese instante, pero estaba seguro de que la CIA tendría lo que necesitaba cuando resultara seguro pedírselo.

«... cualquier documento, escrito, libro de códigos, libro de señas, esquema, fotografía, negativo fotográfico, cianotipo, plan, mapa, maqueta, nota, instrumento, aplicación o información relacionada con la defensa nacional...»

Se preguntaba si los detalles de cómo burlar la protección del Servicio Secreto del presidente de Estados Unidos, el comandante general del país, se ajustarían a esa ley. El director del FBI estaba bastante convencido de que la respuesta sería afirmativa.

«... será castigado con la muerte.»

Técnicamente, también cabía la posibilidad de la cadena perpetua, aunque Harris tan sólo podía pensar en una única opción razonable para un hombre que intenta matar al que no sólo es el presidente de Estados Unidos, sino también uno de sus mejores amigos.

¡Tenía que ir a por él!

* * *

—Señor Bennett, soy el telefonista de la Casa Blanca.

—Adelante.

—Se trata de una línea segura. Por favor, espere mientras le pongo con el presidente.

Bennett aguardó un instante y pudo oír la voz familiar de su amigo y mentor que ahora volvía a ser su jefe.

—¿Hola? Jon, ¿estás ahí?

—Sí, señor presidente. Estoy aquí.

—Muy bien. Mira, la guerra aérea ya está en marcha. Estamos lanzando misiles de crucero y hemos enviado F-15, F-16 y F-111. Lo he movilizado todo. Además tenemos tropas en tierra, en la parte occidental de Iraq, cazando misiles Scud. Acabo de volver a hablar por teléfono con Doron. Hemos hablado casi veinte minutos. Tiene la intención de esperar y no lanzar ningún ataque nuclear por el momento, siempre y cuando obtengamos resultados. Bueno, pues le he dicho que vosotros ibais para allá y le he explicado que tenemos algunas ideas de cómo conseguir una paz y una prosperidad duraderas cuando todo esto acabe. Está dispuesto a escucharnos. Sin embargo, francamente debo decirte que ahora mismo no está demasiado interesado en el mes que viene o en el próximo año. Intenta defender su país hora a hora. No puedo recriminárselo y por eso hemos hablado casi todo el rato de cuestiones militares, no de pactos petroleros ni acuerdos de paz.

—Señor presidente, es natural y lo comprendo a la perfección. Sin embargo, ya sabe, eso me lleva a plantearme cuál es mi papel en todo esto. Quiero decir que si realmente debería ir a hablar o no con él ahora mismo.

—No, no. Tienes que ir, Jon, por dos razones. Escucha. En primer lugar, tengo que persuadirle de que estamos comprometidos con la seguridad y la prosperidad de Israel a largo plazo, de que estamos en esto los dos juntos y que no deben sentirse aislados ni solos y de que apostamos por su supervivencia. Si alguna vez llegan a la conclusión de que están solos en el mundo será cuando lancen su propio ataque y eso, mucho me temo, sería catastrófico. Si tú hablas con él, si le expones las directrices iniciales y le convences de que se trata de una estrategia final para una paz verdadera y duradera, todo tiene que formar parte de mi concepto estratégico global para mantener a los israelíes apartados de esta guerra y para que no utilicen armamento nuclear. ¿Me comprendes?

—Eso creo, señor.

—Eres el embajador de este acuerdo, Jon. Eres la prueba fehaciente de que tengo la férrea determinación de trabajar con ellos a largo plazo y, francamente, de demostrar al mismo tiempo que Estados Unidos ya no cree que golpear a Israel para otorgar cada vez más concesiones a Arafāt sea la política correcta. Creo firmemente, y sé que tú también, que la paz entre israelíes y palestinos tiene que repercutir en muchos beneficios tangibles para todos. No puede concebirse como una serie de concesiones, sino que tiene que considerarse una inversión con unos grandes rendimientos. Y no en términos de rendimientos de miles de millones de dólares de ayuda estadounidense o europea, sino como un rendimiento de riqueza verdadera generada por los propios israelíes y palestinos, que cooperarán en esta operación para producir petróleo y gas. Quiero que Doron y su equipo crean en este acuerdo, de un modo u otro, para que vean que el verdadero potencial no está en la guerra nuclear. ¿Te parece sensato?

—Sí. Aun así, ha mencionado que había dos razones básicas para mandarme a hablar con él. Y ésa era sólo la primera. ¿Cuál es la segunda?

—Voy a ser directo, Jon.

—Muy bien.

Bennett estaba preocupado. No tenía ni idea de qué iba a explicarle el presidente a continuación y no estaba seguro de querer saberlo.

—Necesitamos darle un «rehén» a Israel.

—¿Qué?

—Un rehén, Jon. Necesito que Doron y su equipo vean que personas cercanas a mí pisan suelo israelí, corriendo peligro, y pasan allí unos días o unas semanas, hasta que todo esté resuelto. Tienen que creer que, incluso más que la perspectiva de paz, tengo un interés auténtico y concreto en que vivan o mueran.

—Y yo soy ese interés.

—Bueno, tú, Erin y Deek.

Bennett no sabía qué decir.

—¿Se lo pidieron los israelíes?

—No, yo me ofrecí.

—¿Se ofreció a ponernos en el punto de mira de Iraq para mantener a Israel alejado de la guerra?

—En esencia, así es.

Bennett se limitó a mirar por la ventanilla del G4 hacia el fantástico cielo azul y los campos de nubes blancas que se extendían por debajo. Básicamente, el presidente de Estados Unidos acababa de firmar su sentencia de muerte y notaba cómo la sangre le subía por detrás del cuello y las orejas. Tenía la cara colorada y caliente y luchó por controlar la voz.

—Muy bien. ¿Algo más, señor?

—¿Jon?

Respiró hondo.

—¿Sí, señor?

—No voy a dejar que os suceda nada malo. Te lo prometo. Pero te tengo que colgar. Tengo a Harris en la otra línea del FBI. Llámame cuando aterricéis.

Habiendo dicho eso, la línea se cortó.

* * *

Harris reflexionó sobre las opciones que tenía y ninguna le satisfacía.

Más difícil que seguir la pista y capturar a un mafioso o a un terrorista, rodeado de guardaespaldas entrenados para matar, tenía que ser seguir la pista y capturar al secretario del Departamento del Tesoro de Estados Unidos, rodeado por agentes del Servicio Secreto entrenados para protegerle. Sin embargo, la caza había empezado y la soga se iba estrechando. Stuart Morris Iverson había pasado a ocupar el primer lugar de la lista de los más buscados por el FBI: le buscaban por múltiples cargos de asesinato, múltiples cargos de intento de asesinato, múltiples cargos de conspiración, múltiples cargos de espionaje y traición. El mundo no lo sabía, naturalmente. Ni tampoco Iverson ni su guardia protectora. Tan sólo doce personas en todo el mundo lo sabían, pero había otra que estaba a punto de descubrirlo.

* * *

Black dio las gracias a Mitchell de la CIA y colgó el teléfono.

—El director quiere que Galishnikov y Sa'id se reúnan con nosotros en casa del doctor Eliezer Mordechai, en Jerusalén —comunicó a sus compañeros.

—¿Quién es ese tal doctor? —preguntó Bennett.

—El doctor M es un buen hombre. Fue director del Mossad y se podía decir que es quien mejor conoce a Saddām Hussein de todo el planeta. También conoce bien a Doron y ha trabajado como enlace a la sombra con Arafāt para el presidente MacPherson durante los últimos años. Es muy amigo del presidente. Es una larga historia, pero digamos que ven el mundo del mismo modo. Lo bueno del caso es que ya no trabaja para el Gobierno israelí, así que puede ayudarnos a establecer una estrategia para convencer a Doron, al mismo tiempo que nos ayuda con nuestro encuentro con Arafāt y su equipo.

—Muy bien —dijo Bennett, que no estaba de muy buen humor para hablar, pero que por dentro agradecía cualquier ayuda que les prestaran.

—Por cierto —añadió Black—. Cuando lleguemos, nos recogerá un Chevy Suburban blindado de la embajada. He enviado a uno de mis equipos de lucha contra el terrorismo para que registre a fondo la casa del doctor M. También estamos investigando al personal de servicio y a los vecinos. Estamos contrastando toda la información con el Shin Bet y el Mossad, por si acaso.

A Black le pagaban por desconfiar y se notaba.

—¿El doctor M? —preguntó McCoy—. ¿Sois amigos?

Los tres se sentaron a la mesa de reuniones con los ordenadores portátiles y un café. McCoy ayudó a Bennett a conectarse a la red de ordenadores segura de la CIA vía satélite, a fin de que éste y todos pudieran acceder a los mismos ficheros y compartirlos entre ellos durante el debate.

—He llegado a conocerle bastante bien a lo largo de los años que he estado en Israel —les explicó Black—. Ha sido como una especie de mentor para mí.

—¿Qué nos puedes contar acerca de él? —continuó McCoy.

Black abrió un fichero informático del FBI confidencial llamado DEMINFO y lo envió por correo electrónico a Bennett y a McCoy. Contenía una foto actualizada de DEM, el doctor Eliezer Mordechai, junto con los datos biográficos esenciales y un informe de seguimiento, INFO, de la relación que había mantenido con el servicio de inteligencia israelí durante las últimas décadas. Bennett y McCoy abrieron el fichero, cada uno en su ordenador, y leyeron lo más destacado en un momento.

Doctor Eliezer Samuel Mordechai. Hijo único. Nació el 28 de mayo de 1935 en una pequeña ciudad de Siberia conocida como Tobolsk. Su familia escapó durante la primavera de 1941 a través de Asia central, Irán e Iraq y, finalmente, llegó a Palestina en otoño de 1945. Su padre, Vladimir, luchó en la guerra de independencia de Israel en 1948 y se convirtió en catedrático de estudios rusos en la Universidad Hebrea. Su madre, Miriam, era enfermera. Ambos murieron en el bombardeo que emprendieron unos terroristas en un restaurante de Jerusalén en 1953 mientras Eliezer estaba fuera en un campamento de entrenamiento de reclutas de la Marina de las IDF. Eliezer continuó su carrera hasta convertirse en agente de los servicios de inteligencia, primero en la organización militar llamada Aman y después en el Mossad. Se licenció en la Universidad Hebrea en dos disciplinas diferentes: en estudios de lengua rusa y en estudios soviéticos, y se sacó un máster y un doctorado en estudios del Oriente Próximo.

Se abrió camino en el Mossad, primero como agente y después como analista especializado en política exterior soviética. Hablaba correctamente ruso, árabe, farsi e inglés, así como su lengua materna, hebreo.

Fue director de la Sección Árabe del Mossad entre 1976 y 1984.

Fue director de la Sección Nuclear del Mossad entre 1985 y 1987.

Fue director general del Mossad entre 1988 y 1996. Contribuyó a esbozar el plan para rescatar a los rehenes israelíes de Entebbe, Uganda, en 1976. Contribuyó a esbozar el plan para bombardear el reactor nuclear de Osirik, en Iraq, en 1981. Ayudó a establecer el plan para asesinar a Jalil al Wazir (conocido como Abu Yihad), un miembro destacado de la Organización para la Liberación de Palestina responsable de numerosos atentados terroristas contra israelíes, en Túnez, el 16 de abril de 1988. Etcétera, etcétera. El expediente continuaba llenando páginas y páginas.

—En resumen —concluyó McCoy—. Ese hombre era el mandamás de los espías de Israel.

—Y todavía sigue siéndolo, por lo que yo sé —dijo Black—. Uno de los mejores del mundo y, seguramente, «el mejor». Cuando se retiró, comenzó a jugar en bolsa y se ve que le tocó el gordo. Siempre he sospechado que le habían llegado buenas informaciones acerca de Intel mientras estaba en el Mossad, pero no me hagáis demasiado caso. La cuestión es que se hizo construir una mansión en un terreno fantástico en las colinas que dan sobre Jerusalén. Nunca he estado allí, pero todo el mundo afirma que es algo espectacular.

—¿Cómo es en el plano personal? —quiso saber McCoy.

—Tranquilo. Amable. No adivinarías nunca que era el jefe del Mossad. Quiero decir que parece un ratón de biblioteca, como un viejo catedrático de Oxford. Es canoso, tirando a calvo, lleva gruesas gafas, viste cárdigans y fuma pipa.

—Deberíamos haberle llevado tabaco del bueno.

—¿Y quién dice que no lo hayamos hecho? —contestó Black mientras sacaba un pequeño paquete del maletín.

—Muy bien pensado.

—Con esas cosas me saco un buen pastón —añadió Black.

—Dijiste que has trabajado estrechamente con él, ¿no es así?

—Nos llevamos bastante bien. Y me ayudó muchísimo mientras intentaba formar un equipo de lucha efectivo contra el terrorismo y una estrategia en esa tierra. Conocí al doctor Mordechai en una fiesta en casa del embajador de Estados Unidos en Herziliya, el verano de 1990, en junio o julio, creo, justo antes de que Saddām ocupara Kuwait. No había trabajado nunca en Israel, puesto que tan sólo había estado allí de vacaciones con mi mujer. Sin embargo, Iraq hacía gala de su belicosidad —esa era la expresión que parecía que todo el mundo utilizaba por aquel entonces y el FBI pensó que sería bueno reforzar nuestro trabajo en Israel y pasar más tiempo con los hombres del Shin Bet y del Mossad. Nuestra misión concreta, aunque no se la explicamos a los israelíes en ese momento, era desarrollar un plan de evacuación. En caso de que estallara una guerra y el presidente diera la orden, necesitábamos saber dónde poder localizar a todos los ciudadanos estadounidenses que vivían, trabajaban o estaban de visita en Israel en un momento determinado, cómo reunirlos a todos, llevarlos hasta seis puntos diferentes de extracción y qué fuentes necesitaríamos de la Sexta Flota del Mediterráneo para sacarlos de allí y llevarlos a casa sin ningún percance. Tal como sucedieron las cosas, la guerra estalló y Saddām empezó a lanzar sus misiles; aun así, no tuvimos que llevar a cabo ningún plan de evacuación.

Bennett miraba a través de la ventana. Black no sabía si le estaba prestando atención, pero continuó.

—De todos modos, conocí al doctor Mordechai en esa fiesta y nos fuimos a comer al día siguiente. Hablamos mucho acerca de Saddām e Iraq y de la perspectiva de que iba a suceder algo. Nunca olvidaré una cosa que dijo.

—¿Por qué? ¿Qué dijo? —preguntó McCoy.

—Cito textualmente: «Vuestro problema, el problema de los estadounidenses, es que no creéis en el mal».

—¿Y qué se supone que quiere decir esto?

—Eso es lo que yo también quise saber. Así que empezó a explicarme que, en su opinión, la CIA y el FBI, y todavía más altos los miembros del Estado, no se anticipan adecuadamente a los acontecimientos nefastos y catastróficos porque no creen realmente en la existencia del mal, no creen en la presencia de una dimensión espiritual oscura, perversa y nefaria que lleva a algunos hombres a realizar actos inimaginables. Así que le dije: «No sé de qué me está hablando». Y él continuó: «Exactamente. Un hombre como Saddām Hussein, por ejemplo: él clama al mundo durante años que tiene un derecho territorial sobre Kuwait. Construye sus fuerzas armadas y las armas de destrucción masiva. Moviliza las tropas en la frontera y deja ver a todo le mundo que va a entrar. Pero todos los chicos y chicas de la CIA y la DIA dicen que no va a hacerlo, que tan sólo quiere que suba el precio del petróleo. Tan sólo está haciendo gala de su belicosidad, tan sólo hace ejercicios y, en realidad, no podría llevar a cabo la invasión. ¿Por qué querría llevar a cabo algo así? No tendría ningún sentido, sería irracional. Ninguna nación árabe ha invadido nunca otra nación árabe. ¿Por qué deberían empezar ahora?»

—¿Y el bueno del doctor pensaba que nuestros hombres estaban equivocados? —preguntó Bennett, que aparentemente prestaba más atención de lo que Black creía.

—Estaban equivocados.

—Bueno, obviamente. Pero no podíamos saberlo por aquel entonces.

—No es verdad. Sí que lo podríamos haber sabido. Eso es lo que él intentaba decirme. Saddām nos estaba dejando ver sus planes y simplemente no le creímos capaz de que pudiera llevarlos a cabo.

—Todos creímos que no se atrevería, Deek. Tendrías que haber dispuesto de una bola de cristal para entrar en la mente de Saddām Hussein y adivinar sus intenciones. Es un lunático.

—No, no, no —dijo Black—. No me estás entendiendo. Eso es exactamente lo que el doctor Mordechai intentaba explicarme. Por un lado, nos decimos a nosotros mismos que Saddām es un ser racional, pero mentiroso: dice que va a invadir Kuwait pero pensamos que es un farol, que simplemente miente y que está jugando con nosotros. Pero entonces, cuando invade Kuwait, decidimos que es un lunático: un loco impredecible e irracional, un chiflado.

—Así pues, ¿cuál es tu conclusión? ¿O la del doctor?

—Mordechai llegó a la conclusión de que existe una tercera opción: Saddām Hussein no es un lunático y, por lo tanto, no es un mentiroso. Es racional, calculador y malvado, así que comunicó al mundo lo que iba a ejecutar, es decir, que iba a perpetrar un acto maligno, no un acto fruto de la locura, y lo cumplió. Teníamos a un montón de analistas más que bien pagados y con varios títulos de Harvard y no supimos ver la simplicidad del momento.

—Oye, que yo me podría incluir en ese grupo —bromeó de manera inexpresiva Bennett, que tenía un MBA de la Facultad de Económicas de Harvard.

—Perdona, y yo —le recordó Black, otro antiguo alumno de Harvard.

—Por eso yo fui a Wharton —dijo McCoy sonriendo—. Ahora en serio, ¿realmente piensa que lo podría haber hecho mejor?

—Realmente, lo previó muy bien. Estábamos comiendo en una terraza de un café del centro histórico y me dijo a boca jarro que Saddām iba a invadir ese territorio e incluso llegó a decirme el día: el 5 de agosto. Se equivocó por tres días.

—¿Tenía alguna información desde dentro?

—No. Dijo que no la necesitaba. Dijo que todo lo que alguien necesitaba saber en términos de información e investigación básicas podía encontrarse en los periódicos. Sin embargo, hizo hincapié en que la información es algo más que simplemente descubrir hechos, también implica analizar adecuadamente esos hechos y extraer las conclusiones correctas, aunque se basen en pruebas incompletas. En ese caso, la única diferencia entre el doctor Eliezer Mordechai y los altos mandatarios del Gobierno estadounidense fue que Mordechai prestó atención a las palabras de Saddām Hussein, mientras que nosotros, no. O dicho de otro modo, como lo dijo él, cito textualmente: «Creo que Saddām Hussein es capaz de realizar actos de una maldad indescriptible e, igualmente, que es propenso a ellos, y vosotros no. Yo tengo razón y vosotros estáis equivocados. No es que sepa más que vuestro Gobierno, porque sé menos, pero creo que las fuerzas del mal provocan que los hombres malvados realicen actos malignos. Así es como puedo predecir lo que puede ocurrir en el futuro y lo que ocurrirá. Así es como llegué a ser jefe del Mossad. Por esta razón soy bueno en mi trabajo. Será un agosto infernal y mi país va a sufrir mucho por culpa de que vuestro país no cree en el mal. El mío nació de las cenizas del Holocausto».

Los tres se quedaron mudos un instante.

—¿Qué ocurrió luego? —acabó preguntando McCoy.

—Se levantó, pagó la factura y se fue.

Bennett se reclinó en la silla giratoria de piel, se pasó la mano por el pelo y cogió una bandeja de cristal con caramelos rojos y verdes.

—Bueno, estoy impaciente por descubrir su próxima profecía —dijo con tranquilidad, mirando a través de la ventanilla del G4 hacia un cielo azul fantástico, sin saber demasiado bien qué decir—. ¿Alguien quiere un dulce?

* * *

El general Azziz sabía que se estaba jugando la vida, pero estaba preparado para morir.

Sabía de sobra que respiraba sólo por deseo de Saddām Hussein. Se dedicaba en cuerpo y alma al régimen. Era viudo y no tenía hijos. Y tenía ganas de sacrificar su propia vida y la de los hombres de su país para vengarse de Israel y Estados Unidos. De hecho, estaba impaciente por compensar ese desagravio. Era su deber, la última misión suicida, y la energía provocó que se estremeciera al pensar en todo lo que le esperaba.

Naturalmente, sabía que Saddām quería resultados y debían obtenerlos como fuera. Aun así, la intuición le decía que esperar. Tan sólo necesitaba un poco más de tiempo para orquestar el concierto final de su carrera.

La única pregunta era si él y sus compañeros sobrevivirían a la campaña brutal de bombardeos intensos de los estadounidenses hasta que todo estuviera preparado y llegara el momento de gloria eterna.

Como artífice orgulloso de este increíble complejo de búnkeres, Azziz sabía sin ninguna duda que la respuesta a esa pregunta era afirmativa. Esperaría hasta estar bien y preparado.

* * *

El presidente colgó el teléfono y miró al techo.

Dos agentes del Servicio Secreto estaban en guardia al otro lado de la cristalera. La primera dama estaba profundamente dormida. Él tan sólo había podido dormir durante quince o veinte minutos, ya que se había tendido para intentar reunir algunas horas de descanso, siguiendo las indicaciones de los médicos, hasta que sonó el teléfono. La mente funcionaba a marchas forzadas. No podía ser verdad, era imposible. Tenía que estar del todo seguro. Pero ¿cómo podía asegurarse?

MacPherson volvió a coger el teléfono y Corsetti respondió a la segunda llamada.

—Bob, necesito que me hagas un favor.

—Sí. ¿Señor presidente?

—Llama a Stu. Pídele que se reúna conmigo en Camp David a mediodía. Tengo un pequeño proyecto que necesito encomendarle ahora mismo. Creo que él es el hombre indicado para llevarlo a cabo.

—Sí, señor.

—¿Qué tal le va a Shakespeare con el discurso de esta noche?

—Va escribiendo. Marsha y yo nos reuniremos con él a mediodía para revisarlo.

—Muy bien. Ahora llama a Stu y asegúrate de que esté en Camp David a las doce en punto.

—Muy bien, señor.

* * *

El BlackBerry de Bennett empezó a pitar.

Se recostó en el asiento y comprobó rápidamente el mensaje de correo electrónico que acababa de recibir. Era su madre desde Florida y era urgente. La llamó al móvil inmediatamente.

—Mamá, soy Jon. ¿Qué ocurre?

Estaba histérica.

—Jon, es tu padre.

Casi no podía hablar.

—¿Qué? ¿Qué ha ocurrido?

—Bueno, verás. Ha sufrido un infarto masivo.

—¡Dios mío!

—No creen que vaya a salir de ésta. Le dan veinticuatro horas de vida, como mucho.

No sabía qué responder.

—¿Dónde estás, Jon? Tienes que venir inmediatamente, te necesito...

Bennett sufría un terrible choque emocional. No podía ir a casa y tampoco podía decirle dónde se encontraba. Y lo peor de todo, no le podía decir el porqué.

* * *

El *Marine One* aterrizó en Camp David justo antes de las once de la mañana del viernes.

Se avecinaba tormenta y el viento y la lluvia empezaban a azotar la zona. Tan sólo iban a bordo MacPherson, la agente Jackie Sánchez y el personal de vuelo. Esperando al presidente en Camp David, el director del FBI Scott Harris, el agente especial Doug Reed, tres miembros del equipo de Reed y la especialista en informática, Carrie Downing. Corrieron a refugiarse en la residencia Aspen y repasaron el plan. El presidente no paraba de preguntarles si funcionaría. Más les valía, pensaban Harris y Reed, puesto que no tenían alternativa.

Del auricular de Reed salió la voz crepitante de uno de sus agentes.

—Sierra Uno a Romeo. Emmental está en tierra. Sesenta segundos.

—Recibido, Sierra Uno. Señor presidente, ya ha llegado.

Los ayudantes de Reed tomaron posiciones distribuidos por la estancia, comprobaron las armas y esperaron, con el corazón latiéndoles a gran velocidad. Reed se escondió detrás de la puerta mientras Harris se puso delante del presidente. Downing se situó en un extremo de la habitación, como le había dicho Reed. No llevaba arma, no tenía ningún lugar donde esconderse y no quería encontrarse entre dos fuegos.

—Sierra Uno. Emmental llegará en diez segundos.

Reed no respondió. Pudo oír las puertas exteriores de la residencia abrirse y la voz del secretario y la jefa de personal del Departamento, Linda Bowles. El equipo de Sánchez pedía a los agentes de Iverson que esperaran fuera hasta que hubiera terminado la reunión.

Entonces llegó. Dos golpes en la puerta fuertes y cortos.

—Stu, ¿eres tú? —gritó el presidente—. Entra.

—Señor presidente, Scott, señores —dijo Iverson con tranquilidad—. Qué tormenta más terrible, ¿verdad?

Acababa de pronunciar esas palabras cuando oyó los inconfundibles clics metálicos.

Era el percutor de un revólver Smith & Wesson 45 ACP que se encontraba justo detrás de su oído izquierdo. A Iverson se le heló la sangre. El juego había terminado.

CAPÍTULO TRECE

Era de noche, había luna nueva y eran más de las ocho de la tarde del viernes, hora de Israel.

El Chevy Suburban blanco finalmente salió de la estrecha carretera, pasó a través de las descomunales vallas de piedra y acero y avanzó por el camino aislado que llevaba hasta la mansión.

La casa del doctor Eliezer Mordechai estaba construida en la parte superior de una de las colinas del extremo norte de Jerusalén. En los instantes en los que Israel se adentraba en la hora más oscura de su existencia, a Dietrich Black le reconfortó ver dos furgonetas de seguridad de la embajada de Estados Unidos que les esperaban, tal como había pedido. Su trabajo era prever lo imprevisto, así como asegurarse de que no le ocurría nada malo a Jonathan Meyers Bennett, el nuevo artífice que acababan de designar para llevar a cabo el plan de paz secreto de Oriente Próximo ideado por el presidente. Y era un trabajo que se tomaba muy en serio.

Un guardia de la Marina reconoció al instante a Black y le saludó, pero igualmente comprobó detenidamente las fotos de identificación de todas las personas que iban en el Suburban, empezando por Bennett. Los agentes de seguridad peinaron el perímetro con perros adiestrados y armados con M-16. Todo estaba perfectamente organizado y eso era todo lo que cabía esperar.

Bennett había leído en el *dossier* que Black le había entregado que el doctor Mordechai había diseñado él mismo esa casa.

Con un estilo a lo Frank Lloyd Wright, una especie de casa de la cascada pero sin la cascada, la estructura en sí misma parecía completamente incrustada en el cerro en el que estaba construida. Un pequeño camino de adoquines, iluminado a ambos lados con pequeñas y discretas lámparas de tierra, serpenteaba y guiaba a los visitantes autorizados hacia un laberinto de escaleras exteriores de piedra.

Finalmente, éstas conducían al visitante hacia el resguardo de un voladizo de piedra caliza inmenso, grueso y sin pulir, que sobresalía como un acantilado enorme y quedaba colgado sobre la Vieja Ciudad a la derecha. A la izquierda quedaba la entrada umbría, arqueada y parecida a una cueva. La puerta principal debería haber estado en un museo y no en ese lugar, en el que pocas personas podían admirarla. Una inmensa tabla de cedro de Líbano con esculturas talladas a mano que representaban la historia de Jerusalén adornaba el exterior, iluminado con una luz tenue proveniente de unas diminutas lámparas empotradas en la piedra oscura que quedaba por encima de sus cabezas.

Desde el momento en el que McCoy anunció su llegada haciendo sonar el timbre y oyeron el eco del carillón tan bonito como los de la iglesia del Santo Sepulcro que había en el valle que quedaba a sus pies, los tres estadounidenses de repente se dieron cuenta de lo poco que realmente sabían. El sibilino pasado del doctor Mordechai les intrigaba sobremanera, pero empezaron a intuir que su casa era una especie de reflejo del hombre que la habitaba, un hombre envuelto en misterio y oscuridad, así como poseedor de un ligero encanto.

* * *

Toda la tripulación estaba echando las tripas.

Sin embargo el helicóptero SH-60B Seahawk, la versión de

la Marina del Blackhawk del ejército, despegó igualmente del portaaviones *Reagan* y se dirigió hacia la violenta tormenta.

El aparato llevaba consigo al equipo seis de SEAL y tres especialistas en terrorismo del Laboratorio Nacional Lawrence Livermore que formaban parte del equipo de investigación de emergencia nuclear altamente secreto del Gobierno estadounidense.

La misión era asegurarse de que Saddām Hussein no dispusiera de una segunda oportunidad de lanzar un misil nuclear contra Israel o sus vecinos.

La probabilidad de éxito era limitada, por decir algo. La probabilidad de impedir un ataque con misiles, y mucho más si se trataba de un ataque nuclear, con una lanzadora de misiles móviles era de una entre un millón y, teniendo en cuenta que los israelíes acababan de impedir uno, ninguno de los tripulantes del helicóptero tenía esperanzas de poder conseguirlo.

* * *

La puerta de madera se abrió.

Los dos agentes del Mossad que les saludaron estaban a contraluz, de modo que resultaba difícil verles la cara. Sin embargo, las ametralladoras Uzi que llevaban colgadas a un lado eran inconfundibles.

Por segunda vez en menos de cinco minutos, pidieron a Bennett, McCoy y Black que les mostraran la identificación fotográfica. También les ordenaron poner los pulgares en una placa táctil electrónica, conectada a un potente ordenador portátil cuya pantalla ultraplana brillaba de manera inquietante en la oscuridad.

Mientras esperaban un instante para que comprobaran los números de la Seguridad Social y las huellas dactilares, una cámara pequeña y casi imperceptible pegada al techo tomó una rápida fotografía instantánea de todos los visitantes. Acto seguido, digitalizaron las tres caras y las procesaron simultáneamente en todas las bases de datos de alta velocidad.

El software de reconocimiento de caras realizó rápidamente una extracción de los rasgos: el ordenador midió los píxeles de los ojos y los labios y escaneó 18 aspectos faciales diferentes. Analizó la estructura de los pómulos y del cráneo. Después, cotejó las «huellas faciales» tridimensionales con las fotografías de centenares de criminales y terroristas conocidos de todo el mundo.

Un instante después, uno de los teléfonos móviles de los agentes israelíes sonó. Era el doctor Mordechai. Desde alguna habitación enterrada dentro de la casa les estaba viendo. Una vez el ordenador hubo dado el visto bueno, él lo imitó. Uno de los agentes israelíes pasó unas finas cadenas metálicas por los tres pases de visitante, se los entregó y les dijo que lo llevaran puesto mientras se encontraran en esa casa o por los alrededores de la propiedad. También pidió a los invitados que se quitaran los abrigos y los zapatos mojados y los dejaran en un pequeño armario empotrado, lo que hicieron inmediatamente.

Tanto a mano derecha como a mano izquierda salían sendos pasillos largos y sin iluminar que se proyectaban hacia el este y el oeste respectivamente; no obstante, en vez de ir hacia uno de los dos, condujeron a los tres estadounidenses por el pasillo escasamente iluminado que tenían justo enfrente. Era parecido a un túnel y estaba cubierto por la viga voladiza de piedra caliza que llegaba hasta allí a través de la pared exterior y acababa en el lugar en el que empezaba una escalera ancha y circular.

Allí finalmente empezaron a subir en espiral hacia el segundo piso, el principal, donde experimentaron una explosión de luz y color, de sonidos y aromas que los transportó inmediatamente a un mundo completamente diferente del suyo.

* * *

Le habían llegado diversos mensajes de correo electrónico antes de cenar que contenían buenas noticias.

Sus fuerzas estaban recibiendo una paliza, pero a Azziz eso le traía sin cuidado. Jugaba a lo que los boxeadores occidentales llaman «cansar al rival»: Iraq fingiría ser débil, estar herido y acallado mientras durara el ataque incesante de Estados Unidos, pero luego atacarían cuando menos lo esperaran los estadounidenses.

El mensaje del Q19 decía que estaban preparados para actuar cuando Azziz diera la orden. El correo electrónico de los «cuatro jinetes» confirmaba que la persecución de su objetivo procedía correctamente. Y luego, obviamente, escondido en un hospital infantil en el centro de Bagdad, estaba la joya de la corona de la misión que por entonces el presidente Saddām Hussein llamaba «la última yihad», la guerra santa definitiva de la historia contra Occidente y los sionistas infieles.

* * *

Bennett, Black y McCoy subieron la escalera de caracol.

Mientras ascendían, pudieron admirar una magnífica cúpula de cristal que la escalinata tenía por techo y que permitía contemplar una vista espectacular de la luna y las estrellas. Era clara, cautivadora y, por supuesto, les pilló por sorpresa. Pero en realidad no fue la cúpula, sino la cálida y apacible iluminación de diversas lámparas distribuidas por la gran estancia lo que parecía que invitarlos a entrar desde el oscuro túnel que había abajo.

Mientras los ojos se iban acostumbrando a la luz, pudieron ver una casa llena de tesoros valiosísimos. Unas magníficas y suntuosas alfombras persas gruesas de color morado, dorado y granate cubrían el brillante suelo de madera noble de color marrón y al menos una docena de pequeñas palmeras verdes se erguían en unas macetas de arcilla rojiza situadas caprichosamente por todo ese espacio.

Había diversos sofás enormes y sillones de piel marrón italiana dispuestos alrededor de una mesa de centro de cristal y hierro forjado, con pequeños adornos arqueológicos antiguos provenientes de todo el Oriente Próximo y los últimos números de las revistas de actualidad de Israel, Europa y Estados Unidos.

Un elegante piano de cola negro estaba situado en una esquina de la habitación, sin que nadie lo tocara. A su lado, había un camello disecado cuya mirada vidriosa e inquietante parecía seguirlos mientras caminaban. Una mesa de caoba puesta con la vajilla de porcelana, los cubiertos y accesorios de plata y la cristalería de cristal preparada para una cena con cuatro comensales, pero que podía acomodar fácilmente a una docena de invitados, ocupaba otra esquina. En el centro de la mesa había un gran jarrón de rosas acabadas de cortar.

Detrás de la mesa, por encima de un antiguo arcón con cajones repleto de fotos familiares, en la pared de piedra caliza curvada y grabada que daba la sensación de ser la parte interior de la montaña, había un cuadro.

No era un cuadro cualquiera. Se trataba de un lienzo descomunal con azules reales, amarillos vistosos y pequeñas pinceladas borrosas de rojo anaranjado que de inmediato atrajo la atención de los visitantes, pero que parecía totalmente indescifrable. Una pequeña placa debajo rezaba: Jackson Pollack, *Azul (Moby Dick)*, 1943. Iba seguido de un típico comentario críptico de Pollack: «Cuando estoy pintando, no soy consciente de lo que hago. Es tan sólo después de un período de adaptación cuando veo lo que he estado haciendo. No tengo miedo a realizar cambios ni a destrozar la imagen, porque el acto de pintar tiene vida propia».

A Dietrich Black el arte abstracto no le decía nada. Lo que más le impresionó fue que no pudo ver por ninguna parte la cocina. Sin embargo, podía olerla. Primero le llegó el aroma del jengibre, el azafrán, el comino y el cilantro, seguido por el del tomate, las cebollas, el pimentón y el cordero asado. Había un *curry* indio suculento y delicioso que estaba hirviendo en algún lugar cercano, así como grandes ollas de arroz basmati amarillo.

McCoy cerró los ojos un instante y se limitó a escuchar. Oía el tintineo de una fuente, así como el crepitar del fuego que ardía en la gran chimenea de piedra. Al escuchar con más atención, también empezó a oír a lo lejos el agradable sonido de un concierto de violín de Bach que provenía de los pequeños altavoces Bose escondidos por toda la casa. Era uno de sus CD favoritos, interpretado por Itzhak Perlman, el violinista nacido en Israel al que el presidente Reagan otorgó la Medalla de la Libertad de Estados Unidos en 1986.

McCoy había asistido un tiempo a clases de violín cuando era pequeña y los odiaba. Pero en 1993 había conocido a Perlman en la embajada estadounidense en Praga y se podría decir que se enamoró de él. Había ido a la romántica capital checa para dar un concierto con el violonchelista Yo Yo Ma y Erin se quedó prendada. Cuando no estaba volando por algún lugar del mundo con Jon Bennett, firmando acuerdos petroleros por valor de mil millones de dólares, solía quedarse por la noche en su casa del centro de Londres, en Notting Hill, hecha un ovillo debajo de una vieja manta de lana, leyendo alguno de sus libros favoritos acunada por los sonidos del gran Itzhak Perlman.

Bennett recorrió con la vista la sala cavernosa; no le interesaba ni el *curry* ni el concierto, aunque tampoco los pasó por alto. Tenía otros asuntos en la cabeza, como los misiles iraquíes que les apuntaban directamente a la cabeza. Se estaba bien en esa sala, aunque no hiciera demasiado calor: de vez en cuando, parecía que una brisa fresca proviniera de algún lugar, y en ese instante sabía de dónde. Se alejó de Black y McCoy y empezó a caminar hacia las grandes ventanas de cristal y la puerta corredera, también de ese material, que le daba acceso a la veranda. Desde el voladizo de piedra caliza, ésta le proporcionó una vista sobrecogedora de la Vieja Ciudad. Pero además, le proporcionó la oportunidad de encontrarse cara a cara con el doctor Eliezer Mordechai, que pareció salir de la nada.

* * *

El helicóptero Seahawk entró rápido en el espacio aéreo iraquí, volando a una altura muy baja para que los radares no pudieran detectarlo.

Siguiendo la autopista 10 iraquí en dirección a Bagdad, el equipo tan sólo volaba a quince metros por encima del nivel del suelo y a más de ciento ochenta nudos; la tripulación estaba preparada para disparar las ametralladoras de 7,62 milímetros montadas en la parte delantera contra cualquier vehículo militar con el que se cruzaran, en la búsqueda de lanzadoras de misiles Scud móviles.

—Ariete Uno Seis, Ariete Uno Seis, aquí Rancho del Cielo. ¿Me recibís?

Era el controlador jefe de un avión militar E-3 con sistema AWACS, que se encontraba casi a siete mil metros por encima de ellos.

—Rancho del Cielo, aquí Ariete Uno Seis. Le recibimos alto y claro.

—Han pedido repostar. Podemos hacerles llegar un avión cisterna en unos...

De repente, las luces de alarma y los timbres llenaron la cabina de mando del Seahawk.

—¿Qué? ¡Oh, Dios mío! ¡Rancho del Cielo, Rancho del Cielo! ¡Alguien me está apuntando!

Había alguien dentro de la tormenta que le había localizado y se estaba preparando para disparar.

—¡Ariete Uno Seis! ¡Repite, por favor! ¡No nos aparece nada en el radar!

—¡Hay alguien apuntándome, Rancho del Cielo! ¡Cubridme, ahora! ¡Si no, nos vamos al traste!

El teniente coronel Curtis Ruiz, el piloto del Seahawk, revisó los instrumentos mientras intentaba desesperadamente descubrir qué pasaba antes de que fuera demasiado tarde.

—Ariete Uno Seis, aquí Rancho del Cielo. Ahora lo vemos. Tienes a un MiG-29 iraquí pegado a la autopista detrás de ti que va a toda velocidad. Lo tienes a 32 kilómetros pero te gana terreno. Te enviamos dos F-14. Espera.

«¿Espera? —pensó el piloto en jefe del Seahawk—. ¿Qué coño quería decir? Dentro de dos minutos ya serían historia.»

* * *

Downing respondió a la primera llamada.

Era Harris, que necesitaba recibir buenas noticias. La agente ya había vuelto a los cuarteles generales del FBI, pero no tenía nada nuevo que comunicarle. Aún no. Y todavía estaba por ver si conseguiría algo. Pero prometió continuar engullendo el café negro y malísimo de las oficinas a la espera de descubrir algo pronto.

* * *

Justo cuando hubieron acabado de presentarse, el timbre de la puerta sonó.

—Deben de ser ellos —dijo el doctor Mordechai—. Vengan, síganme.

Les condujo otra vez a través de la escalera de caracol hacia la entrada principal. Al mirar al monitor de seguridad, inmediatamente reconoció las caras que había en la puerta sin necesidad de todo el equipo de alta tecnología y pasó rozando a los impacientes agentes del Mossad para abrir la puerta y dar la bienvenida a Dimitri Galishnikov y a Ibrāhīm Sa'id.

—Llegáis tarde —dijo bromeando mientras saludaba a los dos hombres con los abrazos y los besos tradicionales de Oriente Próximo y hacía las presentaciones pertinentes.

Cuando los dos hombres hubieron entrado en la mansión, el doctor Mordechai dio instrucciones a los agentes del Mossad para que tomaran posiciones delante de la casa; acto seguido cerró la puerta con cerrojo detrás de ellos. Sin embargo, en vez de dirigirse hacia las escaleras, el viejo giró hacia uno de los pasillos poco iluminados, fue hasta el fondo, abrió lo que parecía ser la puerta de un armario empotrado y les hizo señas para que le siguieran.

—Damas y caballeros, dejen que les muestre algo que he diseñado dentro de esta casa para divertirme un poco —dijo el doctor con una sonrisa—. Creo que les encantará.

«Este tío está mal de la cabeza», pensó Bennett. Pero con curiosidad, todos entraron en el armario y luego, a petición del anfitrión, cerraron la puerta detrás de ellos una vez dentro. Justo al instante, pudieron oír como se activaban unos mecanismos hidráulicos. No se encontraban en ningún armario, sino que estaban en un ascensor y subían. Momentos después, la puerta se abrió y fueron a parar al armario del despacho del doctor Mordechai, en el ala este de la enorme mansión. Todos siguieron al anfitrión, que atravesó el despacho, pasó por delante del dormitorio y de la cocina y los dirigió en dirección al vestíbulo hasta llegar a la sala de estar, debajo de la magnífica cúpula de cristal que había en el techo.

Efectivamente, pensó Bennett, ese lugar era tan misterioso como el hombre que lo ocupaba.

* * *

Ruiz llevó a cabo una maniobra evasiva.

Con los equipos SEAL y NEST a bordo esperando que les salvara la vida, viró bruscamente hacia la izquierda, subió noventa metros y luego bajó en picado hacia el suelo, para girar luego bruscamente hacia la derecha.

¡Bip, bip, bip, bip!

—¡Ha disparado! ¡Rancho del Cielo! ¡Nos atacan! ¡Repito, nos atacan!

Ruiz volvió a remontar el helicóptero súbitamente y viró a la izquierda. Justo entonces un misil AA-10 aire-aire ruso pasó por delante de él a una velocidad supersónica a tan sólo unos centímetros de distancia.

—¡Rancho del Cielo, Rancho del Cielo! ¡Nos atacan, nos atacan! ¿Dónde diantre está la cobertura?

—¡Ariete Uno Seis, aquí Llanero Solitario y Toro! ¡Vamos a toda pastilla y estamos preparados para destrozar al bandido!

¡Bip, bip, bip, bip!

Lanzaron otro misil. Cada sonido de alarma de la cabina de mando parecía pedir ayuda a gritos.

—¡Ha vuelto a disparar! ¡Lo ha vuelto a hacer! Llanero Solitario, ¿dónde estás?

En ese instante el Seahawk cruzaba los cielos a toda velocidad, a treinta metros de altura, a sesenta, a noventa, y Ruiz volvió a descender en picado hacia el suelo, intentando esquivar el misil que les perseguía.

De repente, el copiloto puso el grito en el cielo.

—¡Gira a la izquierda, gira a la izquierda! ¡Vamos, vamos! ¡Ahora! ¡Ya!

El piloto tiró tan fuerte de la palanca que prácticamente la arrancó del suelo, pero fue justo a tiempo. Los cuerpos golpearon contra la parte izquierda del helicóptero, pero todos giraron la cabeza a la derecha, para ver otro misil AA-10 termodirigido pasar por delante de la ventana, chocar contra el suelo y explotar en una gran bola de fuego justo debajo de donde se encontraban, envolviendo todo el helicóptero en llamas, humo y arena.

Los pitidos de alarma y las luces intermitentes invadieron el interior del helicóptero.

—¡Nos han alcanzado, nos han alcanzado! ¡Rancho del Cielo, estamos en llamas! Repito, ¡estamos en llamas!

Instintivamente, Ruiz echó la palanca hacia atrás para ganar altura y escapar de la bola de fuego que tenían debajo. Era arriesgado porque podría dar al ruso MiG un blanco más claro. Si el avión que les seguía era efectivamente un MiG-29, sin duda tendría cuatro AA-10 más preparados para hacerlos saltar en pedazos. Pero Ruiz no tenía otra alternativa. Además, si podía dar la vuelta al Seahawk, tal vez lograrían estar en posición de disparar un par de sus misiles Hellfire y eliminar a ese tipo. Tal vez fuera su única oportunidad y no estaban dispuestos a rendirse sin luchar. Si iban a morir, al menos se llevarían a ese iraquí consigo.

De repente, dos F-14 Tomcat pasaron silbando sobre ellos a tan sólo diez metros de distancia del Seahawk, que ganaba altura. Volaban muy bajo y rápido y se dirigían directamente hacia el MiG.

—¡Cuidado! —gritó el copiloto.

—¿Qué ha sido eso? —chilló Ruiz.

—¡Hi-yo, Silver! ¡Chicos! —anunció el piloto del Tomcat—. ¡Han llegado los buenos!

—¡Y Toro también! —anunció a gritos el piloto del otro avión—. ¡Yo coger hombres malos! ¡Kemosabe!

—¿Los tienes?

—¡Sí, los tengo a tiro!

—¡A por él, Toro!

—¡Disparo!

Dos misiles Sidewinder AIM-9 salieron de un lado del F-14 de Toro.

Los dos aviones sufrieron una sacudida que los lanzó hacia atrás, inmersos en una ascensión vertical, mientras los misiles Sidewinder salían chisporroteando hacia su presa. Todos los tripulantes del Seahawk estaban pegados a la pantalla de radar que tenían delante en la que se mostraba al MiG que llevaban detrás y los aviones Tomcat que tenían encima.

Entonces vieron como ocurrió.

Los dos misiles Sidewinder entraron en la cabina del MiG y formaron una explosión increíble que iluminó el cielo y era visible a kilómetros de distancia.

—Eres un machote, Toro.

—¿Quién es un machote?

—Tú. Eres un machote.

—Buen trabajo chicos. ¡Y gracias! —gritó Ruiz mientras respiraba aliviado al mismo tiempo que intentaba evaluar los daños que había sufrido el helicóptero.

—¿Quién era ese enmascarado? —chilló Llanero Solitario.

—¡Continuad alerta, chicos! —se oyó que gritaba el controlador desde el E-3.

—Recibido, Rancho del Cielo —respondió Toro—. Tenemos el radar controlado. Todavía no aparece nada, pero continuaremos mirando.

—Ariete Uno Seis, aquí Rancho del Cielo. ¿Qué daños habéis sufrido?

—Rancho del Cielo, aquí Ariete Uno Seis. Parece que no nos han dado. Repito, no nos han dado. Por poco, pero estamos bien. Continuamos con la misión.

—Recibido. ¡Que Dios esté con vosotros, chicos!

* * *

Todas las personas que estaban en esa sala eran conscientes del peligro que corrían.

Al cabo de algunas horas, a medianoche de la hora israelí, el presidente de Estados Unidos explicaría al mundo entero la amenaza que suponía Iraq en esos instantes para sus aliados y para todo Occidente. Pero por el momento, tenían mucho trabajo por realizar y muchas preguntas por responder.

A sus ochenta años, el doctor Mordechai tenía el pelo canoso y un poco ralo y era menudo y frágil. Pero detrás de su espesa y poblada barba y las gruesas gafas del color del oro se encontraban unos ojos cálidos y una mente rápida.

A medida que avanzaba la noche, Bennett sintió cada vez más interés por ese viejo hombre agudo y perspicaz y por sus dos compañeros de armas. Cubrían las espaldas de Doron, así como las de Arafāt y las de todos los posibles escenarios de un tratado para el petróleo y la paz.

Sin embargo, Bennett quería saber realmente cómo era posible que un judío laico de Rusia y un musulmán moderado de Ramallah se hubieran unido para llevar a cabo una empresa conjunta en virtud de la cual un presidente evangélico de Estados Unidos tenía la intención de entrar en guerra.

El modesto Sa'id intentó contestar a esa pregunta con su acento árabe de Palestina, tan cerrado como su bigote.

—Jon, Václav Havel una vez dijo: «La verdadera prueba a la que tiene que enfrentarse un hombre no se da cuando lleva a cabo el papel que él quiere, sino cuando lleva a cabo el papel que el destino quiere». Pienso que es así. No fue mi elección como árabe de Palestina empezar a hacer negocios con un judío de Rusia. Nada más lejos. Sin embargo creo que hay algo más importante que entra en juego aquí. Tal vez sea la suerte, o el destino. O Dios. No lo sé. Pero creo firmemente que va a nacer algo muy importante, maravilloso y duradero, una paz y una prosperidad que asombrarán al mundo e incluso a nosotros mismos y a nuestro cinismo.

Sa'id no miraba a Bennett, sino que su mirada se perdía a través de la ventana, en la Cúpula de la Roca, iluminada y brillante como el oro.

—Jon, yo me convertí en un extranjero en una tierra extranjera, mi propia tierra ocupada diversas veces por los babilonios y los persas, los egipcios y los otomanos, los británicos y los jordanos y ahora por los israelíes. Mi padre era agente inmobiliario. ¿Qué puedo decirte? Que tenía razón cuando decía que el sector inmobiliario gira entorno a tres factores clave: ubicación, ubicación y ubicación. Hasta hace algunos años, siempre me había preguntado por qué se armaba tanto jaleo, por qué nos peleábamos todos por una tierra que tiene tan poco valor. Si quieres luchar por algo, no sé, pues lucha por el Golfo, donde hay gas, petróleo y riquezas. Para mí, eso tendría más sentido. Sin embargo, naturalmente, la guerra siempre ha sido más candente aquí, en este lugar, en esta tierra, en estas colinas, en esta ciudad, mucho tiempo antes de que descubriéramos sus recursos energéticos. ¿Por qué? Nunca he podido explicármelo, pero he llegado a creer que aquí concurren fuerzas sobrenaturales, Jon. Hay unas fuerzas ocultas, ángeles y demonios, poderes de las tinieblas y de la luz, que se mueven sigilosa y misteriosamente, como el viento, al que no podemos ver, ni oír, ni saborear, pero que es real, porque podemos ver sus efectos. Ocurre lo mismo con esas fuerzas invisibles que luchan por el control de

Tierra Santa: son verdaderas, están vivas y son las que modelan los acontecimientos y convierten a algunos hombres en héroes y a otros, en fanáticos. Y creo que están librando una especie de batalla cósmica en la que sólo la victoria es posible y que todavía está por decidir. No aspiro a comprenderla, pero creo en ella porque vivo aquí y sé que este lugar no es normal.

La sala se quedó muda, tan sólo se oía el chisporroteo del fuego en la chimenea.

—Y de algún modo, no me preguntes cómo, supongo que en lo más profundo de mi ser creo que el bien acabará triunfando sobre el mal. Creo que este tratado prosperará, ayudaremos a que las personas se hagan más ricas de lo que nunca pudieron imaginar y haremos que todos puedan apreciar el valor del trabajo conjunto en un mercado común, por el bien de sus hijos, aunque ellos y sus padres, y sus abuelos, hayan estado en guerra durante generaciones. Mirad a los franceses y a los alemanes, a los japoneses y los coreanos. Ellos lo han conseguido. Así que no hay razón por la que no lo consigamos también nosotros y tengo la pequeña esperanza de que haya llegado el momento propicio.

Bennett reflexionó un momento y luego miró directamente a los ojos cálidos y marrones de su amigo, Ibrāhīm Sa'id.

—¿Y si nos incineran a todos en un infierno nuclear? ¿Qué dirías, entonces?

McCoy se estremeció ante la brusquedad de Bennett, pero Sa'id ni parpadeó.

—Al menos habría muerto en el lado de los ángeles, y no en el de los demonios.

* * *

—Soy Reed, diga.

—Señor, soy Maxwell.

—Dígame.

—Hay más.

—¿De qué?

—Hemos investigado a fondo los registros del teléfono y del banco del secretario Iverson durante los últimos diez años. No le va a gustar.

—Déjeme adivinar: una cuenta en el paraíso fiscal del Caribe.

—Efectivamente. De hecho, son cinco. Todas en las islas Caimán. Y todas desviadas a bancos de Basilea y Zurich.

—¿Cuánto envió a esos monstruos?

—Necesitaremos más tiempo, señor.

—Aproximadamente. ¿Unos cuantos millones?

—No, señor. Parece que van a ser decenas de millones.

* * *

Stuart Iverson se encontraba bajo arresto domiciliario.

El FBI lo había sometido a un interrogatorio que había durado casi todo el día en algún lugar secreto cercano a Camp David. Pero casi nadie lo sabía. Ni tan sólo la asesora de Seguridad Nacional, ni el jefe del Estado Mayor de la Casa Blanca, ni el vicepresidente.

La mayor parte de las personas que trabajaban en la Casa Blanca y el Departamento del Tesoro creían que el secretario estaba llevando a cabo una misión de alto secreto para el presidente relacionada con Rusia y con el enfrentamiento y, por lo tanto, no se le debía importunar bajo ningún concepto, lo que no era del todo incorrecto.

A esas alturas, el subsecretario del Departamento se encargaba del resto de cuestiones y, si fuera necesario, tenía acceso directo a Corsetti y al presidente. Le estaba terminantemente prohibido comunicarse con nadie, menos con el agente jefe del FBI, por medio de una orden ejecutiva acabada de firmar y que tenían que cumplir a rajatabla.

* * *

A medianoche, el doctor Mordechai declaró un alto al fuego verbal.

El desayuno se servía a las ocho de la mañana, puntual. Entonces continuarían con las conversaciones. Así que todos recogieron sus notas y se dirigieron hacia las habitaciones de invitados que se encontraban en el ala este de esa casa increíble.

Black telefoneó a casa. Era una llamada local, puesto que su casa se encontraba tan sólo a unas manzanas del campus universitario de la Universidad de Tel-Aviv-Jaffa. Quería hablar con su mujer y sus tres hijas, a las que hacía más de una semana que no veía. Estaban asustadas, y eso que no sabían mucho de lo que estaba sucediendo. No podía explicarles la magnitud de la amenaza a la que Israel se enfrentaba y tampoco lo habría hecho si hubiera podido. Katrina ya sabía cómo actuar en caso de guerra: tenía máscaras de oxígeno, agua, linternas y provisiones. Pero de ningún modo podía decirle que podría ser que un misil nuclear iraquí la aniquilara a ella y a las niñas. Era demasiado horrible para pensarlo y necesitaban descansar.

Le echaban de menos y él también a ellas, muchísimo. Como mínimo, la buena noticia era que en enero, dentro de menos de dos meses, iban a salir de Israel para volver a Estados Unidos a pasar las dos semanas de vacaciones que había prometido hacía tanto tiempo en el complejo turístico de la Polinesia, en Disney World. Black se prometió a sí mismo en ese preciso instante que, si todos sobrevivían a esa pesadilla, no dejaría que nada se interpusiera entre su familia y el Reino Mágico.

Se estaba haciendo viejo para ese tipo de trabajo y lo sabía. Tiempo atrás, salvar el mundo del terrorismo era su única ambición. Pero ahora tan sólo anhelaba tumbarse en la arena, tomar el sol, beber piña colada, pasar rato haciendo cosquillas a sus hijas y cenar tranquilamente a la luz de las velas con su hermosa y sufridora esposa.

Mientras tanto, Bennett apagó el ordenador portátil, volvió a su habitación y allí escribió a toda prisa un correo electrónico a su madre. Le preguntaba por el estado de su padre y se disculpaba, otra vez, por encontrarse fuera del país y no poder regresar a casa. Era una de las pocas veces en toda su vida que realmente echaba de menos a sus padres. La perspectiva de perder a su padre y no poder decirle adiós le ponía enfermo.

No tenía ganas de dormir y necesitaba aire fresco para aclararse las ideas, así que Bennett volvió a recorrer el pasillo con paso tranquilo, cruzó la sala de estar y salió a la veranda de piedra caliza que quedaba colgada encima de la Vieja Ciudad. McCoy estaba allí sentada, envuelta en un grueso jersey de lana, limpiando la Beretta de 9 milímetros que llevaba en su libro de bolsillo.

—¿Realmente sabes utilizar eso? —preguntó Bennett bromeando.

Erin levantó la ceja derecha.

—¿Quieres que te lo demuestre?

Un trueno retumbó a lo lejos. Bennett se apoyó en la barandilla de hierro forjado y contempló las centellantes luces de la Vieja Ciudad y la brillante Cúpula de la Roca.

—No he llegado ni a dar un paseo —dijo pausadamente, casi hablando para sí mismo.

McCoy emitió un chasquido seco y apartó la Beretta.

—Ya lo harás.

—No lo sé.

—Jon, ¿realmente crees que el presidente dejará que nos muramos aquí?

—No creo que dependa de él, la verdad.

McCoy miró a su amigo, los pequeños mechones de canas prematuras que tenía a la altura de las sienes y a las pequeñas arrugas que tenía alrededor de los ojos de color verde grisáceo. Parecía que estuviera a millones de kilómetros. Erin no sabía muy bien qué decir, así que no dijo nada.

—No paro de pensar en todos esos hombres del Servicio Secreto —dijo suavemente Bennett—. Y no lo entiendo. ¿Qué hace que una persona dé la vida para salvar a otra?

La pregunta flotó en el aire algunos minutos.

—Yo no entré a trabajar aquí para eso, Erin. ¿Sabes? Quiero decir que no soy un agente del Servicio Secreto, no trabajo para el FBI o la CIA. Tú y Deek elegisteis ese tipo de vida. Muy bien, perfecto, pero yo no. Ya sabes, soy un tipo de Wall Street, no James Bond. No soy un héroe, sino un hombre sencillo que quiere convertirse en milmillonario. Eso es todo.

McCoy no pudo evitar reírse ligeramente. Al menos continuaba teniendo el mismo sentido del humor.

El silencio reinó un instante y tan sólo se oían algunos árboles crepitar a causa del viento que soplaba, los truenos a lo lejos y el suave repiqueteo de la incipiente lluvia. Otra vez Bennett volvió a romper el silencio.

—No creo que mi padre sobreviva a esta noche.

McCoy nunca había visto a Bennett así de inquieto e inseguro.

—Lo siento mucho, Jon.

Asintió con la cabeza.

—Le echo de menos. Nunca le había echado de menos antes. Y ahora sí.

Un relámpago iluminó el horizonte.

—Tú ya has pasado por eso, ¿verdad? —le preguntó a Erin.

—Dos veces.

—¿Se pasa tan mal?

—Sí.

—¿Qué edad tenías?

—Era bastante joven cuando perdí a mi padre. Pero fue más duro cuando falleció mi madre, porque entonces sabía que iba a quedarme sola en el mundo. Eso me asustaba. De cualquier modo, yo era bastante diferente por aquel entonces: insegura y malhumorada y dejaba que ciertas cosas me amargaran. Además, mi madre y yo estábamos muy unidas.

Erin y Bennett nunca habían hablado mucho de cuestiones personales y no estaba del todo segura si ése era el momento adecuado para empezar.

—¿Cómo lo llevaste? Digo lo de perder a tu madre.

—No lo sé. Lo único bueno fue que ambas sabíamos que se estaba muriendo. Ella sabía que tan sólo le quedaban algunos meses y quería prepararme. Redactamos su testamento juntas, eligió las canciones que sonaron en su funeral, las flores y todo. Recuerdo que una vez oyó un sermón acerca de una mujer que también había muerto de cáncer. Se ve que la mujer se fue a hablar con el pastor y le dijo exactamente cómo quería que fuera el funeral y qué versos de la Biblia tenía que leer y todos los detalles. Y luego, cuando ya hubiera pasado todo, quería que la pusieran en un ataúd abierto con un tenedor en la mano derecha. Y el pastor le dijo: «¿Un tenedor? ¿Por qué un tenedor?». Y la mujer le respondió: «Cuando era pequeña, me encantaban las cenas que se organizaban en la iglesia. Cuando ya habíamos terminado el segundo plato y todos recogíamos la mesa, una de las mujeres más mayores de la iglesia siempre venía hacia mí, se agachaba y me susurraba: "Quédate el tenedor". Me encantaba porque sabía que me esperaba algo mejor: tarta de manzana, pastel de chocolate o de arándanos, daba igual. Y pastor, cuando muera quiero que la gente que venga y me vea le pregunte por qué llevo un tenedor en la mano y me gustaría que les contara mi pequeña historia y que les diera la buena noticia: que cuando conoces a Cristo, sabes que te espera algo mejor. Te espera algo mejor».

Bennett veía como McCoy reprimía sus emociones.

—A mi madre le encantaba esa historia. Tenía ese sermón grabado en un casete y se lo ponía una y otra vez. Así que me pidió que me asegurara de ponerle un tenedor en la mano para el funeral. Quería que sus amigos y yo supiéramos que cuando conoces a Jesucristo de un modo verdadero e íntimo, siempre te espera algo mejor.

McCoy se volvió y miró a Bennett directamente a los ojos.

—Así lo superé, Jon. Porque sé que me espera algo mejor.

Bennett observó las gotas de lluvia que empezaban a caerle por las suaves mejillas y sus enormes ojos verdes.

—¿Así que eres un bicho raro de los que aman a Jesús, verdad, McCoy? —dijo con suavidad al mismo tiempo que sonreía.

Erin le devolvió la sonrisa.

—No sabes casi nada de mí, Jon Bennett.

—Es verdad —admitió—, pero me gustaría saber más.

* * *

En Washington eran más de las seis de la tarde.

Reed y Downing se encontraban en el despacho de Harris cuando el presidente llamó durante una pausa de la reunión del Consejo Nacional de Seguridad. Tenía que dirigirse a la nación al cabo de tres horas y quería conocer las últimas noticias del FBI.

—¿En qué punto nos encontramos? —preguntó MacPherson.

Le tocó a Harris comunicarle la mala noticia.

—Todavía no ha ocurrido nada, señor presidente.

—Scott, no disponemos de demasiado tiempo. El Servicio Secreto necesita saberlo. Ahora mismo, tan sólo Sánchez lo sabe, pero naturalmente no podremos mantener este embolado demasiado tiempo.

—Señor presidente, lo comprendo perfectamente, pero ya hemos hablado de este tema. No tenemos ni idea de quién es el «señor C». Es bastante probable que sea alguien de dentro de Gobierno e incluso podría ser que estuviera dentro de la Casa Blanca, especialmente si era cómplice del último atentado contra usted en el aeropuerto de Denver. Así que puede que tengamos a un espía infiltrado entre los agentes que esté trabajando para Saddām. Podría ser cualquiera. Simplemente, no lo sabemos. Pero hasta que no lo sepamos, no podemos arriesgarnos a informar a nadie más.

Eso no le sentó bien al presidente. El mundo cada vez estaba más cerca de la guerra nuclear. Uno de sus viejos amigos, el jefe del Servicio Secreto, para decirlo claramente, estaba arrestado por haber intentado matarle. Ahora el FBI creía que el jefe del Estado Mayor, o el responsable de prensa o cualquiera de los centenares de personas que trabajaban para él podía ser capaz de eliminarle. Y, para acabar de arreglarlo, no se lo podía comunicar a su guardia personal, por miedo a que el agente infiltrado fuera uno de ellos.

—Así pues, ¿qué hacemos?

—Continuamos con el plan, señor. Diez minutos después de haber arrestado al secretario, la agente Downing envió desde aquí un mensaje de correo electrónico de respuesta a Gogolov. Lo mandó desde la cuenta personal de AOL del secretario, en nombre de Iverson, escrito del mismo modo en el que había escrito los otros. Le decía a Gogolov que ya había diseñado y establecido el plan perfecto. Tan sólo necesitaba el modo de ponerse en contacto con el «señor C» para darle todos los detalles y finalizar los planes.

—¿Qué ocurrirá cuando todos se den cuenta de que Iverson ha desaparecido? ¿No empezarán a sospechar Gogolov, Saddām y todo el mundo en general?

—Señor, mire, hemos estado...

—¡No me venga con ese rollo! ¡Conteste la pregunta!

Harris se quedó perplejo ante la rabia del presidente, pero comprendía perfectamente la presión a la que estaba sometido ese hombre.

—Sí, señor. Acabamos de enviar un comunicado de prensa en nombre del secretario instando a los bancos británico y francés a bajar los tipos de interés durante este período de crisis, e insistiendo a Alemania para que haga lo mismo inmediatamente. He movido unos cuantos hilos y aparecerá en la portada del *Wall Street Journal* del lunes por la mañana. Hemos reservado un reportaje importante para el secretario en el *National Press Club* para el número del próximo mes acerca de «El futuro de las relaciones económicas entre Estados Unidos e Israel». Es un tema importante también. Y han llamado esta tarde del programa *Meet the Press*, Russert quiere entrevistar a Iverson tan pronto como sea posible.

—Bien. Saddām y sus hombres tienen que creer que Iverson todavía está vivito y coleando.

—Esperemos. No parece prudente hacer nada más.

—No, tenéis razón. ¿Así que debemos esperar y rezar para que Gogolov conteste el mensaje?

—Así es, señor

Se produjo una pausa mientras el presidente ordenaba sus pensamientos.

—¿Y qué dice el secretario a todo eso? —acabó preguntando.

—¿Realmente quiere saberlo, señor presidente? Es bastante complicado.

—Supongo que estaréis redactándome un informe.

—Naturalmente, señor.

—Hacedme un breve resumen. ¿Cuánto le pagaban por colaborar con ellos?

—Bueno, señor presidente, no le pagaban.

—¿Qué quiere decir? Stu nunca ha hecho nada en la vida que no sea por dinero.

—Señor, no hemos podido encontrar ningún registro que demuestre que Gogolov, Jibril o los iraquíes le dieran ni un centavo por su colaboración.

—¿Qué intenta decirme, pues?

—Bueno, señor presidente, parece que Iverson...

—¿Qué? ¡Suéltelo ya!

—Señor presidente, parece que Iverson les pagaba a ellos.

* * *

Bennett se levantó de golpe, sobresaltado, asustado y envuelto en un sudor frío.

Pudo ver al hombre y a la pistola apuntándole, oír la explosión, sentir el fogonazo del disparo y oler la pólvora acre y el humo. Sin embargo, se trataba sólo de una pesadilla, se decía a sí mismo una y otra vez. Tan sólo era un sueño angustioso.

Exhausto, agitado y desorientado, miró el reloj (eran las seis y media de la mañana), buscó las gafas en la mesita de noche que tenía al lado y se sentó en la cama, intentando no pensar en toda la escena brutal que se repetía en su mente una y otra vez. Se esforzó en recordar dónde se encontraba.

Estaba en Israel, concretamente en el ala este de la mansión de la montaña en Jerusalén. Ocupaba la segunda puerta del pasillo a la derecha, entre la habitación de Black, que quedaba a su izquierda, y la de Sa'id, que le quedaba a la derecha. Justo enfrente de la habitación de McCoy, que tenía la de Galishinkov a un lado. Y tenía un misil nuclear, no una pistola, apuntándole a la cabeza.

Se encontraba en una *suite* de invitado lujosa, espaciosa y bien decorada: disponía de una cama doble con dosel, un ventilador en el techo, una mesa de trabajo amplia para el ordenador portátil y los *dossiers* y una televisión en color conectada a una antena parabólica recién instalada. Desde allí podía contemplar una fantástica vista del centro histórico de Jerusalén a través de las contraventanas hechas a medida y las ventanas algo ahumadas a prueba de bala.

Cuando se retiró allí para pasar la noche, encontró la maleta sobre un pequeño portaequipajes. Aparentemente uno de los guardias de seguridad la había llevado hasta allí. Había dos toallas de baño de rizo limpias y dos toallas de mano a juego a los pies de la cama, junto con un albornoz de rizo grande blanco, muy esponjoso y cómodo. Al lado de las toallas, había dos pequeñas cestas de mimbre con barras de jabón con olor a naranja, champú, elixir bucal, dentífrico y un cepillo de dientes nuevo.

Era como alojarse en el Rey David, o tal vez mejor, puesto que salía más barato.

* * *

El contundente discurso televisado del presidente había acabado.

La gente estaba asustada. Las iglesias, las sinagogas y las mezquitas de todo el mundo se hallaban abarrotadas y decenas de miles de habitantes de Washington empezaron a reunirse alrededor del perímetro de la Casa Blanca para velar y rezar por la paz de Jerusalén y del mundo entero.

* * *

El BlackBerry de Bennett empezó a sonar.

Era Black. Había pasado casi toda la noche despierto, pero no porque no pudiera dormir, sino porque no le habían dejado. Justo después de las dos de la mañana, le habían despertado los centros de operaciones en el FBI y en Langley. La operación Semental Negro se había desplazado hacia el sur.

Bennett sintió una inyección de adrenalina en las venas: no eran buenas noticias. Los «cuatro jinetes» no estaban muertos ni habían sido capturados. Los cuatro terroristas más peligrosos campaban a sus anchas por el planeta a pesar de la persecución internacional para eliminarlos del mapa.

Bennett escribió rápidamente una respuesta a su compañero, que se encontraba en la habitación contigua.

«Deek. Un acertijo. ¿Por qué estaban en Moscú?»

Un momento después recibió la respuesta.

«Jon. ¿En el mejor de los casos? Una escapada invernal. ¿En el peor de los casos? Para asociarse con Gogolov. Quizá para recibir más órdenes. O más dinero. Así ha funcionado siempre.»

«¿Adónde crees que van ahora?»

«No sé. Tal vez a Washington. Volverán a probar otra vez con el presidente. Pero es una suposición. Deek.»

Bennett contempló esa posibilidad un instante. Alguien, aparentemente los iraquíes, había estado realmente a punto de asesinar al presidente. Lo habían intentado durante años, como por ejemplo con la tentativa fallida contra Bush padre en Kuwait después de la guerra del Golfo. Clinton no había llevado a cabo ninguna acción seria para castigar a Saddām. Y ahora los iraquíes volvían a las andadas y no cabía duda de que volverían a intentarlo hasta que se salieran con la suya.

Le llegó un mensaje de correo electrónico de McCoy, que estaba en la habitación que tenía enfrente. «Jon, buenos días. Oye, ¿has visto los titulares de esta mañana? El discurso ha causado sensación. De hecho, me he levantado antes para ver la repetición que daba la CNN. El presidente ha hecho una labor excelente. Daba mucho miedo. Pero ahora todo el mundo sabe a qué atenerse. Titular del *New York Times*: "El presidente revela pruebas dramáticas de que Iraq intentó lanzar un ataque nuclear contra Israel"; "Fuerzas especiales frustran el ataque"; "No descarta la opción nuclear". Por cierto, ¡ojo!: Langley dice que las reuniones con Doron y Arafāt están previstas para el lunes. Nos darán más detalles pronto. Erin. P. D. ¿Has dormido bien? ¿Cómo estás? P. P. D. ¡Me encanta este sitio! Ojalá pudiéramos quedarnos más tiempo, sólo para explorar. Me juego cincuenta pavos a que esta casa esconde mucho más de lo que se puede ver a simple vista.»

Bennett no pudo evitar sonreír. McCoy era aguda e inteligente; era una buena agente y, cuanto más lo pensaba, cada vez eran más amigos. Siempre pensaba en todo y se preocupaba por él. Y tenía razón, había algo en esa casa que resultaba cautivador a la par que misterioso. Y lo mismo podía decirse de Erin, pensó Bennett.

«Buenas —contestó—. ¿Si he dormido bien? Mejor no contesto. Todavía no he leído los periódicos. Tampoco he visto el discurso. Lo haré a las ocho. No acepto de ningún modo tu apuesta: naturalmente que esconde algo. El tío es un tanto excéntrico. Lo del ascensor fue increíble. Seguramente hay un pasillo secreto a Jordania, Siria y China en los subterráneos. Nos vemos en el desayuno. Jon.»

Intentó escribir algo optimista, aunque fuera sólo una apariencia. Sabía que ella podría ver a través de esa fachada, pero estaba demasiado cansado como para que le importara, de modo que envió el mensaje y se metió en la ducha.

* * *

El edificio tembló ligeramente.

Las luces parpadeaban de vez en cuando. Aun así, el general Azziz sabía que él y sus hombres y su estimado líder se encontraban sin lugar a dudas a salvo del ataque de los misiles de crucero estadounidenses que diezmaban los cuarteles generales del Ministerio de Defensa que tenían encima.

Finalmente, el general cogió el teléfono y marcó el número del joven y aterrado, aunque todavía vivo y leal, capitán del Q19, uno de los equipos de lanzamiento de misiles de élite que estaba a sus órdenes.

—Capitán, soy el general Azziz. Tiene permiso. Despliéguese inmediatamente en el sector seis. Después espere instrucciones.

—Sí, mi general.

—Alabado sea Alá.

* * *

Bennett agradeció la intensidad.

Durante el desayuno el doctor Mordechai empezó a realizar ante Bennett y su equipo un análisis detallado de cómo plantearle la cuestión al primer ministro israelí, David Doron, y al presidente palestino, que ahora ya era honorario, Yāsir Arafāt el lunes.

Galishnikov y Sa'id amenizaron el relato con comentarios graciosos al mismo tiempo que aportaban sugerencias sobre la mejor manera de formular el establecimiento de la paz definitiva entre los israelíes y los palestinos con el proyecto de Medexco y PPG como eje central.

Bennett agradeció la ayuda. De algún modo le resultaba reconfortante que le ayudaran esos hombres mayores, más sabios y más experimentados que él. De paso, también aprendía mucho. Todavía le invadía el miedo de vez en cuando, pero al menos no se sentía solo ante ese reto. Los demás comprendían los peligros mucho mejor que él, pero aun así, tenían un extraño optimismo.

—Doctor Mordechai —preguntó finalmente Bennett—. ¿Puedo hacerle una pregunta?

—Naturalmente —respondió con rapidez.

—¿Por qué parece estar tan seguro de que todo saldrá bien?

El viejo echó la cabeza un poco para atrás y miró directamente a los ojos de Bennett, mientras lo examinaba y medía la seriedad de la pregunta. Al cabo de un momento contestó:

—No creo que Dios haya decidido acabar con nosotros todavía —dijo de un modo críptico.

—¿Que haya decidido acabar con quién?

—Con Israel. Con el pueblo judío. Creo que todavía posee grandes planes para nosotros. Del mismo modo que creo que tiene planes para los iraquíes.

* * *

Le acababan de llegar los resultados de las encuestas de la Casa Blanca altamente confidenciales llevadas a cabo por la noche.

Corsetti leyó las cifras. Eran increíbles: el 91 por ciento de los estadounidenses apoyaban la declaración de guerra contra Iraq del presidente; el 90 por ciento creían que Saddām Hussein había intentado utilizar armas nucleares contra Israel. El 85 por ciento creían que Saddām volvería a intentar utilizar armas de destrucción masiva. Y un increíble 81 por ciento apoyaban el uso de armas nucleares si el presidente lo creía necesario para proteger la seguridad nacional de Estados Unidos.

No es que necesariamente fuera a lanzar armas nucleares, pensó Corsetti, pero ya sabía que tenía el beneplácito del pueblo. No podía estar más claro.

* * *

No disponían de demasiado tiempo.

Eran las dos de la madrugada en Washington. El acto conmemorativo del sábado sería al cabo de doce horas. Bud Norris y su equipo se reunieron para supervisar los detalles de última hora, comprobar las rutas de la caravana presidencial y repasar la última información del FBI, la CIA y la División de Inteligencia de Protección del Servicio Secreto.

La máxima preocupación de Norris era la amenaza de un nuevo atentado aéreo, así que el espacio aéreo de Maryland, Virgina y Washington D. C. estaría cerrado desde mediodía hasta las cuatro, incluidos los aeropuertos Reagan, Dulles y Baltimore-Washington. Los F-15 Strike Eagle volarían en patrullas de combate y los sistemas AWAC ayudarían a Norris a coordinar toda la actividad aérea, pero eso no era suficiente.

Norris descolgó el teléfono y pidió dos operadores de misiles Stinger más. Irían en la caravana presidencial, en uno de los coches Suburban detrás del presidente. Además, Norris colocaría a Cupido, su mejor operador de misiles de ese tipo, en el campanario de la catedral junto con dos tiradores de élite. Después de todo, la catedral era el punto más elevado de la ciudad. Desde allí, los hombres de operaciones especiales podrían controlarlo todo y dar caza a alguien en caso que resultara necesario.

CAPÍTULO CATORCE

El presidente durmió como un bebé.

Sabía cómo estaba la situación. Sabía que tal vez se vería obligado a ordenar un ataque nuclear, el primero desde Truman. Y el mundo también lo sabía. Sin embargo, también sabía algo que el resto del mundo desconocía: había personas que le perseguían y, probablemente, se trataba de personas que trabajaban para él. Aun así, extrañamente, no estaba demasiado asustado. Al contrario, percibía la fuerza de las oraciones de millones de almas que le animaban y una paz que parecía ir más allá de lo comprensible.

La alarma sonó cuando pasaban algunos minutos de las seis de la mañana, hora del Este. Había llegado el momento de dar los últimos retoques al panegírico que iba a leer al cabo de pocas horas. Llamó a Corsetti, que estaba echándose una cabezadita en el sofá de su despacho y le pidió que le subiera el último borrador de Shakespeare a la residencia.

La llamada hizo que Corsetti se despertara de un susto y corriera a la mesa de trabajo.

«Sí, señor presidente. Ahora mismo, señor presidente. ¿Adónde, señor presidente?»

«Ya es hora de dejar este trabajo y dedicarme a ganar dinero», pensó Corsetti. Cuando era joven no habría imaginado nunca que ganaría ciento cuarenta mil dólares al año; le habría parecido imposible en los años sesenta. Ahora le parecía un sueldo mísero. Había hecho cálculos no hacía demasiado: 16 horas de trabajo al día, siete días a la semana, 52 semanas al año hacía un total de 5.824 horas al año. Con ese sueldo, significaba que le pagaban a 24 dólares la hora. No estaba mal, pero si Iverson le ofrecía un puesto en alguna empresa de Wall Street, podría ganar quinientos a la hora y podría reducir el trabajo a cuatro mil horas al año, tan sólo 77 horas a la semana, cifra que eran unas vacaciones según los estándares de Corsetti, y todavía podría sacarse un par de millones al año. No estaba nada mal para el hijo de un fontanero de Fort Collins.

Decidido. Cuando la tercera guerra mundial hubiera finalizado, Corsetti sabía cómo proceder: tenía que irse de Washington y encontrar un trabajo de verdad. Por ahora, en vez de subir él mismo el discurso al presidente como un buen chico, se limitó a enviarlo por fax al piso de arriba. «Trabaja con más inteligencia —dijo para sus adentros—, no con más dureza.»

* * *

El reloj avanzaba.

Los agentes de la Policía Metropolitana de Washington D. C. empezaron a cortar calles, a remolcar los vehículos sin autorización y a desviar el tráfico lejos de la ruta de la caravana presidencial, aunque tampoco había mucho que desviar. La mayoría de ciudadanos de Washington se había anticipado al quebradero de cabeza que significaría el acto conmemorativo y había encontrado la manera de alejarse de la zona. Por si fuera poco, una fuerte tormenta eléctrica se aproximaba a la capital, lo que propició que incluso los mendigos se refugiaran en el interior de los edificios.

Los helicópteros sobrevolaban la zona, cargados con agentes de vigilancia que lucían prismáticos de alta potencia y buscaban señales sospechosas. Se comprobó que en los hospitales locales hubiera suficientes reservas de sangre del grupo sanguíneo del presidente. Por si acaso. Se registraron otra vez los cuarteles generales de la Policía de Washington D. C. para asegurarse de que no faltaran uniformes, placas ni coches patrulla. Mientras tanto, los equipos técnicos del Servicio Secreto estaban retirando los buzones y las basuras que había a lo largo de la ruta, comprobaban los túneles subterráneos buscando terroristas o explosivos y sellaban las tapas de las bocas de las alcantarillas. Así mismo, volvieron a peinar los edificios y el terreno de la Catedral Nacional, buscando personas sin autorización, armas convencionales, explosivos y armas biológicas o químicas. Todo por si acaso.

Hacia las once, llegaron los tiradores de élite y los equipos de misiles Stinger y empezaron a tomar posiciones en el campanario así como en los tejados que había a lo largo de la calle, delante de la catedral. Las armas estaban cargadas, revisadas y vueltas a revisar; habían ajustado las distancias y limpiado los cristales.

Finalmente, la caravana de quince vehículos se reunió en la entrada para coches y se equipó con las armas y los equipos de comunicaciones móviles necesarios. Montaron una carpa blanca entre la puerta trasera de la Casa Blanca y las dos limusinas idénticas, para que no pudieran ver ni disparar al presidente y, sobre todo, para que no se empapara.

Bud Norris estaba en todo. En todo, excepto en lo que el FBI no le había explicado.

* * *

Downing descolgó el teléfono a la primera llamada.

—Aquí Downing. Diga.

—Soy Reed. Dígame, ¿qué tiene?

—Nada, señor. Cero.

—¿Nada? Venga ya. ¿Sería posible que utilizara otro sistema de correo electrónico?

—Es posible. Estamos revisando toda la información digital que viene de Rusia e Iraq en estos momentos. Tenemos todas las líneas telefónicas intervenidas y la Agencia de Seguridad Nacional está vigilando las comunicaciones vía satélite. Pero por ahora no tenemos nada.

Reed colgó con rabia el teléfono. Se pasó las manos con nerviosismo por su rala cabellera. Tal vez el «señor C» no existiera. Tal vez se habían enterado del arresto de Iverson, o Gogolov y los iraquíes se habían echado atrás por alguna razón. Tal vez, pensó Reed. O tal vez simplemente le habían perdido.

* * *

Harris tomó su posición.

Entró en el Centro de Operaciones de Información Estratégica del FBI, situado en la quinta planta del edificio Robert F. Kennedy y tomó asiento. Escudriñó el panel en forma de mapa y las hileras de pantallas de ordenador que rastreaban todas las facetas de la salida inminente del presidente de la Casa Blanca. También observaba las cinco pantallas grandes que quedaban encima de él para seguir las últimas noticias de la guerra contra Iraq.

No corría ningún riesgo. Tenía una parte del Equipo de Rescate de Rehenes del FBI posicionado en la plataforma de lanzamiento de helicópteros del Pentágono, totalmente al corriente de la delicada situación y a la espera de la orden de movilización que podía llegar de un momento a otro. Y sin que lo supiera Bud Norris, el Servicio Secreto ni nadie más, Harris también había dispuesto estratégicamente francotiradores de objetivo de alto riesgo a lo largo de todo el camino que iba a seguir la caravana, vigilando a escondidas todos los movimientos que hacía el Servicio Secreto, por si acaso.

Doug Reed y su equipo, en el que estaba Maxwell y Downing, también estaban preparados, tan sólo sería necesario llamarlos. Ahora ya no podían hacer nada más o tan sólo preocuparse y esperar.

* * *

A las 13.45, el presidente continuaba sentado en el despacho oval.

Estaba terminando el noveno y último borrador y le gustaba cómo había quedado. Shakespeare, el jefe de redactores de los discursos, finalmente lo había comprendido. Al cabo de un instante Doron le estaría viendo, al igual que Saddām. El mundo entero le estaría viendo y tenía que estar bien. Ahora, por fin, lo estaba.

Corsetti asomó la cabeza por la puerta e informó al presidente de que era hora de irse. Sánchez se comunicó por radio con el conductor de la ultimísima adquisición para la flota del Servicio Secreto: una limusina Cadillac construida expresamente para el presidente, blindada y la mejor de la gama conocida con el nombre de «Mercado Alcista», que había llegado justo a tiempo para ocupar el sitio de la recientemente destrozada Diligencia.

MacPherson todavía necesitaba algunos minutos más. Le pidió a Corsetti el BlackBerry, escribió rápidamente un mensaje y lo envió.

Ahora ya estaba preparado. Empezaba el espectáculo.

* * *

—Soplete a Sierra Uno, ¿me recibe?

Ed Burdett, en la posición de francotirador número uno, en un bloque de pisos enfrente de la catedral, respondió rápidamente por radio.

—Le recibo, Soplete —susurró.

—Comprobación.

—Le oigo alto y claro. En posición. Todo está en orden. Cambio.

—Recibido, Sierra Uno. Soplete a Sierra Dos, ¿me recibe?

Daryl Knight, en la posición de francotirador número dos, situado en la parte superior de otro complejo de apartamentos al otro lado de la catedral, respondió igualmente rápido.

—Le recibo, Soplete.

—Comprobación.

—Aquí todo igual, Soplete. Lo oigo alto y claro. En posición. Todo está en orden. Cambio.

Harris continuó con los siete francotiradores que el FBI había distribuido a lo largo de la ruta. Todos estaban en posición e informaban de que todo estaba en orden. No había signos de preocupación. Todavía no.

* * *

—Gambito se mueve. Repito, Gambito se mueve.

El presidente salió del despacho oval y se dirigió hacia la caravana, junto con la agente Sánchez y una docena de agentes a su lado. Les había llegado la noticia de que Saddām Hussein estaba a punto de dar un discurso emitido por radio al pueblo de Iraq. Sin embargo, MacPherson tendría que escucharlo después o bien a través de la radio del coche. Él debía dar su discurso y si no se iba en ese mismo instante llegaría tarde al acto conmemorativo y, del mismo modo que su predecesor en el despacho oval, Gambito nunca llegaba tarde.

—Recibido, Gambito se mueve —confirmó Norris—. ¿Estado de Jaque Mate?

—Jaque Mate está a salvo en el Barracón —contestó el vigilante del vicepresidente.

—Recibido, Jaque Mate a salvo. A todos los sectores, indicadme vuestro estado. Cupido, ¿me recibes? Comprobación.

—Recibido, Base de Meta. Aquí Cupido. Le recibo alto y claro. El cielo está despejado. El césped está seco. Preparados para ponernos en marcha.

Un relámpago cegador iluminó la torre del campanario momentáneamente mientras un trueno retumbaba incluso más cerca y la lluvia mojaba a todos los francotiradores que había en la zona. No cabía duda de que los cielos no estaban despejados y de que el césped no estaba precisamente seco. Sin embargo, los códigos son los códigos y el espacio aéreo estaba limpio. Norris continuó.

—Base de Meta al jefe de Ballesta. Comprobación.

—Recibido, Base de Meta —respondió del comandante del equipo de SWAT—. Equipo Ballesta preparado para ponernos en marcha.

—Base de Meta a Candelabro. Comprobación.

El centro de comandancia de comunicaciones móviles contestó al instante.

—Recibido, Base de Meta. Candelabro preparado para ponernos en marcha.

—Base de Meta a Ave Nocturna —dijo Norris por radio al piloto del *Marine One*, que tenía el motor en marcha y preparado para despegar de manera inmediata en caso de recibir el aviso desde la base de las Fuerzas Aéreas de Bolling—. Comprobación.

—Recibido, Base de Meta. La tormenta es muy fuerte. Pero Ave Nocturna está en posición y preparada para ponerse en marcha. Esperamos que se trate de un día de trabajo normal y corriente, jefe.

—Recibido, Ave Nocturna. Base de Meta a Cianotipo. Comprobación.

Silencio. No hubo respuesta. Tan sólo se oía el crepitar de la radio. El jefe del equipo técnico, situado dentro de la catedral, no respondía. Norris comprobó la radio y la frecuencia y repitió lo que había dicho antes.

—Base de Meta a Cianotipo. Repito. Comprobación.

Norris se estremeció y aguantó la respiración. Entonces, finalmente vino la respuesta.

—Aquí Cianotipo. Lo siento. Sí, estoy aquí. Acabamos de registrar al último invitado, señor. Preparados para ponernos en marcha.

Norris suspiró aliviado. No estaba de humor para nada, tan sólo quería precisión. Pero rápidamente se recordó a sí mismo que necesitaba estar atento y no dejarse traicionar por la creciente ansiedad que sentía en la boca del estómago. Era necesario que les marcara el ritmo y que mantuviera las comunicaciones claras y seguras. Eso es lo que quería hacer.

—Base de Meta a Medio. Comprobación.

—Correcto, Base de Meta. Medio preparado para ponerse en marcha, jefe.

El coche de seguimiento del presidente, que cargaba con seis agentes armados hasta los dientes con el equipo de combate completo de Kevlar, estaba en posición y preparado para arrancar.

—Base de Meta a Balón Prisionero. Comprobación.

—Recibido, Base de Meta. Balón Prisionero cerrado y cargado. Pongámonos en marcha, señor.

—Base de Meta a Mercado Alcista. Comprobación.

—Recibido, Base de Meta. Gambito está seguro. Mercado Alcista está preparado para ponerse en marcha.

Ya estaba, pensó Norris, ahora tan sólo era cuestión de conducir rápido y rezar mucho.

—Tenazas de Bambú, aquí Base de Meta. El paquete está envuelto. Tenéis permiso para arrancar.

Las pesadas puertas negras de acero de la Casa Blanca se abrieron automáticamente y con lentitud. Las inmensas barreras de carretera metálicas, diseñadas para detener al tipo de camiones bomba que una vez los extremistas islamistas utilizaron para matar a 241 marines en Beirut en 1982, se retrajeron dentro del suelo y la caravana presidencial empezó a adentrarse en la tormenta.

* * *

Bennett estaba concentrado viendo Sky News cuando le llegó un mensaje de correo electrónico.

Todas las personas que se encontraban en la mansión del doctor Mordechai estaban reunidas delante del televisor observando las últimas noticias mientras el presidente MacPherson y Saddām Hussein se preparaban para dar sus decisivos discursos.

El mundo continuaba en estado de choque a raíz de las palabras que MacPherson había pronunciado la noche anterior, en las que había explicando el porqué de la guerra contra Iraq mientras estaba sentado al lado de los restos de una ojiva nuclear iraquí. En ese instante, el Carnicero de Bagdad estaba a punto de hablar públicamente, por primera vez desde que había empezado la campaña de bombardeo de Estados Unidos.

Bennett cogió el BlackBerry del cinturón y empezó a leer el mensaje que acababa de recibir. Lo había escrito el presidente con el BlackBerry de Corsetti.

«Jon, ¿estáis bien? Estoy a punto de partir para el acto conmemorativo. Debo admitir que no me siento muy honrado por ello. Es humillante saber que un hombre ha dado su vida libremente por ti. Ése es el mayor regalo que podría ofrecer. Lo peor es que sé lo poco merecedor que soy de eso. Supongo que tengo que estar agradecido y vivir de manera que merezca ese sacrificio. Pero no resulta nada fácil. Oye, creo que ahora nos vendría bien un poco de tu sentido del humor. Os echamos de menos, a ti, a McCoy y a Deek. Julie, las chicas y yo rezamos por vosotros. No tienes ni idea de todo lo que Burt, Jack, Marsha y el resto del equipo están haciendo para que no os ocurra nada. Ya lo sabrás. Pero por ahora, por favor, intenta confiar en mí. Sé que no resulta fácil, pero estás haciendo un buen trabajo, Jon. Marcas la diferencia. No te preocupes demasiado, ¿vale? He pensado que tal vez te interesaría leer los dos versos que he elegido para el panegírico de los agentes. Mateo 16:26: "Jesús dijo: 'Porque ¿de qué le servirá al hombre ganar el mundo entero y perder su alma?'". Y Juan 15:13: "Jesús dijo a sus discípulos: 'No hay amor más grande que dar la vida por aquellos a quienes se ama'". Mi padre lo llamaba la "voz del consejo sensato". Reflexiona sobre esto, Jon, te ayudará, ya lo verás. Tu amigo, Mac.»

* * *

La caravana presidencial serpenteaba por las calles mientras surcaba los ríos de lluvia.

El presidente estaba sentado en la parte trasera de Mercado Alcista, escuchando una retransmisión en directo desde Bagdad en la que se oía el discurso espeluznante de Saddām Hussein, escondido en algún búnker.

«Se dice que formamos parte de una especie de "eje del mal", pero el mundo es incapaz de ver que Estados Unidos e Israel son la personificación del diablo, son los hijos de Satán y deben ser destruidos —decía el ardiente discurso—. Los regímenes de MacPherson y Doron son terroristas, puesto que buscan comerse nuestra carne, beberse nuestra sangre, aniquilar a nuestros hijos y destruir nuestro modo de vida. Esos tumores cancerígenos nos matarán a menos que los extirpemos. Son una amenaza para el mundo árabe, el mundo del islam. Pero su reino de terror está a punto de terminar. Alá, te imploramos por favor que los destruyas con tu cólera, que es como una espada. Haz que corra su sangre como un río de justicia por la ciudad santa de Al Quds.»

* * *

Ésa era la señal.

Azziz encendió otro habano, dejó que el humo llenara lentamente sus pulmones, se enroscara alrededor de la cabeza y subiera hasta el techo. Entonces se sentó al ordenador y empezó a escribir.

Había llegado la hora.

* * *

Un escalofrío involuntario le sacudió el cuerpo.

El presidente reaccionó queriendo tirar a la basura lo que había preparado y responder directamente a Saddām, pero los que estaban dentro de la catedral no estaban escuchando el discurso de Saddām.

El discreto y «pequeño» acto de conmemoración había acabado reuniendo a más de ochocientos dolientes, incluidos los familiares de los agentes, amigos y compañeros, congresistas, senadores y personalidades internacionales. En esos instantes, los asistentes escuchaban un solo de guitarra. Esperaban un tributo a aquellos sirvientes a la patria tan valientes y no se merecían menos. Aun así, no podía dejar de responder a Saddām cuando el resto del mundo en esos instantes le estaba escuchando a través de las transmisiones en directo traducidas por todo el planeta.

Mientras la caravana presidencial se dirigía hacia el norte por la avenida de Massachusetts y giraba luego a la derecha en la de Wisconsin, cogió el teléfono y llamó al vicepresidente, que estaba refugiado en el Centro de Operaciones de Emergencia en los sótanos de la Casa Blanca. Disponía tan sólo de algunos minutos, pero necesitaba desesperadamente el consejo de Jaque Mate.

* * *

El U-2 cruzó el cielo nocturno a 24.000 metros de altura.

¡Clic, clic, clic, clic, clic!

Los aviones de guerra estadounidenses estaban haciendo polvo las fuerzas militares de Saddām. Sin embargo, las órdenes del presidente eran tan claras como el agua: fotografiar cada centímetro cuadrado de Iraq una y otra vez, buscando febrilmente las armas de destrucción masiva.

Era poco probable que estuvieran en el centro de Bagdad, pero no era la tarea del piloto cuestionar las órdenes. La misión que le habían encomendado era llegar allí, tomar fotografías y largarse antes de que un misil tierra-aire iraquí le localizara y le disparara.

Hasta el momento, todo iba bien.

* * *

—Mercado Alcista se aproxima. Asegurad el perímetro.

La caravana entró en el recinto de la catedral mientras otro relámpago iluminaba el cielo plomizo de la tormenta.

—Foto Instantánea, aquí Peso. Prepárense para la llegada.

El agente en vanguardia se dirigió a la puerta principal y alertó al equipo que esperaba en el interior.

—Recibido, Peso. Estamos en posición. Chicos del Coro, alerta uno. Gambito se acerca. Repito. Gambito se acerca. Alerta uno.

* * *

—Tiene un mensaje.

Downing exclamó.

—¡Oh, Dios mío!

Rápidamente lo comprobó y lanzó una búsqueda. Era él, había mordido el anzuelo. Cogió el teléfono y marcó el número de Harris.

«¡Cógelo, cógelo!»

—Harris, dígame.

—Le tenemos. Acaba de comunicarse.

—¿Qué dice?

—Ahora me llega, señor. Espere.

—Downing. Vamos, dígamelo.

—Espere, ya casi está.

—Downing.

—Ya está, ya lo tengo. «Elimínale.» Dice: «Elimínale».

—¿Para quién es, Downing? ¿A quién va dirigido?

—Espere, señor. Todavía no lo tengo.

—¡Downing!

—Ya lo sé, ya lo sé... Lo tengo casi, espere. Ya lo tengo.

—¡Un nombre, Downing! ¡Deme un nombre!

* * *

Sánchez hizo una señal al presidente.

Tenían que moverse, pero el presidente le dejó entender que no y continuó hablando con el vicepresidente, Kirkpatrick y Corsetti en el COE de la Casa Blanca. Kirkpatrick y el vicepresidente insistían en que lo mejor era que el presidente se ajustara al discurso preparado e ignorara a Saddām.

—La Fuerza Aérea de Estados Unidos está respondiendo mientras hablamos —dijo el vicepresidente—. Va a dar un gran discurso, señor presidente. Es fuerte, elocuente y espiritual. Y nadie va a echar de menos que usted destaque de nuevo la falta de moralidad del enemigo.

Kirkpatrick estaba de acuerdo.

—Aguante hasta el final, señor presidente. Nosotros nos encargamos del resto.

Corsetti se estaba volviendo loco. Argumentaba que sería un suicido político y estratégico si no respondían inmediatamente. Si ignoraban las amenazas directas de Saddām Hussein daría la sensación a todo el mundo de que se estaban debilitando y habían perdido el contacto con la realidad. La muerte de unos cuantos agentes del Servicio Secreto era una noticia terrible, pero el mundo veía que estaba a punto de estallar un holocausto nuclear y necesitaba que el presidente les asegurase, de algún modo, que había una grieta de luz al final de ese largo y oscuro túnel. Se lo jugaba todo a una sola carta.

* * *

—Ya llega, señor. Espere. Una cuenta de AOL. De Washington, al noreste, enviado desde Moscú, pero reenviado desde Bagdad.

—¡Dígame el maldito nombre, Downing!

—Aquí está: Gary Sestanovich.

—Deletréemelo.

—Ge, a, erre...

—No, el apellido.

—Perdone, señor. Ese, e, ese, te, a, ene, o, uve, i, ce, hache.

Mientras Downing deletreaba, Harris le pasaba el nombre al

agente Maxwell, que lo escribía en el inmenso sistema informático del FBI y le daba a la tecla.

—Vamos, vamos. ¿Quién es ese tipo? —gritó Harris, esperando con todas sus fuerzas que el nombre apareciera por algún lado en la base de datos de un valor inestimable.

—¡Oh, Dios mío! —tartamudeó Maxwell desde el otro extremo del Centro de Operaciones.

—¿Qué? ¿Quién es?

—Es un agente.

—¿De los nuestros?

—No.

—¿De quién?

—Del Servicio Secreto. Ex agente de la CIA, de Operaciones Especiales.

—¿Qué hacía?

—No se lo va a creer, señor.

—Maxwell, no tengo tiempo para...

—Señor, entrenaba a muyahidines para matar a rusos.

* * *

Finalmente, llegaron a un acuerdo.

Corsetti dictó unas cuantas frases para añadir al principio del discurso. El vicepresidente y Kirkpatrick insistieron en introducir algunas modificaciones. El presidente tomaba nota tan rápido como podía.

Todas las cadenas de noticias en esos instantes desconectaban de la transmisión de Bagdad y se centraban en la limusina azotada por la tormenta, aparcada delante de la Catedral Nacional. Sin embargo, el presidente permanecía en su interior.

Todas las personas del mundo no podían evitar preguntarse por qué el presidente no salía.

* * *

Harris marcó el número de teléfono de Bud Norris en el Centro de Operaciones del Servicio Secreto.

—Soy Norris, dígame.

—Bud, soy Scott. Gary Sestanovich, ¿quién es?

—¿Por qué? ¿Que estás...?

—Bud, dímelo ahora.

—Es uno de mis mejores hombres y tiene el nombre en clave de Cupido. El tipo ayudó a rescatar al presidente en Denver. ¿Recuerdas?

Harris se quedó petrificado. ¿Cupido era el «señor C»? El tipo estaba en el campanario con un Stinger apuntando a la cabeza del presidente. ¿Cómo podía ser posible? ¿Por qué?

Harris no tenía tiempo de pensar.

—¿Scott? ¿De qué va todo esto?

—No te lo puedo contar. Después volveré a ponerme en contacto contigo.

Pero era mentira. Norris no sabía nada, no tenía ni idea de que Iverson estaba bajo custodia federal ni de que era el sujeto de la operación de estafa de alta tecnología. Aun así, Harris no tenía tiempo de explicárselo o de discutir con él. Como mucho disponía de algunos segundos para salvar la vida de Gambito.

Harris pulsó el botón de silenciador para que Norris no pudiera oírle. Luego cogió la otra línea, con Downing al otro lado.

—Downing, diga.

—Sí, señor.

—¿Ha podido leer el mensaje? Quiero decir si sabemos seguro que lo ha recibido.

—Acaba de hacerlo, señor. Intentaba decírselo pero me tenía en espera.

—¿Decirme qué?

—Que el mensaje le ha llegado al ordenador personal, que está en su casa, pero entonces ha sido reenviado a un dispositivo portátil, probablemente un BlackBerry. De hecho, ahora le estoy viendo leerlo.

La mente de Harris trabajaba acelerada. No tenía tiempo de

informar a Norris y, de todos modos, tampoco podría intervenir. Era verdad que éste tenía a otros dos francotiradores en el campanario. Pero si daba alguna orden desde cualquiera de las frecuencias de radio del Servicio Secreto, Cupido también la oiría y podría disparar antes de que le detuvieran.

Harris cogió el auricular y pulsó el botón de una consola que tenía delante.

—Soplete a Sierra Uno. ¿Me recibe?

—Sierra Uno, al habla —contestó Burdett.

—Sierra Uno, el sospechoso es el operador del misil Stinger del campanario. ¿Puede verlo?

—Recibido. ¿Cuál, señor?

—Cupido, ¿lo conoce?

¿Que si lo conocía? Pues claro que sí, sus hijas iban al mismo colegio y ellos se habían entrenado juntos en la base de Quantico cada tres meses durante los últimos diez años.

—Señor, yo...

—Sierra Uno. ¿Puede verle? —gritó Harris.

Burdett abrió rápidamente la ventana del apartamento y apuntó a Cupido con la mira telescópica Burris que había encima del rifle Remington modelo 700.

—Le tengo, señor. Pero...

—¿Tiene una buena posición de tiro?

—Sí. Pero, señor...

Desde donde se encontraba, Burdett veía como su amigo y compañero pulsaba el botón de la lanzadora de misiles Stinger y como accionaba el botón hacia delante y hacia abajo para arrancar la unidad de refrigeración de la batería que haría funcionar a la máquina.

—Dios mío.

—Sierra Uno, ¿qué ocurre?

—Se está preparando para disparar al presidente.

—Sierra Uno, elimínele. Repito: elimínele.

Burdett quitó el seguro, respiró hondo e intentó calcular el tiro teniendo en cuenta los vientos huracanados.

De repente el cristal explotó a su alrededor y Burdett se echó al suelo para cubrirse, pero entraron más ráfagas de ametralladora que provenían del otro lado de la ventana.

* * *

¿Qué hacían esos tíos?

El fuego proveniente de los dos tiradores de élite que tenía a izquierda y derecha asombró a Cupido y le hizo perder la concentración.

—¡Código rojo, código rojo! ¡Francotirador a la una! —gritó uno de los tiradores de élite haciendo que todo el arsenal de los agentes del Servicio Secreto se diera la vuelta hacia el complejo de apartamentos en el que se escondía Burdett.

Los compañeros de Cupido habían visto el cañón del rifle de Burdett saliendo por la ventana. Como no sabían que los francotiradores del FBI les vigilaban, obviamente creyeron que se trataba de un enemigo y abrieron fuego.

«Pero ¿quién estaba allí preparado para disparar a Gambito?», se preguntaba Cupido. Se preguntaba si sería posible que Gogolov, Jibril o Azziz tuvieran a otro agente infiltrado.

«¡Pobre! —pensó Cupido—. Fuera quien fuese ese hombre, jamás se convertiría en un héroe islámico. Como mucho iba a convertirse en otro mártir.»

* * *

—¡Soplete, Soplete! ¡Están disparando a Sierra Uno! ¡Repito! ¡Disparan a Sierra Uno!

Una lluvia de balas que rompió en mil pedazos el cristal e hizo volar el hormigón entró en la guarida del francotirador, al mismo tiempo que llenaba la habitación de fuego, humo y polvo.

—¡No puedo disparar! ¡No puedo! ¡Abandono! ¡Abandono!

Burdett se arrastró hacia la puerta, intentando salir al pasillo para salvar la vida.

* * *

Sestanovich, conocido con el nombre de Cupido, se quedó boquiabierto ante los disparos.

Igual que el resto del mundo. Las cadenas de televisión nacionales e internacionales de noticias estaban transmitiendo el tiroteo en directo para una audiencia de unos dos mil millones de personas repartidas por todo el mundo.

De repente, un relámpago y el estallido de un trueno le hicieron volver a la realidad. Miró hacia el BlackBerry que llevaba sujeto al cinturón, retiró la lluvia que empañaba la pantallita y volvió a leer el mensaje, para asegurarse. El mensaje de una única palabra, así como su remitente, no dejaban lugar a dudas: «Elimínale».

Tan sólo eso. Yuri Gogolov, el financiero de su socio, Mohamed Jibril, el hombre que había conocido y entrenado hacía tanto tiempo en las montañas de Afganistán, el hombre que se había convertido en su amante y su guía en el camino del islam, le había encomendado una misión. El hecho de que el mensaje proviniera del búnker de Saddām Hussein no tenía ninguna importancia. Y no iba a fallarles.

Así que volvió rápidamente a su tarea justo a tiempo para ver rugir la limusina del presidente maniobrando. Cupido revisó el Stinger, quitó el seguro, recargó la unidad de carga y apuntó. Un único disparo y ya estaría.

* * *

—Sierra Dos, Sierra Dos. Aquí Soplete. ¿Me recibe?

—Le recibo, Soplete.

—Sierra Dos, ¿puede disparar? Repito: ¿puede disparar?

El agente especial Daryl Knight, que se encontraba en la

parte superior del segundo complejo de apartamentos, casi no veía nada a través de la aparatosa tormenta que había afuera. Pero al menos su ventana ya estaba abierta y la atención y los disparos del Servicio Secreto estaban concentrados en otro lado. Lástima que se tratara de su compañero Burdett.

—Espere, Soplete. Espere...

Harris, cuya mente y corazón iban a gran velocidad, pudo ver la limusina del presidente saliendo a toda velocidad hacia la avenida de Wisconsin a través de los monitores que tenía enfrente.

—¡Sierra Dos!

A través de la mira del rifle Remington, Knight apuntó directamente a la cabeza de Sestanovich.

—¡No hay tiempo! —gritó Harris.

Se centró en la cabeza cubierta con una máscara de esquí negra que se había convertido en una característica de Cupido.

—¡Elimínele!

Calculó la intensidad de los vientos de la tormenta.

—¡Ya!

Y apretó el gatillo.

La certera bala de punta hueca del calibre 308 voló directa hacia su objetivo.

Fue la última imagen que Knight guardó: la cabeza de Sestanovich explotando en una nube de sangre y huesos.

CAPÍTULO QUINCE

Bennett y su equipo observaban la pantalla del televisor.

No podían creer el horror que estaba produciéndose en Washington. Entonces, sin avisar, la sala de estar se quedó a oscuras y el televisor se apagó, del mismo modo que todas las luces de la casa del doctor Mordechai. Algo grave ocurría, percibían que era algo diabólico, mortal y oscuro. La formación que había recibido el doctor como miembro del Mossad se accionó de inmediato.

—¡Síganme! —gritó, mientras se tiraba al suelo y empezaba a caminar a rastras hacia el ala oeste.

Galishnikov y Sa'id se echaron al suelo de inmediato y siguieron como pudieron a Mordechai. Bennett dudó. Estaba seguro de que sería capaz de encontrar el camino de regreso hasta su habitación, pero después no estaba seguro de qué sacaría de quedarse solo, separado de los demás, sin armas y sin preparación para lo que pudiera pasar después.

En contra de lo que le dictaban los instintos, se dio la vuelta y se unió a Galishnikov y a Sa'id. Siguió el sonido de la voz de Mordechai que les dirigía rápidamente a través de la sala de estar, por el pasillo de la planta inferior, pasados la cocina y el despacho, hasta llegar a la única ruta de escape segura de que disponía la casa.

—¡Rápido, por esa puerta! —chilló Mordechai.

En medio de un relámpago casi cegador, Bennett pudo ver

que Mordechai apuntaba hacia la puerta del ascensor que les había mostrado antes.

—Pero ¡si no hay electricidad! —contestó Bennett gritando mientras avanzaba.

—¡No se preocupe! ¡Tiene un sistema de electricidad diferente! ¡Pero apresúrese!

* * *

Black y McCoy se quedaron allí con las pistolas desenfundadas.

Hacía horas que se estaba preparando una poderosa tormenta sobre Jerusalén, pero el instinto les decía que no se trataba de un apagón debido a causas meteorológicas.

—Erin, por aquí —susurró Black.

Empezaron a avanzar en sentido contrario, alejándose de Mordechai, Bennett y los demás, a través del vestíbulo y en dirección a ala este, hacia la habitación en la que se alojaba Black.

—¿Llevas los prismáticos? —susurró McCoy. Se refería al par de prismáticos de visión nocturna que Black llevaba siempre consigo dondequiera que fuese, como procedimiento operativo estándar como el especialista en lucha contra el terrorismo que era.

—Los tengo en la maleta. Espera un segundo.

* * *

—¡Por aquí! ¡Manteneos agachados!

Mordechai y los tres hombres que iban con él continuaron arrastrándose por el armario empotrado y llegaron hasta el ascensor. Efectivamente, disponía de otro sistema eléctrico que funcionaba a la perfección. Mordechai tecleó el código personal de acceso de siete dígitos y, en un instante, una robusta puerta de acero se cerró detrás de ellos y se sumergieron rápidamente en el corazón de la montaña, lejos de la misteriosa casa que había encima.

Bennett no podía dar crédito a sus ojos cuando la puerta del ascensor finalmente se abrió: era como si estuviese en otro mundo. Allí había diversos centros de mando interconectados, informatizados y con la tecnología más avanzada, digno del mejor Norad o del mejor centro de ese tipo que la CIA hubiera diseñado nunca. Constaba de habitaciones para dormir, una cocina completamente equipada, baños y duchas y sistemas independientes de comunicaciones, electricidad, agua, calefacción, ventilación y aire acondicionado. Era sorprendente y Bennett calculó que el búnker podía albergar una docena de personas o más durante algunas semanas, como mínimo.

Los mapas del mundo informatizados eran los mismos que los de la sala de situación de la Casa Blanca y mostraban los últimos movimientos de los israelíes y de los enemigos por tierra, mar y aire en tiempo real. Una hilera de ordenadores seguía las últimas evaluaciones del Mossad, el Shin Bet y Aman.

Cinco pantallas de televisión mostraban las últimas informaciones que llegaban vía satélite, mientras en una docena de monitores más pequeños y en blanco y negro podían verse imágenes de las diminutas cámaras de seguridad distribuidas por toda la casa y los patios. Las imágenes eran realmente escalofriantes: se veían los cuerpos con disparos de los miembros de las fuerzas de seguridad estadounidenses e israelíes.

La mente de Bennett no paraba de dar vueltas. «¿Qué estaba ocurriendo ahí arriba? ¿Quién intentaba matarlos y por qué? ¿Dónde se encontraba exactamente? ¿Cómo había conseguido Mordechai construir y financiar todo esto? ¿Cuánto habría tardado en dejarlo listo?»

Los pensamientos de Bennett estaban ocupados por todas estas preguntas y más. Sin embargo, no había tiempo para responderlas. De momento, no.

Tan sólo había una pregunta que le importara de verdad:

cómo encontrar a sus amigos y hacerles bajar para ponerlos a salvo.

* * *

—¡Hombre abatido! ¡Hombre abatido! ¡Han alcanzado a Cupido! Repito: ¡han alcanzado a Cupido!

Sánchez oía la frenética comunicación entre las frecuencias de emergencia mientras la limusina del presidente regresaba a toda prisa a la Casa Blanca.

En las inmediaciones de la catedral, un helicóptero Apache armado, luchando contra el viento y la lluvia, empezó a descargar las ametralladoras de 30 milímetros contra el apartamento desde el que, según el equipo de vigilancia del Servicio Secreto, había salido un cañón de un fusil de francotirador.

Fue una contestación devastadora y Bud Norris no sabía qué estaba pasando.

Entonces, el teléfono de Norris sonó. Era Scott Harris desde el Centro de Operaciones del FBI que aparentemente le llamaba para darle una explicación acerca de esa locura.

* * *

Black se deslizó rápida y sigilosamente dentro de su habitación, la primera a la derecha.

Iba a rastras y tenía mucho cuidado en no levantar la cabeza por si había enemigos espiando a través de las contraventanas. De repente, una explosión colosal hizo temblar la casa. McCoy, que todavía estaba en el pasillo, voló por los aires, aturdida por el estruendo ensordecedor de la explosión. Por todas partes había humo, fuego y cristales.

Entonces oyó que unos hombres gritaban en árabe.

—¡Vamos, vamos, vamos!

Black también los oyó, pero, a diferencia de McCoy, no entendía lo que decían, aunque tampoco importaba. Cogió los binoculares de visión nocturna, se los puso colgando del cuello, cogió otro par, asomó la cabeza por la puerta y miró a mano izquierda. Pudo ver a dos hombres con casco y mono de color negro descendiendo con cuerdas por el agujero que habían abierto en el techo de la escalera circular, donde antes había estado la magnífica cúpula de cristal de Mordechai. Las vigas de madera de la techumbre ardían en medio de la sala de estar e iluminaban la estancia, cosa que no les ofrecía demasiada protección.

Miró hacia la derecha y vio a McCoy acurrucada en una esquina al fondo del pasillo, expuesta a los disparos del terrorista. Inmediatamente ésta lo miró y, con rapidez, Black le lanzó los binoculares y le indicó que entrara en la habitación de Sa'id, al final del pasillo a la derecha. No tenía ni idea de dónde se encontraban Bennett, Mordechai y los demás, pero al menos McCoy y él estaban vivos y armados.

* * *

Pudieron oír la tremenda explosión que se produjo arriba.

El doctor Mordechai rápidamente cerró la puerta de acero de un metro de grosor detrás de sí y selló el hueco del ascensor evitando que nadie pudiera bajar, incluso aunque pudieran trucar el sistema de seguridad. A continuación, pidió a Galishnikov y a Sa'id que se sentaran en sendas sillas giratorias delante de la hilera de ordenadores y de las pantallas de televisión.

A Galishnikov le entregó unos auriculares y le ordenó que fuera informando de las últimas novedades de Washington. Todos observaban el tiroteo que se estaba produciendo alrededor de la Catedral Nacional y las imágenes de la limusina presidencial apretando el acelerador a fondo para llegar a buen recaudo, es decir, al complejo residencial de la Casa Blanca. Necesitaban estar al corriente del drama que se estaba desencadenando.

A Sa'id le otorgó la tarea de controlar los monitores de seguridad e informar continuamente a Bennett y al doctor acerca de lo que sucedía arriba. La máxima prioridad era localizar a Black y a McCoy e intentar encontrar el modo de ayudarlos si podían.

A continuación, Mordechai cogió a Bennett y se lo llevó a otra habitación. Encendió la luz y abrió un armario lleno de armas automáticas, máscaras de gas, chalecos antibalas y auriculares de radio.

—Hay dos de los suyos arriba, armados con AK-47 y binoculares de visión nocturna —gritó Sa'id, con voz grave que delataba la tensión que sentía—. Acaban de descender por la cúpula y se dirigen hacia el salón.

—Le buscan a usted, sin lugar a dudas, Eli —dijo Galishnikov.

—¿Dónde están Black y McCoy? —gritó Bennett.

—No los veo. No puedo verlos.

—Jon, coja esto —ordenó del doctor Mordechai, que le tendía armas y unas cuantas cajas de munición a Bennett.

—¿Esto es para mí? —preguntó Bennett, que a duras penas era capaz de llevar el carné de la Asociación Nacional de Rifles.

—¿Quién se supone que va a subir allí? ¿Yo? —gritó indignado el viejo—. No podemos dejar a esos dos allí solos. Si no consiguen más municiones rápido, dentro de cinco minutos estarán muertos.

* * *

Black se arrastró hasta el interior del pequeño armario empotrado.

La noche antes, aburrido, empezó a fisgonear y encontró una trampilla en la pared trasera del armario, una especie de ventilación que tienen algunas casas y que llegan al ático. Sin embargo, ésa, más que conducir al ático, daba a la siguiente habitación de invitados. ¿Por qué? No tenía la menor idea, pero tampoco le importaba.

La abrió y rápidamente se coló dentro, en la habitación de Bennett. Cruzó corriendo la habitación y encontró una trampilla similar en la pared del armario de esa estancia, pero esta vez tuvo que trepar para poder pasar por ella. De repente, Black se encontró mirando directamente la Beretta cargada de McCoy.

—¡Soy yo! —rugió sin pensar. Luego rápidamente bajó la voz—. Soy yo.

McCoy respiró tranquila y entonces oyó a alguien gritar en árabe.

—¡Los tenemos! ¡Al final del pasillo! ¡Cubridme!

—Rápido, sígueme —le ordenó a Black.

Entró en el armario empotrado y Black la siguió al instante. En efecto, la intuición no le había fallado: había otro ascensor escondido en esa parte de la casa igual que el que habían utilizado dentro del armario del doctor Mordechai. Entraron, cerraron la puerta, pulsaron un botón y desaparecieron hacia abajo. Justo en ese instante los dos terroristas irrumpieron en la habitación disparando con la ametralladora, de modo que ahogaron el sonido del ascensor que bajaba.

* * *

—Están en el ascensor del este —gritó Sa'id.

—¿Adónde se dirigen? —preguntó Bennett.

—Al primer piso. Saldrán al final del pasillo y se dirigirán hacia la puerta principal.

Bennett corrió hacia la sala de mando principal, con una ametralladora Uzi en la mano y dos más colgadas en los hombros. Los ojos escudriñaron la hilera de pantallas y se centraron en dos hombres con máscara, vestidos de negro de los pies a la cabeza, que corrían hacia la puerta.

—Dos terroristas más —gritó Bennett a Mordechai—. ¿Dónde están?

—Están pegando explosivos a la puerta principal.

Los cuatro hombres observaban a Black y McCoy en una de las pantallas, dentro del ascensor. Dentro de un instante, la puerta se abriría y correrían a través del pasillo que estaba a oscuras hacia un kilo de C-4, preparado para hacerlos saltar en pedazos.

—¡Black y McCoy van a ir directos hacia los explosivos! —gritó alarmado Bennett—. ¿No hay manera de avisarlos?

—No hay ninguna conexión de audio con el ascensor —dijo el doctor Mordechai.

Tan sólo podían limitarse a mirar horrorizados.

* * *

El ascensor se detuvo.

De repente, otra enorme explosión sacudió la casa, lo que propició que Black y McCoy chocaran el uno contra la otra, vivos pero zarandeados. En ese instante se abrió la puerta. Tosiendo por el humo, Black se incorporó, asomó la cabeza y el arma al pasillo y vio a dos terroristas más corriendo por la especie de túnel en dirección a la escalinata en forma de caracol. Se echó hacia delante, giró en el pasillo, apuntó y disparó cuatro balazos muy rápidos.

Uno pasó rozando, pero los otros tres impactaron en la base del cráneo del terrorista separándolo prácticamente de los hombros. El hombre cayó hecho un ovillo encima de un charco de sangre que salía a borbotones.

Black rápidamente se agachó en el pasillo oscurecido mientras McCoy corría detrás de él. Justo a tiempo. El segundo terrorista contraatacó y disparó tres ráfagas del AK-47 y a continuación corrió escaleras arriba.

* * *

—¡El presidente está a salvo!

Galishnikov anunció a gritos la buena noticia mientras miraba la transmisión de los hechos por televisión. «Gracias a Dios», pensó Bennett. Esperaba poder decir lo mismo de Black y McCoy.

* * *

Black asomó la cabeza al pasillo otra vez, pero no vio nada.

Corrió hacia el otro lado hasta llegar al pasillo que llevaba al ascensor del ala oeste que el doctor Mordechai había utilizado antes. Segundos después, con el pasillo todavía vacío, McCoy cruzó para unirse a él.

—¿Cuál es el plan? —preguntó Erin mientras intentaba recuperar el aliento.

—Muy bien. Hemos matado a uno y hay tres más arriba, ¿sí? —preguntó Black mientras recargaba su Smith & Wesson.

—Creo que sí.

—Muy bien. Yo iré arriba y tú esperas aquí. Si vienen por el ascensor del ala este, dispara. Si alguien baja por las escaleras, dispara. Si alguien entra por la puerta principal, dispara. ¿Entendido?

—Entendido.

—Bien.

* * *

A Bennett le resultaba imposible oír lo que estaban diciendo.

Tan sólo veía en la pantalla que Black se largaba y dejaba a McCoy sola. No le gustó. Pulsó el botón y esperó a que el ascensor del ala este bajara hasta donde él se encontraba. Lo mínimo que podía hacer era llevarle una Uzi y munición.

* * *

Abrió la puerta tan silenciosamente como pudo.

Black se lanzó al suelo y se arrastró por él, cruzando el despacho del doctor Mordechai gracias a los binoculares de visión nocturna que le permitían ver por donde iba. Una vez en la puerta, echó una ojeada y, de repente, vio a uno de los terroristas que le daba la espalda al otro extremo del corredor. No sabía si disparar o no, puesto que todavía quedarían dos y eso desataría un infierno; además, no tenía ninguna posibilidad de defenderse con su 45 milímetros frente a dos AK-47.

Pensó que tanto daba, así que levantó el revólver, apuntó y, de repente, otro terrorista apareció en la esquina, mirándole directamente.

—¡Dispara! —gritó el hombre en árabe.

Black no le entendía, pero no importaba: apretó el gatillo con todas sus fuerzas y el disparo le salió demasiado alto.

Consiguió disparar dos veces más, pero volvió a fallar. Realizó otro disparo y esta vez la bala rebotó en la pared mientras el terrorista que estaba de pie levantaba la ametralladora y se preparaba para apretar el gatillo.

Black disparó las dos últimas balas y se quedó paralizado: como si fueran a cámara lenta, vio esas dos balas salir con un destello del cañón de la pistola, surcar el aire a toda velocidad y explotar en los ojos redondos, brillantes, negros y sin vida del terrorista que le miraba. A continuación una ráfaga de ametralladora se esparció por todo el lugar, mientras el hombre se caía al suelo. Pero por suerte, Black estaba tumbado.

No perdió tiempo inspeccionando los resultados: se escabulló rápidamente hacia el ascensor, cerró la puerta y fue hacia abajo, donde se encontraba McCoy.

* * *

—¡Sí, sí, sí! —gritaron de alegría los hombres desde el búnker subterráneo.

Dos terroristas muertos.

Ya sólo quedaban dos.

* * *

El ruido la sobresaltó.

Al final del pasillo oscuro que tenía enfrente, veía y oía la puerta del ascensor del este empezar a abrirse. McCoy había oído los disparos del piso de arriba y el corazón le palpitaba con fuerza. No tenía ni idea de quién podría aparecer por la puerta. Por otro lado, Black había sido claro: no iba a ser él, así que tenía que disparar.

Esperó una décima de segundo hasta que la puerta se abriera un poco más y luego vio a una figura misteriosa con una ametralladora. Estaba segura de que no era Black, así que abrió fuego con serenidad y suavidad, tal como le habían enseñado. Un disparo doble en el tronco. El hombre se cayó al suelo sin ser muy consciente de qué había sido lo que le había disparado.

En ese instante, el ascensor que le quedaba detrás empezó también a abrirse, así que se echó para atrás y apuntó hacia la puerta con la Beretta. Rezaba a Dios para que fuera Black.

—¡McCoy, soy yo! ¡Deek!

—¡Manos arriba! ¡Manos arriba! —respondió gritando con la adrenalina corriéndole por las venas.

La puerta se abrió por completo y Black salió con las manos en alto. Ambos respiraron tranquilos mientras Black corría hacia su lado.

—¡Cuidado! —gritó Black de repente—. ¡Agáchate!

McCoy, que ya estaba de rodillas, se tumbó en el suelo. El hombre ensangrentado del ascensor empezó a levantar la ametralladora. Black levantó el revólver, apuntó y apretó el gatillo. Pero no pudo disparar, puesto que el arma estaba vacía y el hombre misterioso y ensangrentado continuaba levantando el arma.

—¡McCoy! ¡No tengo munición! —gritó Black.

McCoy levantó la mirada y vio el cañón de la ametralladora apuntándole a la cara. Instintivamente, vació la Beretta de 9 milímetros en la sombra. La ametralladora del hombre se cayó al suelo mientras Erin oía cómo emitía un grito y se derrumbaba, sin fuerzas y sin vida.

Se había acabado, pero habían estado cerca de la muerte. Black se quedó en pie y tardó un segundo en volver a centrarse. A continuación volvió a cargar rápidamente el arma y McCoy lo imitó.

—¿Cuántos quedan? —susurró ella, mientras introducía un cargador nuevo y miraba nerviosamente a su alrededor intentando descubrir algún signo de movimiento en el pasillo.

—Veamos —contestó Black contabilizando con rapidez el trabajo—. Tenemos a dos en el pasillo y uno en la cocina. Así que tan sólo debería quedar uno. Arriba.

—¿Qué hacemos?

—Es demasiado arriesgado subir por las escaleras. Está en el salón y podrá vernos antes que podamos verle nosotros a él. Naturalmente, ya sabe que hay ascensores y podría estar esperándonos en alguno de los dos.

Black miró a su alrededor.

—¿Adónde han ido los demás? —susurró.

—No tengo ni idea —respondió McCoy—. Han desaparecido.

—Lo sé. Un tanto extraño.

—Vamos, Deek. Necesitamos un plan.

—Muy bien. Tú subes con el ascensor del ala oeste —dijo Black, mientras se dirigía hacia el que tenía detrás, que era con el que acababa de bajar—. Yo subiré por el otro lado. Cuando las puertas se abran, si ves algún movimiento, empieza a disparar. Si no ves nada, intenta abrirte paso hasta el salón. Asegúrate de comprobar todas las camas, los armarios, todo. No corras ningún riesgo, ¿de acuerdo?

—No te preocupes.

—Muy bien. En marcha.

—Oye Deek —le detuvo un instante McCoy—, ¿piensas lo mismo que yo?

—¿Que son los «cuatro jinetes»? —respondió Black.

—Exactamente.

—Pronto lo sabremos. Primero cacemos al último antes de que nos cace él a nosotros.

Black inspeccionó con rapidez el pasillo. No había nadie. Corrió hacia el ascensor del este, cogió el AK-47 del hombre muerto y le quitó la máscara negra. Luego lo arrastró hasta el pasillo y lo dejó debajo de las cámaras de seguridad.

* * *

Sánchez y el presidente corrieron a refugiarse al Centro de Operaciones de Emergencia, debajo de la Casa Blanca.

El vicepresidente y Kirkpatrick, que ya sabían que el presidente estaba a salvo, estaban hablando por videoconferencia con Mitchell, en la CIA, y con el secretario Trainor y el general Mutschler en el Pentágono.

—Jim, gracias a Dios —dijo la primera dama, abrazándolo largo rato y ayudándolo luego a sentarse mientras le sujetaba la mano.

—Señor presidente, gracias a Dios que se encuentra bien —repitió el vicepresidente.

—¿Ha hablado con Harris? —contestó con una pregunta el presidente.

—Acabamos de hacerlo, señor. Nos lo ha contado todo.

—¿Cupido, eh?

—Increíble. No puedo creer que no nos lo dijera antes.

—De verdad que no podía.

* * *

Las cámaras enfocaron la cara del hombre muerto que yacía en el pasillo.

Digitalizaron rápidamente esa imagen y la procesaron mediante una base de datos de alta velocidad. Unos segundos más tarde, el doctor Mordechai vio que aparecía un registro de la Interpol en una de las pantallas de los ordenadores. Efectivamente, era iraquí. Los «cuatro jinetes» habían venido a cazarlos.

* * *

—Señor, tengo más malas noticias —le informó Kirkpatrick.

—¿Qué ocurre ahora? —quiso saber el presidente, agitado y lívido.

—Ha habido una explosión dentro de la casa del doctor Mordechai.

—Dios mío. ¿Qué ha pasado? ¿Qué hay de Bennett y su equipo?

—Ahora mismo están dentro, señor. Todavía no sabemos qué ha sucedido ni cómo se encuentran. Inmediatamente envié un satélite para que se dirigiera hasta la casa y así poder ver lo que está ocurriendo allí dentro. Deberíamos tener acceso a esas imágenes dentro de sesenta segundos.

—Ponedme con Doron, por favor.

—Lo hemos estado intentando, señor —le explicó Kirkpatrick—. Llevamos quince minutos intentándolo, pero no podemos comunicarnos con él desde que se ha producido el tiroteo en la catedral. Creemos que estará en una sesión de emergencia y tememos que estén planteándose lanzar el primer ataque contra Iraq.

—Continuad intentándolo. Probad con todos los números de teléfono que tengamos.

El presidente estaba furioso. Era todo cuanto podía hacer por no explotar delante de nadie en ese instante. Uno de sus propios agentes del Servicio Secreto acababa de intentar matarlo. Tres de sus mejores ayudantes estaban atrapados, posiblemente muertos, en Israel. E Israel e Iraq estaban a punto de empezar a utilizar armas nucleares.

—El equipo seis de SEAL, ¿todavía está en el portaaviones *Reagan*? —pidió el presidente.

—No, señor —dijo Kirkpatrick—. Se dirigen hacia Bagdad con los hombres del NEST.

—Bueno, pues enviad a alguien a rescatar a Bennett y los demás. ¡Ahora mismo!

* * *

La puerta del ascensor del ala oeste se abrió en el despacho del doctor Mordechai.

McCoy salió nerviosa, con la Beretta cargada al máximo por delante. No había nadie en el armario empotrado. Avanzó lentamente. Tampoco había nadie en el despacho.

* * *

Black pulsó el botón de subida, pero el ascensor empezó a descender.

«¿Hacia abajo? ¿Por qué iba hacia abajo?»

Black intentó no dejarse dominar por el pánico y preparó el arma para disparar.

* * *

McCoy escudriñó el pasillo, tenía vía libre.

Entró como una flecha al dormitorio del doctor Mordechai y estaba vacío. Entonces introdujo la Beretta por la puerta del baño buscando signos de vida. Nada. Volvió corriendo hacia el despacho y se quedó pegada a la pared mientras intentaba pensar en su próximo movimiento.

* * *

El ascensor se paró con un ruido pero la puerta no se abrió.

«Ya está —pensó Black—. Estoy a punto de morir.»

—Black —susurró Bennett—. ¿Puedes oírme?

Black se quedó asombrado.

—Jon, ¿eres tú?

—Sí, soy yo.

—¿Dónde estás?

—Voy a abrir la puerta. No me dispares.

—No lo haré si tú no lo haces.

Black conservaba el sentido del humor incluso en pleno

tiroteo. La puerta del ascensor se abrió y Black pudo contemplar lo que Bennett y los demás habían visto haría unos treinta minutos: un búnker subterráneo espectacular donde Mordechai seguía dos batallas a la vez, una por su país y otra por su casa.

—No podemos dejar a McCoy sola allí arriba —dijo Bennett, al mismo tiempo que comprobaba su Uzi y subía al ascensor.

—¿Sabes utilizar estas cosas de verdad? —preguntó Black.

—Bueno, apuntas y disparas, ¿no?

—¡Por Dios, Jon! Es una Uzi, no una Polaroid.

* * *

McCoy, con rapidez y cuidado, miró desde la esquina.

Seguía sin ver a nadie en el pasillo que conducía hasta la cocina. Pero ¿dónde estaba Black? Él tendría una visión más completa del salón y la cocina viniendo desde el ala este que no la que tenía ella desde el despacho.

Tenía la Beretta cerca de la cara mientras su mente barajaba las opciones. Miró hacia abajo en el suelo del corredor y vio algo pequeño y negro. ¿Qué era? Era más grande que un cargador. ¿Un monedero, quizá? Volvió a mirar hacia el fondo del pasillo y, rápidamente, lo cogió.

Era el BlackBerry de Deek. Lo puso en modo silencio y vibrador para asegurarse de que no hacía ningún ruido. Escribió un mensaje rápido.

«Jon. ¿Dónde estás? ¿Has visto a Black? Erin.»

* * *

De repente, Bennett notó que su BlackBerry vibraba.

Era McCoy.

—Deek, mira —susurró Bennett.

Los dos leyeron el mensaje al mismo tiempo que Black se daba cuenta de que había perdido el BlackBerry.

—¿Dónde está? —susurró Black como respuesta.

El ascensor se paró y la puerta se abrió. Black sacó la AK-47 en la habitación de invitados y buscó cualquier signo de vida o de movimiento. No había nada.

Salió caminando con cuidado cubriendo al mismo tiempo a Bennett, que escribía la respuesta al mensaje de McCoy: «¿Dónde estás? Espéranos allí. Ahora vamos para allá». Cuando hubo acabado, Black le señaló la trampilla del armario de la habitación y le dijo a Bennett que pasara por ella mientras él cruzaría el pasillo e iría por las otras habitaciones del otro lado del corredor. Cuando diera dos golpes en la pared, los dos irrumpirían en el salón disparando con las armas.

Black se quitó los binoculares de visión nocturna y se los puso a Bennett. Tan sólo disponían de unos y Black tenía mucha más experiencia que Bennett. Confiaban en su plan y estaban preparados para llevarlo a cabo, así que Black miró por la puerta que daba al pasillo, volvió a meter la cabeza, comprobó la ametralladora y cruzó a toda velocidad.

El corredor se llenó de disparos y del tintineo característico que producían los cartuchos metálicos usados al tocar el suelo de madera. Bennett se cayó de rodillas, temblando de miedo. Con la espalda contra la pared, se acurrucó en una esquina al lado de la trampilla, pero no se atrevió atravesarla. ¿Qué pasaba si el monstruo estaba al otro lado?

La casa de repente se quedó tranquila. Bennett se esforzaba por oír algo, cualquier cosa. ¿Dónde estaba ese tipo? ¿Le había visto Black? El BlackBerry volvió a vibrar. Era McCoy, estaba en el despacho de doctor Mordechai y le enviaba un corto mensaje de respuesta.

«Estoy bien. No sé nada de Deek.»

Volvió a escribir: «Rezo por vosotros». Aunque pudiera parecer extraño, eso le hizo sentirse mejor. Intentó reunir algo de valor, calmó su respiración, se ajustó los binoculares de visión nocturna y levantó con sumo cuidado la trampilla. Pasó primero la Uzi, luego miró hacia el interior sin moverse ni un milímetro y sin causar ningún ruido. No vio nada, ningún movimiento ni ningún signo de presencia humana.

¿Y ahora qué? El BlackBerry volvió a vibrar. Lo cogió, esperando que fuera McCoy, pero no. Era un mensaje de la Casa Blanca, al otro lado del mundo.

«Jon, el presidente os pide comprobación. ¿Estáis bien? Los servicios dicen que hay explosiones y disparos en la casa. El equipo tres de SEAL va de camino. Treinta minutos. Aguantad. K.»

Era Kirkpatrick. El presidente les mandaba un equipo SEAL de la Marina para rescatarlos. «Gracias a Dios —pensó—. Tal vez las plegarias de McCoy habían dado su fruto, pero puede que dentro de treinta minutos no estemos vivos.»

* * *

Los disparos habían alcanzado a Black.

El profundo corte abrasador que tenía en el hombro derecho sangraba mucho y creía que podía tener el hueso hecho trizas. Independientemente de eso, le costaba mantener la ametralladora y con la izquierda no disparaba demasiado bien.

Lentamente, con dolor, se abrió paso a través de las habitaciones, dejando un reguero de sangre a medida que avanzaba. Consiguió llegar a la última habitación y se apoyó en a puerta. Los ojos empezaban a nublársele y la cabeza le daba vueltas. Estaba perdiendo mucha sangre muy rápido y, si no hacía algo ya, en menos de cinco minutos se quedaría inconsciente.

* * *

—El satélite ya está preparado, señor presidente —gritó Kirkpatrick.

El presidente y el vicepresidente estaban apartados en una esquina, hablando por teléfono con la Junta de Jefes del Estado Mayor y valorando la situación. Sin embargo, al oír la voz de la mujer los dos rápidamente se dieron la vuelta y miraron hacia la pantalla de vídeo que tenían en la pared al otro lado de la sala. Las luces se atenuaron y las imágenes se hicieron más nítidas. En esos instantes el presidente y el equipo del Consejo Nacional de Seguridad pudieron ver la casa del doctor Mordechai desde el cielo gracias a la tecnología de imágenes térmicas de alta resolución.

—¿Quién es ése? —preguntó el presidente.

Mitchell, que hablaba a través de videoconferencia pero que disponía de acceso a las mismas imágenes desde el Centro de Operaciones de la CIA de Langley, respondió con rapidez.

—La persona que hay a lo lejos, a la izquierda, señor presidente, creo que es McCoy.

—¿Y los dos que hay en la parte derecha de la casa?

—El que aparece en la parte superior de la pantalla, en la habitación más al norte del ala este, parece más grande y alto. Probablemente se trate de Black. El otro que avanza a rastras a través de una pared, supongo que es Bennett.

—El resto de cuerpos parecen estar muertos.

—Sí, señor.

—¿Y ese tipo, el que está agachado en el agujero de la escalera, es el doctor Mordechai?

—Lo dudo, señor. Parece uno de los otros. De hecho, parece que está rodeado, pero los buenos no lo saben.

Los instintos combativos del presidente empezaron a despertarse.

—Marsha, ¿puedes enviarles un mensaje de correo electrónico simultáneamente?

—Claro que sí, señor.

—Bien. Infórmeles de lo que estamos viendo. Que McCoy se dirija a la cocina y, luego, doble la esquina de esa pared. Dígale que cuando veamos que ha tomado posición, pediremos a Black y a Bennett que derriben sus puertas y empiecen a disparar hacia el agujero de la escalera. Cuando el tipejo se agache, que McCoy le descargue todo el cargador en la parte trasera de la cabeza.

—Así lo haré, señor presidente.

* * *

Un instante más tarde, Bennett recibió el mensaje.

McCoy también, por duplicado: en su BlackBerry y en el de Black.

Así que Black no recibió nada y, además, estaba apagándose con rapidez.

* * *

El primer ministro israelí David Doron estaba reunido con su equipo.

—Bueno, señores. Me temo que el destino de Israel está en nuestras manos. Estamos todos de acuerdo en que el último atentado contra el presidente de Estados Unidos es obra de Saddām. Sabemos lo que intentó hacernos. Sabemos que está desesperado y muy bien podría sentir que no tiene nada que perder. A pesar del implacable ataque aéreo de Estados Unidos, Saddām todavía juega cartas estratégicas aterradoras. Y mucho me temo que todavía le queda, como mínimo, una. Y que lleva nuestro nombre escrito en ella. La pregunta es qué debemos hacer ahora: ¿nos sentamos a esperar a que nos sacrifiquen o atacamos primero? Debemos tomar la decisión y debemos hacerlo ahora.

Doron escudriñó la habitación. Todos los corazones sentían la pesada carga de la situación más devastadora de la dilatada, trágica y extraordinaria historia del pueblo judío.

—Éste es nuestro momento, señores. Seamos dignos de él.

* * *

Azziz se sentó en el centro de control con el teléfono en la mano.

Al otro lado de la línea estaba su líder máximo, Saddām Hussein, y sus órdenes eran claras: había llegado el momento de empezar «la última yihad».

* * *

McCoy volvió a comprobar la Beretta.

A continuación, con los pies ligeros y con lentitud, cuidado y sin hacer ruido, empezó a avanzar hacia la cocina, después volvió al pasillo y se quedó justo detrás del arco de entrada al salón.

El presidente y su equipo vieron como se movía hacia su posición. Kirkpatrick envió un mensaje a Black y a Bennett para que se prepararan. Cuando recibieran el siguiente mensaje, ambos deberían salir por la puerta en la que se encontraban y disparar a discreción.

* * *

Mordechai, Galishnikov y Sa'id veían todo lo que estaba sucediendo.

Sin embargo, no podían hacer nada al respecto. El equipo tecnológico impresionante del doctor Mordechai podía incluso captar las transmisiones inalámbricas que entraban en la casa. Así pues, podían interceptar y leer todas las comunicaciones por vía de mensajes de correo electrónico de la Casa Blanca con Bennett, Black y McCoy, puesto que no estaban encriptados. Pero ¿qué podían hacer para ayudar?

Galishnikov propuso coger uno de los ascensores hasta la planta baja y acercarse sigilosamente por el túnel hasta el terrorista que quedaba. Sin embargo, Mordechai se lo prohibió, puesto que el presidente tenía un plan y lo estaba llevando a cabo. Cualquier tipo de molestia podría causar confusión en una situación que ya de por sí era peligrosa.

* * *

El corazón de Bennett latía desbocado.

Respiraba con dificultad y sentía que las piernas se le debilitaban. Se secó el sudor de las palmas de las manos y dejó el BlackBerry en la moqueta delante de él en un lugar en el que podría ver la pantalla iluminarse y controlar si vibraba cuando recibiera el mensaje de la Casa Blanca. Se acercó la Uzi a un lado, quitó el seguro y puso una mano en el pomo de la puerta. Ahora ya no había vuelta atrás.

«Cinco, cuatro, tres, dos, uno... ya está», pensó Bennett.

Pudo ver como la pequeña máquina se movía en la oscuridad. Instintivamente, se puso en pie, giró el pomo de la puerta y la abrió. Clic.

Sin embargo, algo le hizo dudar. Así que miró hacia el nuevo correo electrónico y vio que no era de la Casa Blanca. Era de su madre desde el hospital: su padre acababa de morir.

Bennett no podía creerlo. Se quedó helado. No podía pensar, no podía hablar y no podía moverse.

Pero quedarse quieto y a la vista del cuarto jinete a tan sólo veinte pasos de distancia no era un movimiento inteligente, fuese por la razón que fuera. El iraquí oyó el ruido que emitió la puerta al abrirse, se asomó, vio la figura vaga de Bennett y abrió fuego. La habitación explotó con balas y humo, pero Bennett reaccionó. Nunca antes había disparado un arma, ni tampoco había tenido ninguna en las manos. Sin embargo ahora, poseído por la rabia, dio media vuelta y tuvo tiempo de abrir fuego antes de que tres balas le impactaran en la parte superior del cuerpo y le tiraran al suelo envolviéndolo en una nube de sangre.

Deek no tenía BlackBerry y, por lo tanto, desconocía el plan del presidente. Pero pudo oír el grito aterrador de su amigo y, al hacerlo, instintivamente se puso en pie e irrumpió en el pasillo con la AK-47 rugiendo y disparando balas y humo. Una de las balas de Black alcanzó al iraquí en el hombro y lo envió escaleras abajo, pero no antes de que un disparo le impactara a él en todo el pecho.

En ese instante, McCoy desempeñó su papel: pivotando alrededor del arco de entrada, vio como el iraquí se caía por las escaleras circulares y vació rápidamente las doce balas en el cuerpo tembloroso, magullado y contraído.

Luego los disparos cesaron y todo quedó en silencio, demasiado silencio.

* * *

—¿Qué ha ocurrido? —pidió el presidente con un aullido.

—No lo sé —respondió Kirkpatrick—. No he llegado a enviar el último mensaje.

—¿Por qué se ha movido Bennett?

No hubo respuesta.

* * *

Mordechai, Galishnikov y Sa'id salieron disparados hacia el ascensor con ametralladoras Uzi en las manos.

Alertaron a McCoy para que no les disparara y entraron corriendo detrás de ella. Entonces pudieron ver la escena del combate entera por primera vez, en color y no en el monitor en blanco y negro. Se quedaron helados, absolutamente atónitos. McCoy quitó el cargador vacío de la Beretta, introdujo el último que le quedaba lleno y rápidamente se lo entregó a Galishnikov y a Sa'id.

—Aseguraos de que estén todos muertos y quitadles las armas, a todos —ordenó antes de correr hacia Bennett y Black.

Llegó primero a Black, que yacía en medio de un charco de sangre al final del pasillo del ala este. Se arrodilló a su lado y le buscó el pulso en el cuello con los dedos de la mano derecha. «Dios mío —pensó mientras la mano izquierda le cubría la boca sin darse cuenta—. Oh, Dios mío, no.» Era demasiado tarde. Black había muerto. Se acercó a Bennett, que se había desplomado contra la pared de la habitación al lado de la puerta.

«Por favor, por favor que él no esté muerto también», pedía en silencio. Realmente, parecía estarlo.

Tenía sangre por todas partes, especialmente en ambos hombros y en el antebrazo derecho, aun así realmente había tenido bastante suerte porque las balas no le habían alcanzado ningún órgano vital ni la cara. Rápidamente, le buscó el pulso.

—¡Jon está vivo! —gritó McCoy a los demás—. Ayudadme a moverle.

—Llevémosle abajo —dijo el doctor Mordechai—. Tengo toda una sala de urgencias médicas allí. Hay sangre, medicamentos y material quirúrgico. Todo lo necesario.

—Bien —dijo McCoy—. ¡Bajémosle!

* * *

—Burt, tenemos un problema.

El secretario de Defensa Burt Trainor supervisaba la guerra aérea contra Iraq desde el Centro de Mando Militar Nacional situado debajo del Pentágono. Todo iba bastante bien, hasta ese instante.

—¿Qué ocurre, Jack?

—Uno de mis pájaros acaba de interceptar una actividad inusual en un edificio que se supone que es un hospital infantil en el centro de Bagdad. Le pongo ahora las imágenes en directo.

La imagen se hizo visible en la pantalla principal que tenía delante Trainor, proveniente de un satélite espía fotoelectrónico Keyhoe, en ese caso, el USA-116. Ese satélite de espionaje figuraba entre los más sofisticados que jamás se habían construido: la calidad de la imagen era tal que permitía a los agentes del servicio de inteligencia estadounidense y a los comandos militares leer la matrícula de un vehículo o el logo de una gorra. Incluso podría tomar una fotografía de un hombre con una taza de café y prácticamente se podía averiguar si era descafeinado o normal.

En cuanto vio las imágenes, Trainor sintió náuseas, puesto que lo que contempló era algo más que una «actividad inusual».

El hospital de diez plantas que tenía enfrente, de algún modo, se había vaciado por dentro y se había convertido en una plataforma de lanzamiento de misiles de última generación. El techo del edificio estaba al descubierto, del mismo modo que algunos estadios de deporte pueden retirar la cúpula que los cubre y dejar que los equipos jueguen al aire libre.

Mitchell y Trainor pudieron contemplar desde arriba el cañón de esa arma enorme que contenía un reluciente cohete de unos dieciocho metros. No se trataba de un cohete Al Hussein de corto o medio alcance que pudiera alcanzar tan sólo Israel. No. Se trataba de un auténtico misil balístico intercontinental, capaz de impactar contra Washington, Nueva York o cualquier otro punto de América del Norte o Europa. Y lo estaban cargando y preparando para el despegue.

—¿Está de acuerdo conmigo, Burt? —preguntó Mitchell—. No me atrevo ni a decirlo.

—Estoy contigo —dijo Trainor, mirando a la pantalla sin dar crédito a sus ojos—. Esto es un ICBM iraquí, con una ojiva nuclear, seguramente, y no disponemos de más de diez o quince minutos para eliminarlo.

Trainor se volvió hacia un perplejo presidente de la Junta de Jefes del Estado Mayor, Mutschler, que asintió. Entonces se dirigió a un ayudante.

—Póngame con el presidente, ahora mismo.

* * *

—¿No puede encargarse el equipo de SEAL? —preguntó el presidente.

—No hay tiempo suficiente, señor —respondió el secretario Trainor.

El presidente ordenó al secretario de Defensa que transmitiera las últimas informaciones al Comando Central, lanzara los B-2 y ordenara a todas las demás fuerzas terrestres y aéreas de Estados Unidos, incluidos el equipo seis de SEAL y los hombres del NEST, que evacuaran el teatro inmediatamente. Lo único que quedaba por ver era si eso resultaría suficiente y si dispondrían del tiempo necesario.

* * *

Los ingenieros iraquíes se apresuraban a finalizar su misión. Sabían lo que les esperaba si no lo conseguían. Los depósitos de combustible del cohete estaban casi llenos. La información sobre el objetivo ya casi estaba cargada en los ordenadores. Tan sólo necesitaban unos minutos más y «la última yihad» estaría ya en el aire.

* * *

Dos aviones B-2 Spirit salieron rugiendo de Incirlik, Turquía, preparados para actuar.

El bombardero de 21 metros que iba en cabeza, llamado *Bravo Delta Foxtrot* y pilotado por el teniente coronel Dave Kachinski, entró en el espacio aéreo iraquí desde el norte a quince mil metros de altura. El avión de refuerzo, llamado *Bravo Delta Bravo*, entró una décima de segundo más tarde.

* * *

Bennett se estabilizó con rapidez.

A salvo en la habitación médica del búnker subterráneo, le habían puesto suero intravenoso y le habían administrado plasma y calmantes para el dolor. Sin embargo, no podían hacer mucho más desde allí. Necesitaban llevarle a una unidad de traumatología y, a Black, al depósito de cadáveres.

La única buena noticia era que el equipo tres de los SEAL iba a llegar pronto para sacarlos de allí y llevarlos al portaaviones *Reagan*.

* * *

Kachinski respondió por radio al centro de operaciones del Norad.

Estaba conectado con el Centro de Mando Militar Nacional, el Mando Aéreo Estratégico en la base de las Fuerzas Aéreas de Offutt y con el Centro de Operaciones de Emergencia, debajo del edificio de la Casa Blanca.

—Palacio de Cristal, soy *Bravo Delta Foxtrot*. Esperamos órdenes.

En Consejo Nacional de Seguridad al completo estaba reunido alrededor del comandante general, esperando a ver qué haría el presidente.

* * *

El depósito del misil ya estaba lleno.

El programa del objetivo ya estaba cargado.

Estaban preparados.

* * *

Con un coste de dos mil cien millones de dólares cada uno, los B-2A son una de las maravillas de las guerras modernas.

Más conocidos como bombarderos Stealth, estos aviones elegantes, negros y que los radares raras veces detectan, se diseñaron expresamente para lanzar la Bomba. Aun así, ¿iban a hacerlo?

* * *

—Doctor Mordechai —dijo McCoy suavemente.

Ahora estaba empezando a desesperarse de la conmoción que significaba tener a un amigo muerto y a otro seriamente herido. Estaba sentada en el centro de la sala de mando principal, mirando a todas las pantallas de televisor, con los ojos vidriosos y la mirada distante.

—Sí, Erin —respondió el viejo con delicadeza.

—Me parece que debería llamar al presidente.

—Claro que sí. Utiliza este teléfono.

—Gracias.

Se quedó allí sentada un momento, intentando recordar el número de teléfono del Centro de Operaciones de Emergencia, pero no podía. Su mente era un torbellino vertiginoso de adrenalina y emociones y le costaba concentrarse. Finalmente, marcó el número general de la Casa Blanca, el 202-456-1414, y le dijo al telefonista quién era y desde dónde llamaba.

* * *

—Señor presidente, el misil iraquí está listo para el lanzamiento —gritó el secretario Trainor.

—No hay tiempo para ningún ataque con B-52. Si va a lanzar bombas nucleares contra Bagdad y Tikrit, tiene que hacerlo ahora. Y tenemos que ordenar a los B-52 que regresen y salgan de allí a toda pastilla si no quieren ser historia.

Había llegado el momento de tomar la decisión.

* * *

Marsha Kirkpatrick respondió al teléfono.

Era McCoy. Quería explicarles lo que había pasado. Pero no tenían tiempo.

—Erin, escúcheme, ¿de acuerdo? —interrumpió Kirkpatrick.

—Sí... —respondió McCoy confusa y aturdida.

Kirkpatrick dudó. No sabía si explicarlo a esa valiente joven, especialmente después de todo lo que le acababa de suceder. Pero McCoy le acababa de contar que le llamaba desde la sala de control de un búnker enterrado a varios metros bajo tierra, hormigón y granito.

—Erin, los iraquíes lanzarán un misil nuclear dentro de unos minutos.

—Oh, Dios mío. ¿Contra Israel?

—No lo sabemos seguro. Podría ser contra vosotros, pero también contra nosotros.

* * *

El sonido de una llamada del Norad interrumpió el trabajo del Centro de Operaciones de Emergencia.

—Palacio de Cristal, soy *Bravo Delta Foxtrot* otra vez. Repito, vuelo alto, todo está despejado y espero órdenes. Por favor, contesten.

El presidente respiró hondo. Miró a los presentes. Ya no tenía tiempo.

* * *

Se le habían formado unas gotitas de sudor en la cara.

Azziz comprobó la consola del ordenador. Quedaban tres minutos para el lanzamiento. «¡Vamos! —gritó—. ¡Acabad ya!»

* * *

McCoy estaba en estado de choque.

—Erin, ¿qué ocurre? —preguntó el doctor Mordechai mientras la chica colgaba el teléfono.

Miró a esos tres dulces hombres que tenía delante. El labio inferior le temblaba. Intentó recomponerse, quería ser fuerte como su madre había sido hasta el final.

—Los iraquíes...

Pero no podía hacerlo.

—¿Qué? ¿Qué pasa con los iraquíes, Erin?—le animó a continuar Sa'id.

—... están a punto de lanzar un ICBM.

—Oh, Dios mío —dijo en un grito ahogado Galishnikov—. Oh, Dios mío.

* * *

La voz del presidente sonaba más serena de lo que todos habían esperado.

—Secretario Trainor, ordene que los B-52 regresen a la base.

* * *

Los cuatro, Mordechai, Galishnikov, Sa'id y McCoy, centraron la atención en las enormes pantallas que había en la pared que tenían delante. Una tenía puesta Sky News; otra, la CNN; otra, la BBC; otra, el Channel 2 israelí, y otra, la RTR de Moscú. Todavía no se tenía ninguna noticia de un posible e inminente lanzamiento nuclear. Pero ¿cómo podrían saberlo? Nadie en su juicio anunciaría esa noticia tan horripilante.

* * *

—*Bravo Delta Foxtrot* —empezó—. Soy el presidente de Estados Unidos.

Todos los que estaban en el COE aguantaron la respiración. Instintivamente se pusieron en pie, aunque el presidente continuó sentado en la silla de ruedas.

—Sí, señor presidente —dijo la respuesta llena de chisporroteos.

—*Bravo Delta Foxtrot*...

El presidente cerró los ojos y bajó la cabeza.

—No lo he recibido, señor presidente. Por favor, repita.

Pasaron unos segundos preciosos.

—Señor presidente, no lo he recibido. Repito, no lo he recibido. Por favor, repita. Cambio.

El presidente abrió los ojos y miró la tarjeta de plástico que no era más grande que una tarjeta de crédito y que sostenía en las manos temblorosas y sudorosas.

—*Bravo Delta Foxtrot*, ¿el presidente de la Junta de Jefes del Estado Mayor le ha dado un código de lanzamiento?

—Sí, señor. Espero su verificación, señor.

La primera dama respiró hondo, juntó las manos y se las llevó a la boca. Miraba a los ojos del presidente e intentaba leer su expresión inescrutable.

—Tango, Tango, Alpha, Zulu, siete, nueve, Foxtrot, nueve.

Julie MacPherson emitió un grito ahogado, de repente la cabeza empezó a dolerle y le quemaba la garganta.

—Lo estamos verificando, señor. Tango, Tango, Alpha, Zulu, siete, nueve, Foxtrot, nueve.

—Correcto.

—Tengo la verificación, señor.

—*Bravo Delta Foxtrot*...

—Sí, señor.

El fotógrafo de la Casa Blanca empezó a sacar instantáneas frenéticamente, de manera que al presidente le resultaba casi imposible oír. Levantó la mano y los *flashes* pararon.

—Usted y su ayudante están autorizados para lanzar las armas que llevan a bordo. Por favor, envíen confirmación.

—Recibido, señor presidente. *Bravo Delta Foxtrot* confirma la recepción de las órdenes verificadas. Tenemos autorización para lanzar las armas.

—Que Dios esté con ustedes.

—Y con usted, señor.

* * *

Empezó a salir humo de los enormes motores del cohete.

La cuenta atrás estaba a punto de empezar.

Quedaban menos de dos minutos.

* * *

Los dos pilotos de los B-2 completaron rápidamente los preparativos finales.

Comprobaron los instrumentos y rezaron. Un instante después, apretaron el gatillo.

Los misiles de crucero AGM-129A de seis metros y mil seiscientos kilos de peso, con una ojiva nuclear W-80-1, salieron límpidamente y empezaron a volar hacia sus objetivos a una velocidad supersónica.

Ya no había vuelta atrás.

* * *

Azziz cogió el teléfono seguro y pulsó la línea 1.

—Queda un minuto para el lanzamiento, Su Excelencia.

—Alabado sea Alá.

* * *

La cabeza de McCoy se puso alerta.

Alguien susurraba su nombre.

—Erin...

Era Bennett. Entró corriendo en la sala médica, se le acercó y le cogió la mano. Con un trapo le secó el sudor de la frente, sonrió al pobre hombre, que yacía temblando.

—Todo va bien —le dijo—. Te vas a poner bien.

Afortunadamente, era verdad y Bennett lo supo por el convencimiento con el que lo dijo. Estaba cansado. Necesitaba dormir. Pero sobreviviría.

—Necesito decirte algo.

Tenía la voz rasposa y débil.
—Oye, oye, tranquilízate.
—No, no. Necesito decírtelo.
—Lo que necesitas ahora es descansar, Jon. El presidente me matará si no lo haces.
Bennett intentó sonreír y luego trató de hablar.
—Necesito decirte algo importante. Muy importante.
Se inclinó encima de él y notó la débil respiración en la mejilla.
—¿Qué es, Jon? —susurró.
—Me parece que he encontrado un tesoro escondido. Y no pienso dejarlo escapar.
Entonces le apretó la mano y lo miró fijamente a los ojos.

* * *

Todos los sistemas estaban en marcha.
Azziz escuchaba la cuenta atrás por teléfono.
—Quince, catorce, trece, doce, once...

* * *

El presidente bajó la cabeza.
El equipo esperaba con nerviosismo.
El fotógrafo de la Casa Blanca tomó unas cuantas fotografías más y luego paró. Todo estaba en silencio y parecía una escena un tanto surrealista. Todas las miradas se dirigieron a un sismógrafo que había en medio de la mesa y que estaba conectado a un monitor altamente sensible que las fuerzas especiales estadounidenses habían instalado en el desierto cerca de Bagdad. No deberían estar a más de quince grados en el búnker, aun así el presidente notaba las gotas de sudor que le surcaban la frente.
Entonces ocurrió.
La aguja del sismógrafo empezó a vibrar con violencia.

El presidente se dio la vuelta hacia las pantallas de vídeo de la pared. Posó los ojos en las imágenes en directo que les llegaban desde los satélites espía en la estratosfera y de los aviones teledirigidos sin tripulación que sobrevolaban la frontera entre Iraq y Kuwait. Y lo que vio le resultó incomprensible.

Los *flashes* de una luz blanca y brillante. Dos bolas de fuego descomunales. Los vientos radiactivos huracanados a una velocidad de doscientos sesenta kilómetros por hora. La destrucción instantánea de gran parte de dos ciudades antiguas. Las dos rúbricas inconfundibles de las setas gemelas, erigiéndose, kilómetro a kilómetro, hacia el cielo.

En un abrir y cerrar de ojos, con tan sólo pulsar un botón, todo había terminado.

No obstante, en lo más profundo de su ser, MacPherson sabía que tan sólo acababa de empezar.